W0008915

# Exercices numération

**EXERCICE 1**

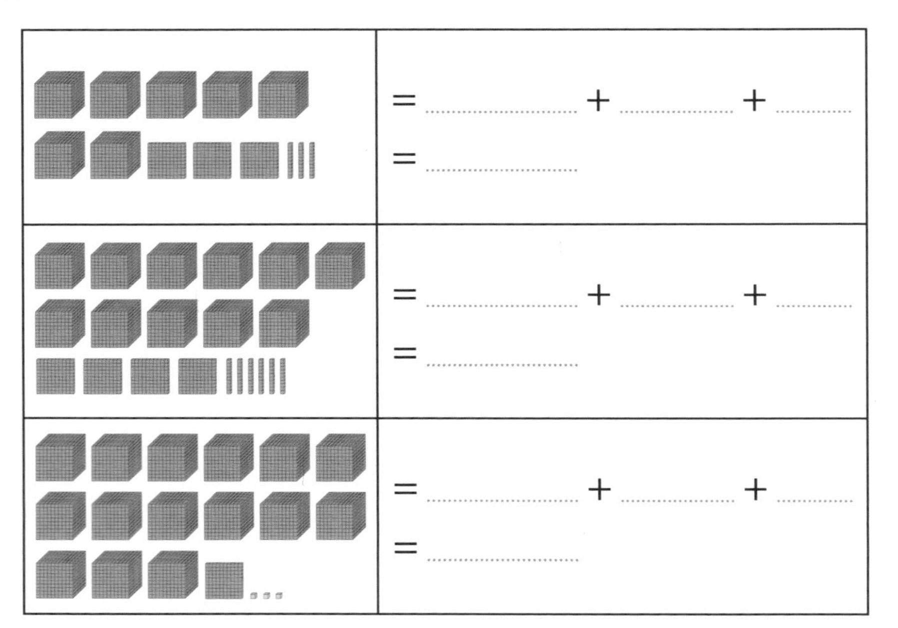

| | |
|---|---|
| | = ............ + ............ + ............<br>= ............ |
| | = ............ + ............ + ............<br>= ............ |
| | = ............ + ............ + ............<br>= ............ |

**EXERCICE 2**

| Dans le nombre… | le chiffre 5 représente le **chiffre** des : | le **nombre** de centaines est : |
|---|---|---|
| 13 542 | ............ | ............ |
| 15 819 | ............ | ............ |
| 24 475 | ............ | ............ |






# Exercices numération

**EXERCICE 1**

| | |
|---|---|
| | = ............ + ............ + ............<br>= ............ |
| | = ............ + ............ + ............<br>= ............ |
| | = ............ + ............ + ............<br>= ............ |

**EXERCICE 2**

| Dans le nombre… | le chiffre 5 représente le **chiffre** des : | le **nombre** de centaines est : |
|---|---|---|
| 13 542 | ............ | ............ |
| 15 819 | ............ | ............ |
| 24 475 | ............ | ............ |

# Ressources

CM1 CM2

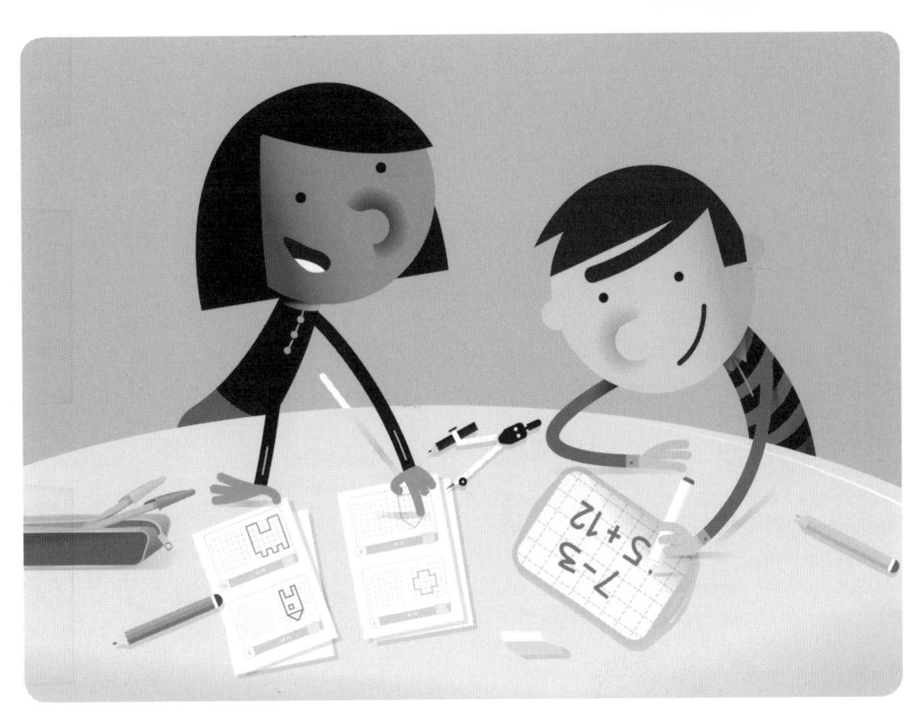


Nathan

# Sommaire des ressources

# Chaine de calculs CM1

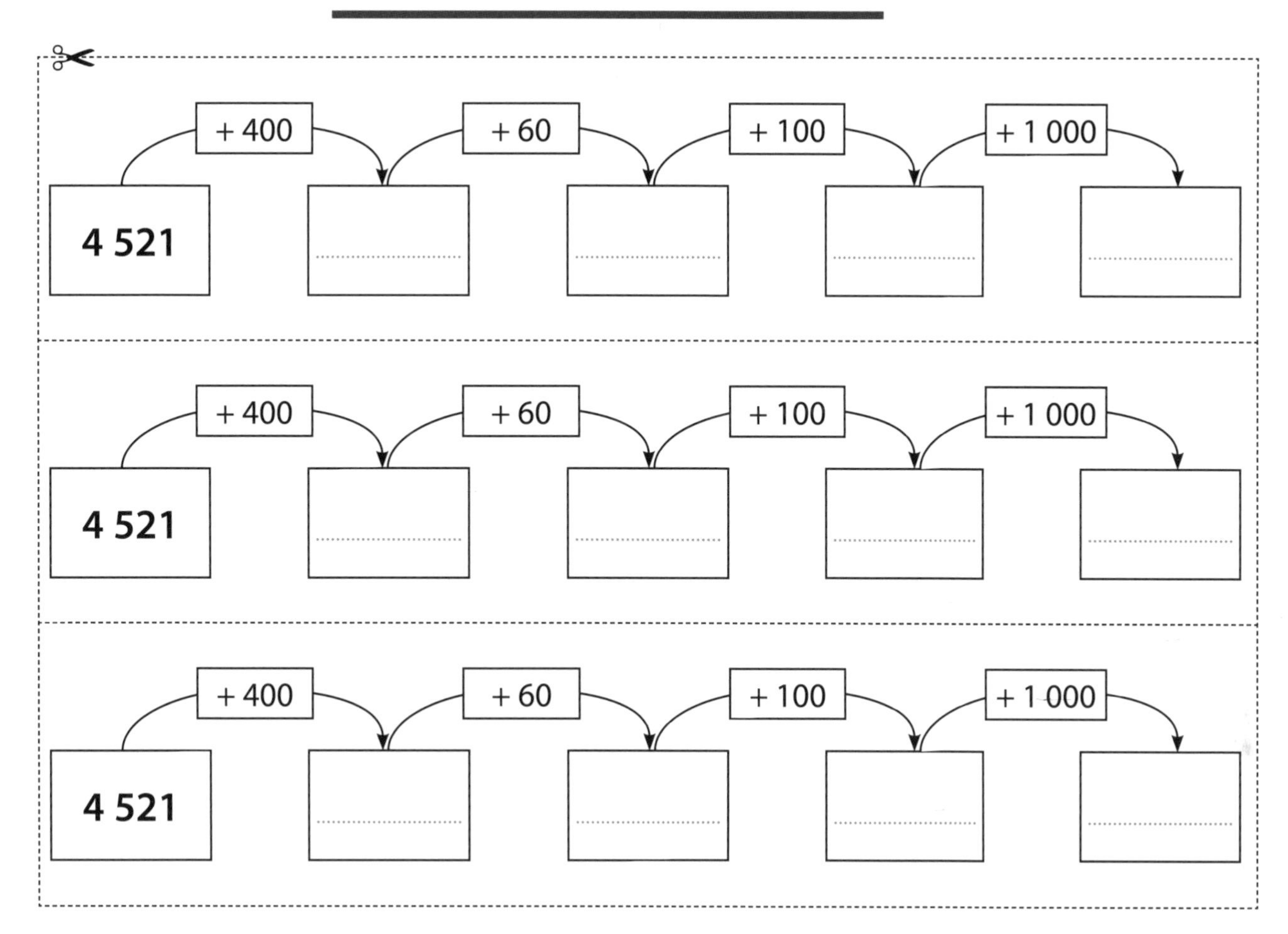


# Chaine de calculs CM2

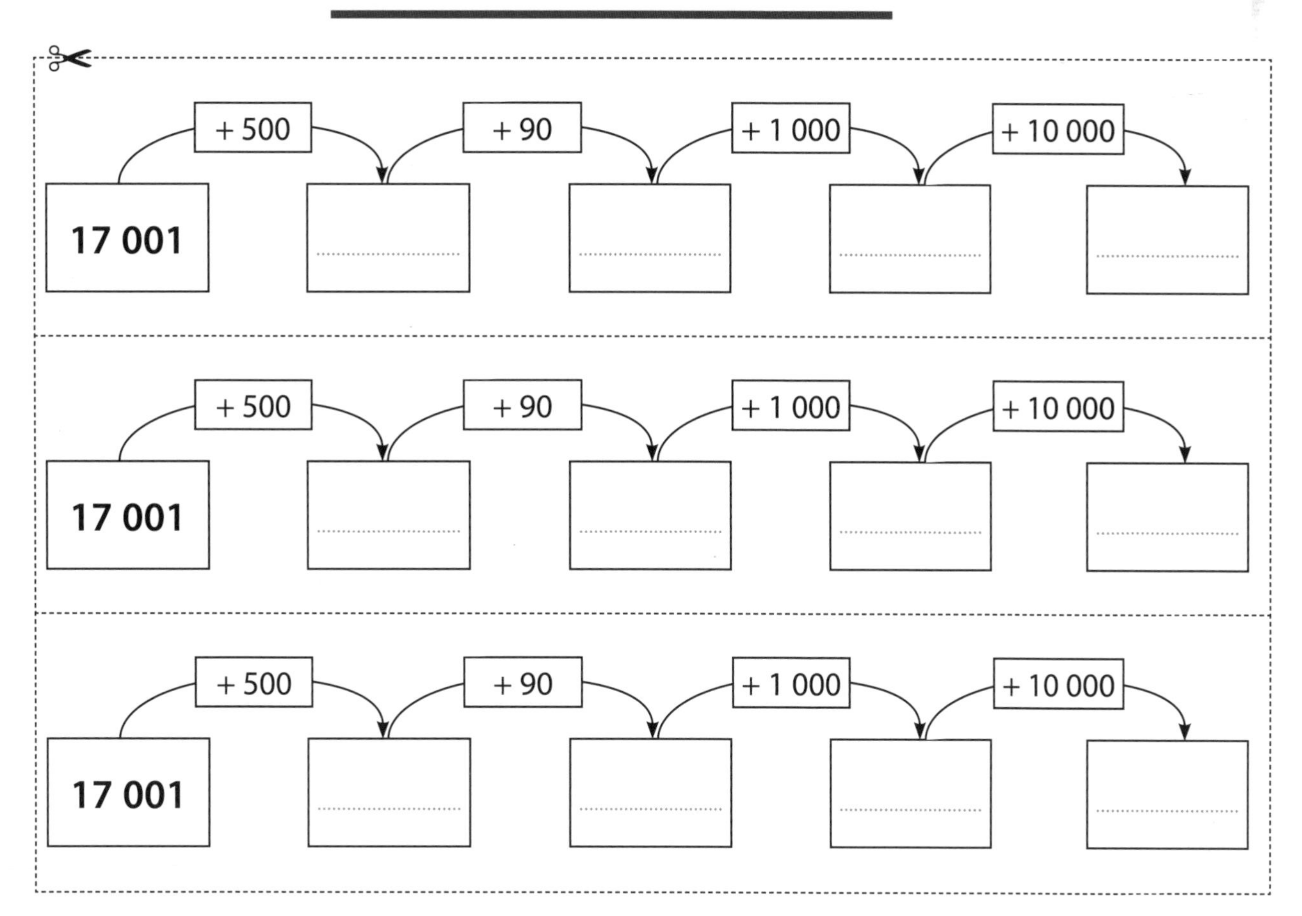

# Chèques à compléter

**BANQUE HEURISTIK**

Payez contre ce chèque

€uros

Banque **Heuristik**
Rue du Triangle
31415 Centre

Signature :

Fait à

Le

**BANQUE HEURISTIK**

Payez contre ce chèque

€uros

Banque **Heuristik**
Rue du Triangle
31415 Centre

Signature :

Fait à

Le

**BANQUE HEURISTIK**

Payez contre ce chèque

€uros

Banque **Heuristik**
Rue du Triangle
31415 Centre

Signature :

Fait à

Le

**BANQUE HEURISTIK**

Payez contre ce chèque

€uros

Banque **Heuristik**
Rue du Triangle
31415 Centre

Signature :

Fait à

Le

# Exercices numération

**EXERCICE 1**

**Écris en chiffres les nombres suivants.**

huit-cent-dix-sept-mille-deux-cent-neuf : ..................................

deux-millions-trois-cent-soixante-mille-cinq-cents :

..................................

un-million-sept-cent-trente-mille-cent-cinquante-quatre :

..................................

**EXERCICE 2**

**1 Écris chaque nombre en séparant correctement les classes.**

34587345 → 34 587 345

1578901 → ..................................

25858099 → ..................................

1987250123 → ..................................

**2 Entoure en bleu le chiffre des dizaines de mille de chacun des nombres précédents.**

**EXERCICE 3**

**Dans ton cahier, écris en lettres ces deux nombres.**

5 428 900 1 400 520 950




# Exercices numération

**EXERCICE 1**

**Écris en chiffres les nombres suivants.**

huit-cent-dix-sept-mille-deux-cent-neuf : ..................................

deux-millions-trois-cent-soixante-mille-cinq-cents :

..................................

un-million-sept-cent-trente-mille-cent-cinquante-quatre :

..................................

**EXERCICE 2**

**1 Écris chaque nombre en séparant correctement les classes.**

34587345 → 34 587 345

1578901 → ..................................

25858099 → ..................................

1987250123 → ..................................

**2 Entoure en bleu le chiffre des dizaines de mille de chacun des nombres précédents.**

**EXERCICE 3**

**Dans ton cahier, écris en lettres ces deux nombres.**

5 428 900 1 400 520 950

# Droites graduées

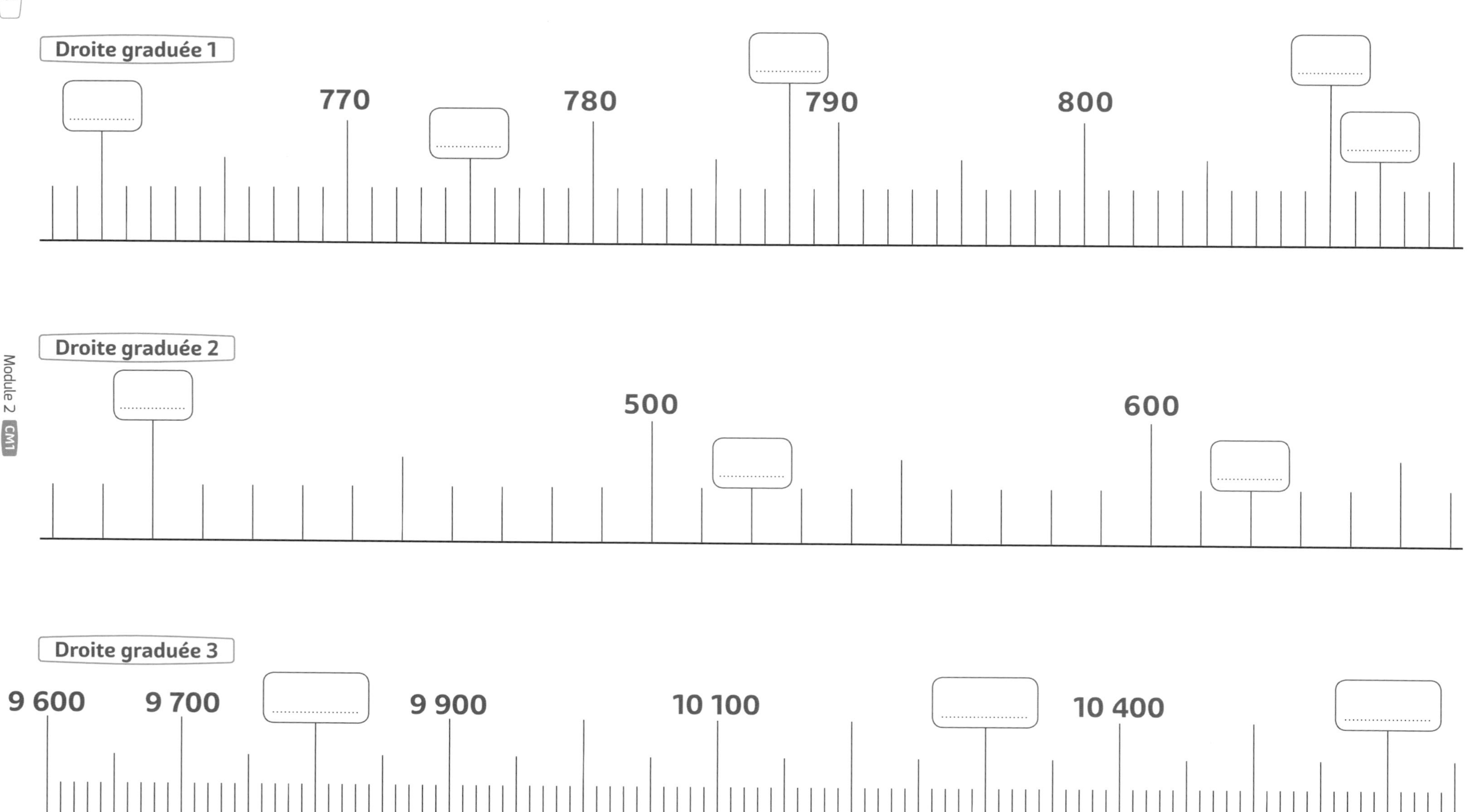

# Droites graduées

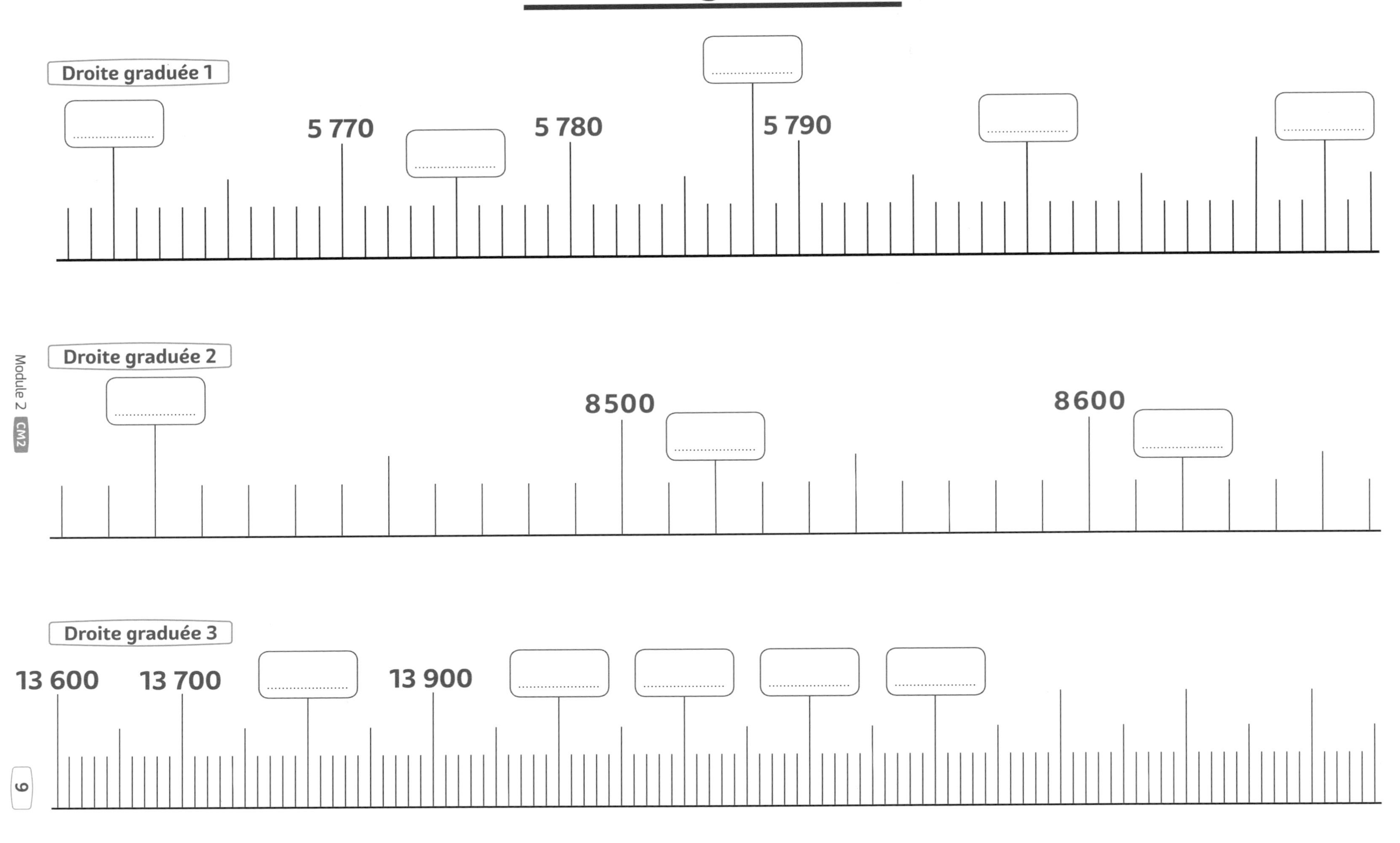

## *Rituel* Le nombre du jour (1) CM1

1 Écris dans le tableau.

| millions | | | mille | | | unités | | |
|---|---|---|---|---|---|---|---|---|
| C | D | U | C | D | U | C | D | U |
| | | | | | | | | |
| | | | | | | | | |

2 Entoure en rouge le chiffre des millions et en bleu le nombre de milliers.

## *Rituel* Le nombre du jour (1) CM1

1 Écris dans le tableau.

| millions | | | mille | | | unités | | |
|---|---|---|---|---|---|---|---|---|
| C | D | U | C | D | U | C | D | U |
| | | | | | | | | |
| | | | | | | | | |

2 Entoure en rouge le chiffre des millions et en bleu le nombre de milliers.

## *Rituel* Le nombre du jour (1) CM2

1 Écris dans le tableau.

| milliards | | | millions | | | mille | | | unités | | |
|---|---|---|---|---|---|---|---|---|---|---|---|
| C | D | U | C | D | U | C | D | U | C | D | U |
| | | | | | | | | | | | |
| | | | | | | | | | | | |

2 Entoure en rouge le chiffre des dizaines de millions et en bleu le nombre de centaines de mille.

## *Rituel* Le nombre du jour (1) CM2

1 Écris dans le tableau.

| milliards | | | millions | | | mille | | | unités | | |
|---|---|---|---|---|---|---|---|---|---|---|---|
| C | D | U | C | D | U | C | D | U | C | D | U |
| | | | | | | | | | | | |
| | | | | | | | | | | | |

2 Entoure en rouge le chiffre des dizaines de millions et en bleu le nombre de centaines de mille.

# Problème de pluviométrie

La **pluviométrie** est l'étude des précipitations, notamment de la pluie. On mesure ainsi la hauteur de pluie qui tombe à un endroit donné grâce à un pluviomètre.
Voici un tableau de la pluviométrie à Nice, ville du sud de la France.

| Janvier | Mars | Mai | Juillet | Septembre | Novembre |
|---|---|---|---|---|---|
| 69 mm | 38 mm | 40 mm | 9 mm | 52 mm | 100 mm |


# Problème de pluviométrie

La **pluviométrie** est l'étude des précipitations, notamment de la pluie. On mesure ainsi la hauteur de pluie qui tombe à un endroit donné grâce à un pluviomètre.
Voici un tableau de la pluviométrie à Nice, ville du sud de la France.

| Janvier | Mars | Mai | Juillet | Septembre | Novembre |
|---|---|---|---|---|---|
| 69 mm | 38 mm | 40 mm | 9 mm | 52 mm | 100 mm |


# Activité de tri

Voici une liste de mesures d'objets pour lesquelles on utilise une unité précise. Par exemple, l'épaisseur d'un spaghetti se mesure en mm, pas en km !

• *épaisseur d'un livre* • *hauteur d'un arbre* • *distance entre Paris et Moscou* • *largeur d'un cahier* • *hauteur d'un but de football* • *distance à courir pendant un marathon*

**Recopie ces mesures dans la bonne colonne selon l'unité qui est la plus adaptée.**

| km | m | cm |
|---|---|---|
| | | |

# Problème de pluviométrie

La **pluviométrie** est l'étude des précipitations, notamment de la pluie.
On mesure ainsi la hauteur de pluie qui tombe sur un endroit donné grâce à un pluviomètre.
Voici un tableau de la pluviométrie à Kimberley, une ville d'Australie. Les mesures sont données dans des unités différentes.

**1** Convertis les mesures en mm.

| Janvier-Février | Mars-Avril | Mai-Juin | Juillet-Août | Septembre-Octobre | Novembre-Décembre |
|---|---|---|---|---|---|
| 2 dm | 14 cm | 3,9 cm | 0,3 cm | 2,9 cm | 1,5 dm |
| ........ mm | ........ mm | ........ mm | ........ mm | ........ mm | ........ mm |

**2** Quelle est la période où il a plu le plus ? ........................................

**3** Combien a-t-il plu au total sur l'année (en mm) ?

........................................


# Problème de pluviométrie

La **pluviométrie** est l'étude des précipitations, notamment de la pluie.
On mesure ainsi la hauteur de pluie qui tombe sur un endroit donné grâce à un pluviomètre.
Voici un tableau de la pluviométrie à Kimberley, une ville d'Australie. Les mesures sont données dans des unités différentes.

**1** Convertis les mesures en mm.

| Janvier-Février | Mars-Avril | Mai-Juin | Juillet-Août | Septembre-Octobre | Novembre-Décembre |
|---|---|---|---|---|---|
| 2 dm | 14 cm | 3,9 cm | 0,3 cm | 2,9 cm | 1,5 dm |
| ........ mm | ........ mm | ........ mm | ........ mm | ........ mm | ........ mm |

**2** Quelle est la période où il a plu le plus ? ........................................

**3** Combien a-t-il plu au total sur l'année (en mm) ?

........................................

# Calculs CM1

1. 4 500 + 100 = ..................
2. 8 700 + 100 = ..................
3. 3 529 + 200 = ..................
4. 5 645 + 200 = ..................
5. 4 250 + 300 = ..................
6. 4 258 + 300 = ..................
7. 1 900 + 500 = ..................
8. 1 300 + 1 000 = ..................
9. 19 000 + 500 = ..................
10. 19 000 + 1 000 = ..................
11. 4 400 – 100 = ..................
12. 8 700 – 100 = ..................
13. 3 500 – 200 = ..................
14. 5 750 – 200 = ..................
15. 4 880 – 300 ..................
16. 2 590 – 300 = ..................
17. 1 900 – 500 = ..................
18. 1 900 – 1 000 = ..................
19. 19 000 – 2 000 = ..................
20. 35 000 – 6 000 = ..................



# Calculs CM2

1. 43 500 + 1 000 = ..................
2. 82 750 + 1 000 = ..................
3. 30 500 + 2 000 = ..................
4. 55 000 + 2 000 = ..................
5. 42 500 + 3 000 = ..................
6. 29 550 + 3 000 = ..................
7. 19 000 + 5 000 = ..................
8. 22 000 + 15 000 = ..................
9. 17 000 + 5 000 = ..................
10. 190 000 + 15 000 = ..................
11. 44 590 – 1 000 = ..................
12. 81 750 – 1 000 = ..................
13. 32 500 – 2 000 = ..................
14. 53 500 – 2 000 = ..................
15. 43 200 – 3 000 = ..................
16. 25 100 – 3 000 = ..................
17. 19 000 – 5 000 = ..................
18. 19 000 – 15 000 = ..................
19. 12 000 – 5 000 = ..................
20. 190 000 – 15 000 = ..................

# Droites graduées

11 700 12 000

11 700 12 000

11 700 12 000

11 700 12 000

# Droites graduées

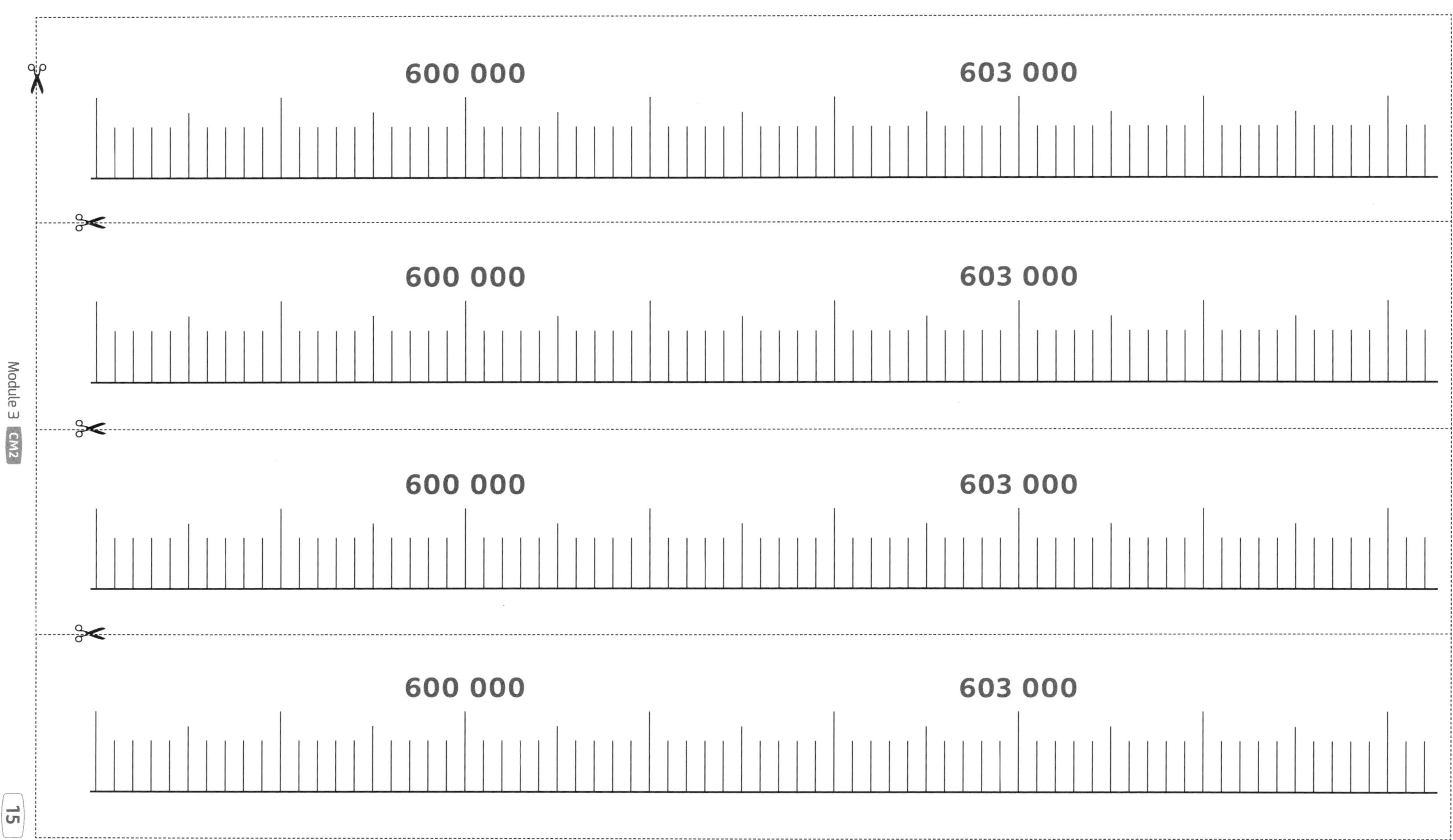

# Exercices numération

**1** **Recopie les nombres en espaçant correctement les classes.**

158908498 : ..............................

685925840 : ..............................

**2** **Écris en chiffres dans le tableau :**

- onze-millions-quarante-cinq-mille-neuf-cent-un
- sept-milliards-deux-cent-quatre-vingt-deux-millions

| milliards | | | millions | | | mille | | | unités | | |
|---|---|---|---|---|---|---|---|---|---|---|---|
| C | D | U | C | D | U | C | D | U | C | D | U |
| | | | | | | | | | | | |
| | | | | | | | | | | | |

**3** **Écris le nombre correspondant.**

15 unités et 9 dixièmes : ..............

2 unités, 4 dixièmes et 5 centièmes : ..............

0 unité et 25 centièmes : ..............




# Exercices numération

**1** **Recopie les nombres en espaçant correctement les classes.**

158908498 : ..............................

685925840 : ..............................

**2** **Écris en chiffres dans le tableau :**

- onze-millions-quarante-cinq-mille-neuf-cent-un
- sept-milliards-deux-cent-quatre-vingt-deux-millions

| milliards | | | millions | | | mille | | | unités | | |
|---|---|---|---|---|---|---|---|---|---|---|---|
| C | D | U | C | D | U | C | D | U | C | D | U |
| | | | | | | | | | | | |
| | | | | | | | | | | | |

**3** **Écris le nombre correspondant.**

15 unités et 9 dixièmes : ..............

2 unités, 4 dixièmes et 5 centièmes : ..............

0 unité et 25 centièmes : ..............

# Horaires de vol CM1

Voici les horaires de vol d'un aéroport de Paris.

| Destination | Numéro de vol | Départ | Arrivée | Places restantes |
|---|---|---|---|---|
| New York | NY569 | 11:00 | 19:05 | 120 |
| Moscou | MK584 | 9:30 | 13:00 | 18 |
| Londres | LH2591 | 10:15 | 11:30 | 65 |
| Athènes | AG970 | 13:20 | 16:30 | 49 |

1 Entoure en bleu la destination de l'avion qui arrive à 11 h 30.

2 Entoure en rouge l'horaire d'arrivée du vol pour New York.

3 Entoure en vert les numéros des avions dont le vol va durer plus de 3 heures.

4 Combien reste-t-il de places au total sur les 4 vols ?

..............................

..............................

# Horaires de vol CM2

Voici les horaires de vol d'un aéroport de Paris.

| Destination | Numéro de vol | Départ | Arrivée | Places restantes |
|---|---|---|---|---|
| New York | NY569 | 11:00 | 19:05 | 120 |
| Moscou | MK584 | 9:30 | 13:00 | 18 |
| Londres | LH2591 | 10:15 | 11:30 | 65 |
| Madrid | MM1274 | 11:20 | 13:20 | 32 |
| Berlin | BD509 | 12:00 | 13:30 | 101 |
| Athènes | AG970 | 13:20 | 16:30 | 49 |

1 Entoure en bleu la destination de l'avion qui part à 11 h 20.

2 Entoure en vert les numéros des avions dont le vol va durer plus de 3 heures.

3 Quelle est la durée du vol Paris-Berlin ? ..............................

4 Combien reste-t-il de places au total sur les 6 vols ?

..............................

..............................

# Chronomath 1

1. $5 \times 5 =$ ..........
2. $4 \times 4 =$ ..........
3. $7 \times 4 =$ ..........
4. $8 \times 8 =$ ..........
5. $4 \times 9 =$ ..........
6. $6 \times 3 =$ ..........
7. $5 \times 3 =$ ..........
8. $6 \times 7 =$ ..........
9. $4 \times$ .......... $= 36$
10. $6 \times$ .......... $= 48$
11. $34 + 9 =$ ..........
12. $55 + 9 =$ ..........
13. $175 + 9 =$ ..........
14. $1\,990 + 9 =$ ..........
15. $425 - 9 =$ ..........
16. $518 - 9 =$ ..........
17. $5\,470 - 9 =$ ..........
18. $155 + 11 =$ ..........
19. $283 + 11 =$ ..........
20. $4\,200 + 11 =$ ..........
21. $15 \times 10 =$ ..........
22. $46 \times 10 =$ ..........
23. $468 \times 10 =$ ..........
24. $919 \times 10 =$ ..........
25. $820 \times 10 =$ ..........
26. $5\,055 \times 10 =$ ..........
27. $34 \times 100 =$ ..........
28. $71 \times 100 =$ ..........
29. $33 \times 100 =$ ..........
30. $125 \times 100 =$ ..........

**Score :** ..........






# Chronomath 1

1. $5 \times 5 =$ ..........
2. $4 \times 4 =$ ..........
3. $7 \times 4 =$ ..........
4. $8 \times 8 =$ ..........
5. $4 \times 9 =$ ..........
6. $6 \times 3 =$ ..........
7. $5 \times 3 =$ ..........
8. $6 \times 7 =$ ..........
9. $4 \times$ .......... $= 36$
10. $6 \times$ .......... $= 48$
11. $34 + 9 =$ ..........
12. $55 + 9 =$ ..........
13. $175 + 9 =$ ..........
14. $1\,990 + 9 =$ ..........
15. $425 - 9 =$ ..........
16. $518 - 9 =$ ..........
17. $5\,470 - 9 =$ ..........
18. $155 + 11 =$ ..........
19. $283 + 11 =$ ..........
20. $4\,200 + 11 =$ ..........
21. $15 \times 10 =$ ..........
22. $46 \times 10 =$ ..........
23. $468 \times 10 =$ ..........
24. $919 \times 10 =$ ..........
25. $820 \times 10 =$ ..........
26. $5\,055 \times 10 =$ ..........
27. $34 \times 100 =$ ..........
28. $71 \times 100 =$ ..........
29. $33 \times 100 =$ ..........
30. $125 \times 100 =$ ..........

**Score :** ..........

# Chronomath 1 : réponses

1. $5 \times 5 =$ **25**
2. $4 \times 4 =$ **16**
3. $7 \times 4 =$ **28**
4. $8 \times 8 =$ **64**
5. $4 \times 9 =$ **36**
6. $6 \times 3 =$ **18**
7. $5 \times 3 =$ **15**
8. $6 \times 7 =$ **42**
9. $4 \times$ **9** $= 36$
10. $6 \times$ **8** $= 48$
11. $34 + 9 =$ **43**
12. $55 + 9 =$ **64**
13. $175 + 9 =$ **184**
14. $1\,990 + 9 =$ **1 999**
15. $425 - 9 =$ **416**
16. $518 - 9 =$ **509**
17. $5\,470 - 9 =$ **5 461**
18. $155 + 11 =$ **166**
19. $283 + 11 =$ **294**
20. $4\,200 + 11 =$ **4 211**
21. $15 \times 10 =$ **150**
22. $46 \times 10 =$ **460**
23. $468 \times 10 =$ **4 680**
24. $919 \times 10 =$ **9 190**
25. $820 \times 10 =$ **8 200**
26. $5\,055 \times 10 =$ **50 550**
27. $34 \times 100 =$ **3 400**
28. $71 \times 100 =$ **7 100**
29. $33 \times 100 =$ **3 300**
30. $125 \times 100 =$ **12 500**

# Chronomath 1

1. 5 × 5 = ..........
2. 4 × 4 = ..........
3. 7 × 4 = ..........
4. 8 × 8 = ..........
5. 8 × 9 = ..........
6. 6 × .......... = 18
7. 5 × 3 = ..........
8. 6 × 7 = ..........
9. 4 × .......... = 36
10. .......... × .......... = 54
11. 340 + 9 = ..........
12. 135 + 9 = ..........
13. 4 675 + 9 = ..........
14. 2 250 + 99 = ..........
15. 425 – 9 = ..........
16. 518 – 9 = ..........
17. 5 400 – 99 = ..........
18. 5 988 – 99 = ..........
19. 9 250 + 11 = ..........
20. 4 280 + 11 = ..........
21. 155 × 10 = ..........
22. 1 925 × 10 = ..........
23. 4 908 × 10 = ..........
24. 9 090 × 10 = ..........
25. 1 002 × 10 = ..........
26. 59 055 × 10 = ..........
27. 34 × 100 = ..........
28. 71 × 100 = ..........
29. 393 × 100 = ..........
30. 1 925 × 100 = ..........

**Score :** ..........


# Chronomath 1

5 min

1. 5 × 5 = ..........
2. 4 × 4 = ..........
3. 7 × 4 = ..........
4. 8 × 8 = ..........
5. 8 × 9 = ..........
6. 6 × .......... = 18
7. 5 × 3 = ..........
8. 6 × 7 = ..........
9. 4 × .......... = 36
10. .......... × .......... = 54
11. 340 + 9 = ..........
12. 135 + 9 = ..........
13. 4 675 + 9 = ..........
14. 2 250 + 99 = ..........
15. 425 – 9 = ..........
16. 518 – 9 = ..........
17. 5 400 – 99 = ..........
18. 5 988 – 99 = ..........
19. 9 250 + 11 = ..........
20. 4 280 + 11 = ..........
21. 155 × 10 = ..........
22. 1 925 × 10 = ..........
23. 4 908 × 10 = ..........
24. 9 090 × 10 = ..........
25. 1 002 × 10 = ..........
26. 59 055 × 10 = ..........
27. 34 × 100 = ..........
28. 71 × 100 = ..........
29. 393 × 100 = ..........
30. 1 925 × 100 = ..........

**Score :** ..........

# Chronomath 1 : réponses

1. $5 \times 5 =$ **25**
2. $4 \times 4 =$ **16**
3. $7 \times 4 =$ **28**
4. $8 \times 8 =$ **64**
5. $8 \times 9 =$ **72**
6. $6 \times$ **3** $= 18$
7. $5 \times 3 =$ **15**
8. $6 \times 7 =$ **42**
9. $4 \times$ **9** $= 36$
10. **6** $\times$ **9** $= 54$
11. $340 + 9 =$ **349**
12. $135 + 9 =$ **144**
13. $4\,675 + 9 =$ **4 684**
14. $2\,250 + 99 =$ **2 349**
15. $425 - 9 =$ **416**
16. $518 - 9 =$ **509**
17. $5\,400 - 99 =$ **5 301**
18. $5\,988 - 99 =$ **5 889**
19. $9\,250 + 11 =$ **9 261**
20. $4\,280 + 11 =$ **4 291**
21. $155 \times 10 =$ **1 550**
22. $1\,925 \times 10 =$ **19 250**
23. $4\,908 \times 10 =$ **49 080**
24. $9\,090 \times 10 =$ **90 900**
25. $1\,002 \times 10 =$ **10 020**
26. $59\,055 \times 10 =$ **590 550**
27. $34 \times 100 =$ **3 400**
28. $71 \times 100 =$ **7 100**
29. $393 \times 100 =$ **39 300**
30. $1\,925 \times 100 =$ **192 500**

# Identification des angles

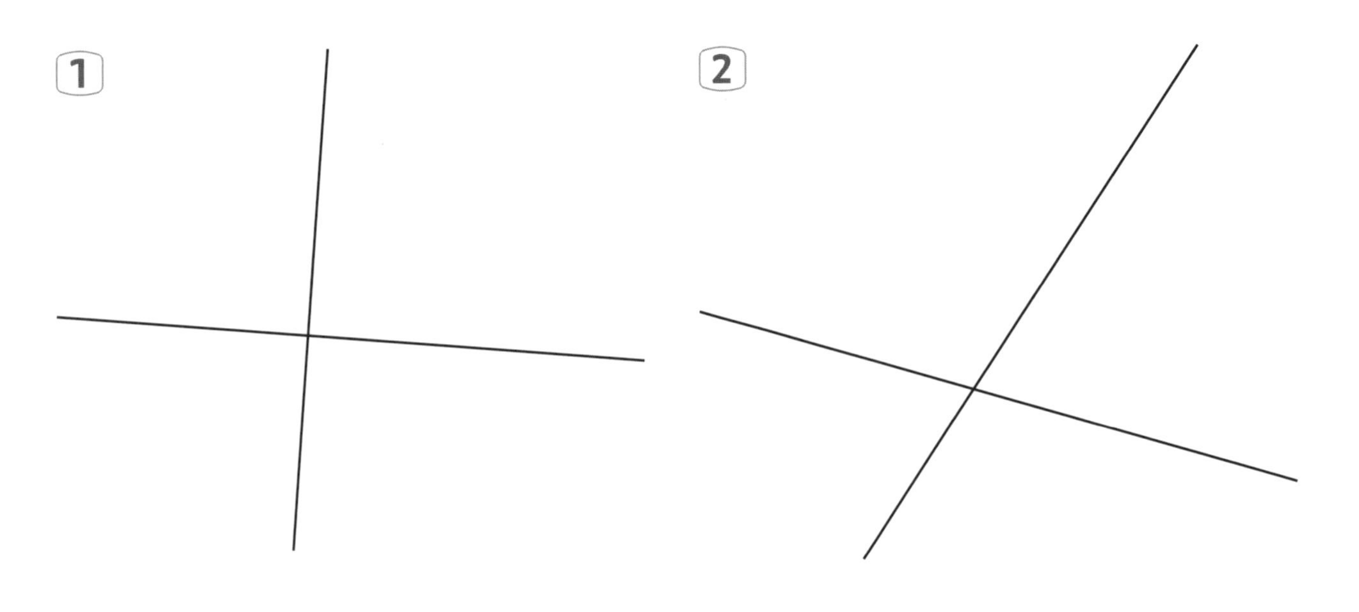


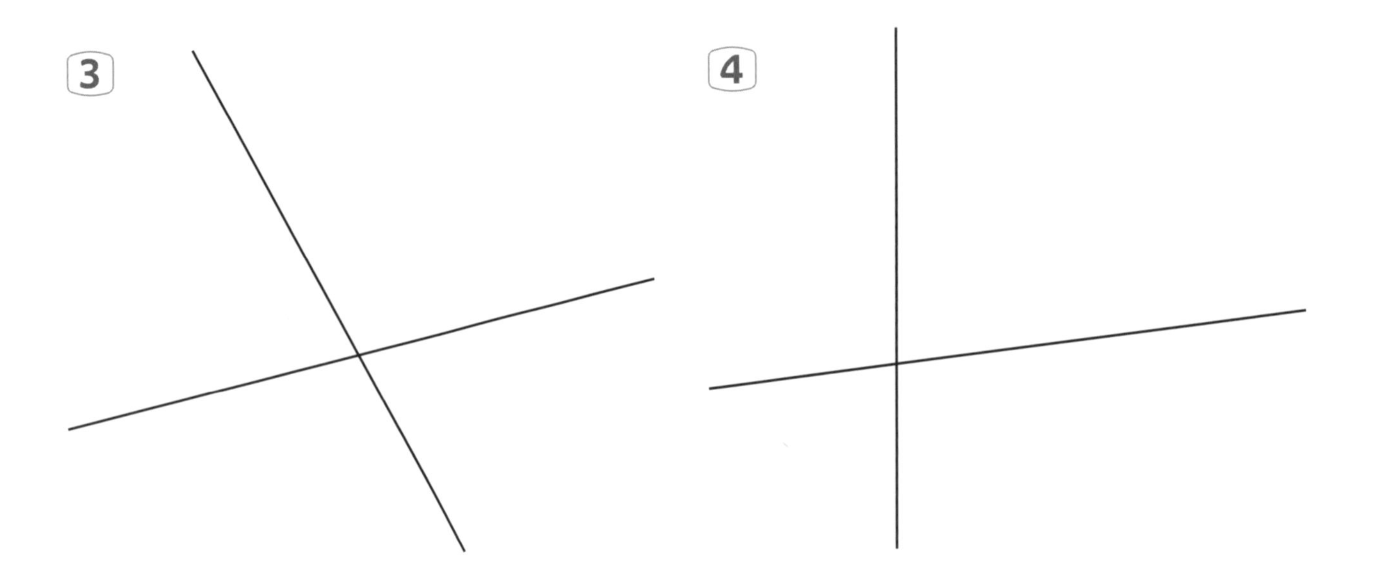


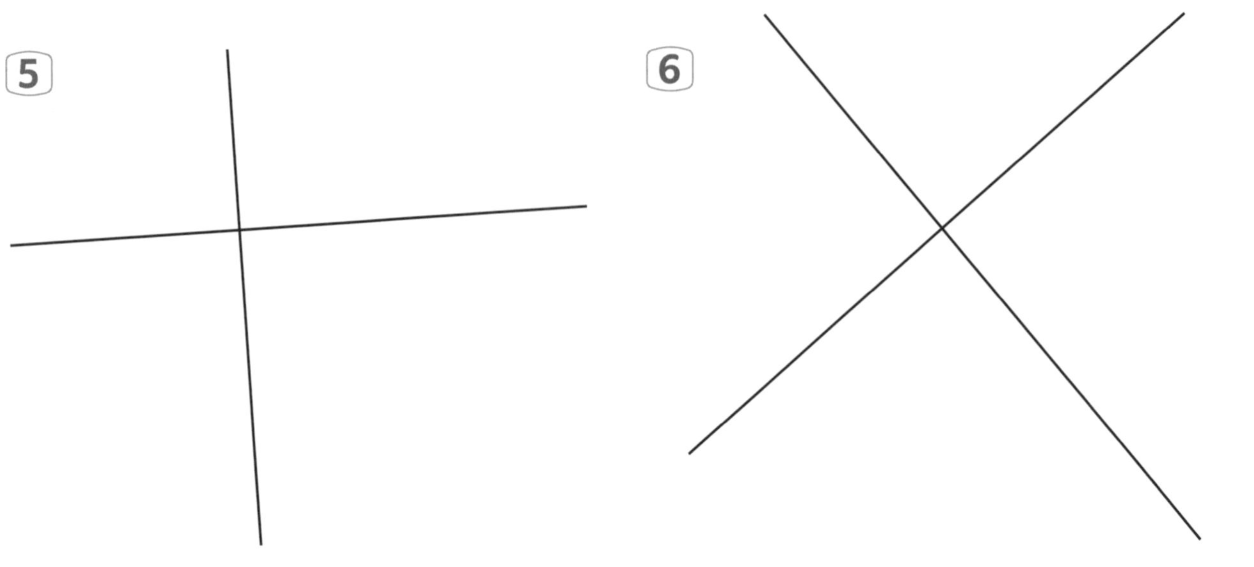

# Exercices polygones CM1

1 Entoure les figures qui sont des polygones.

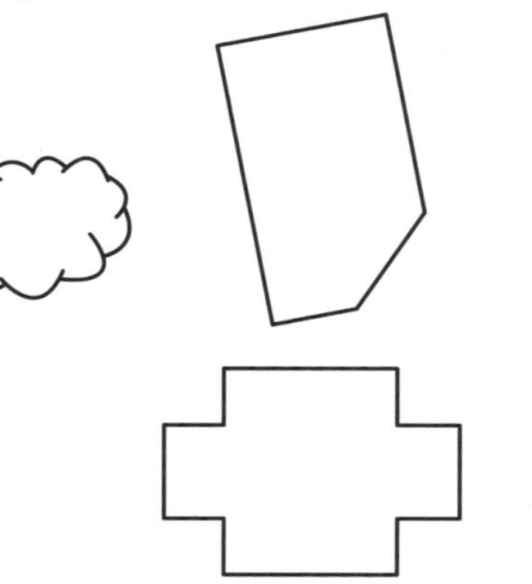

2 Observe les polygones et complète le tableau.

Figure 1 Figure 2 Figure 3

| | Nombre de côtés | Nombre de sommets |
|---|---|---|
| Figure 1 | ............ | ............ |
| Figure 2 | ............ | ............ |
| Figure 3 | ............ | ............ |



# Exercices polygones CM2

1 Observe les polygones et complète le tableau.

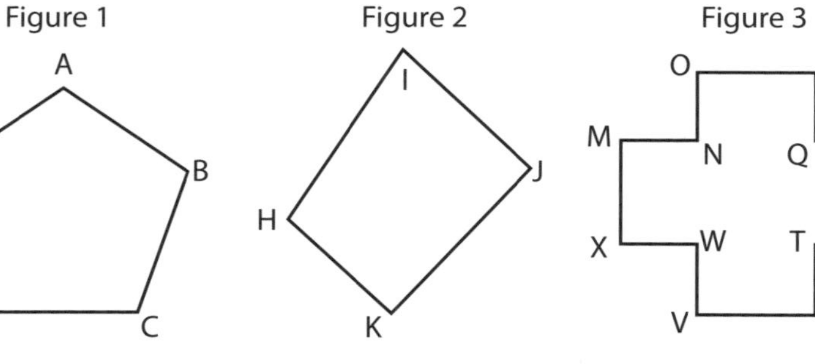


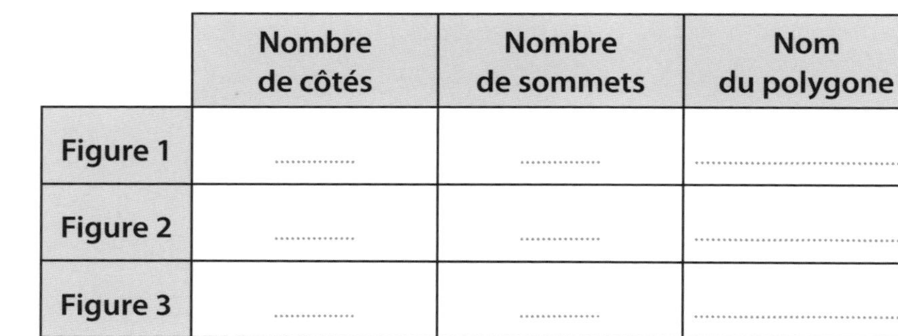

| | Nombre de côtés | Nombre de sommets | Nom du polygone |
|---|---|---|---|
| Figure 1 | ............ | ............ | ................................ |
| Figure 2 | ............ | ............ | ................................ |
| Figure 3 | ............ | ............ | ................................ |

2 Trace les diagonales de cet hexagone.

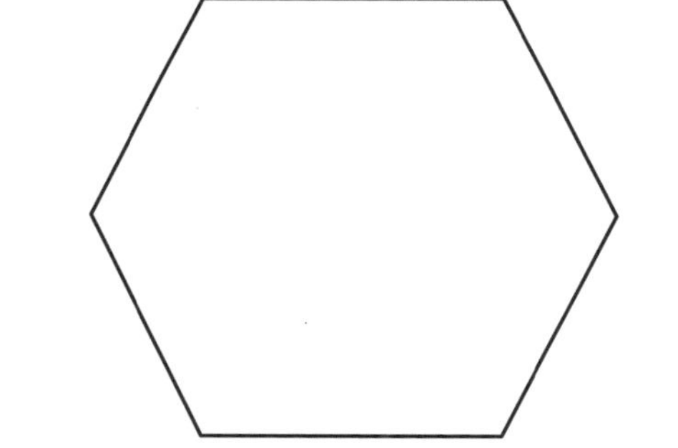

# Trompe-l'œil : dessin

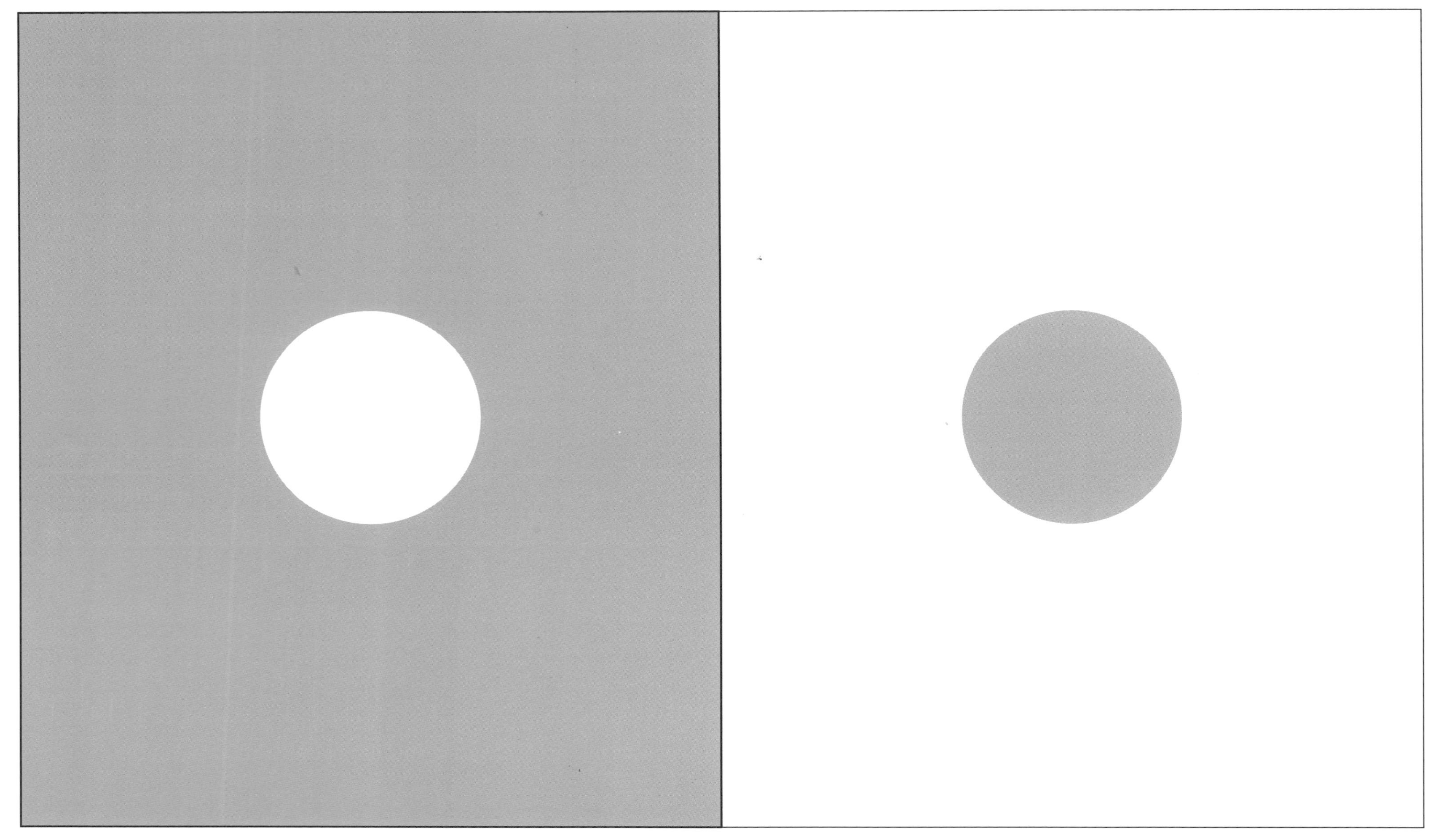

# Trompe-l’œil : tracé

A B

D C

# Trompe-l'œil : dessin

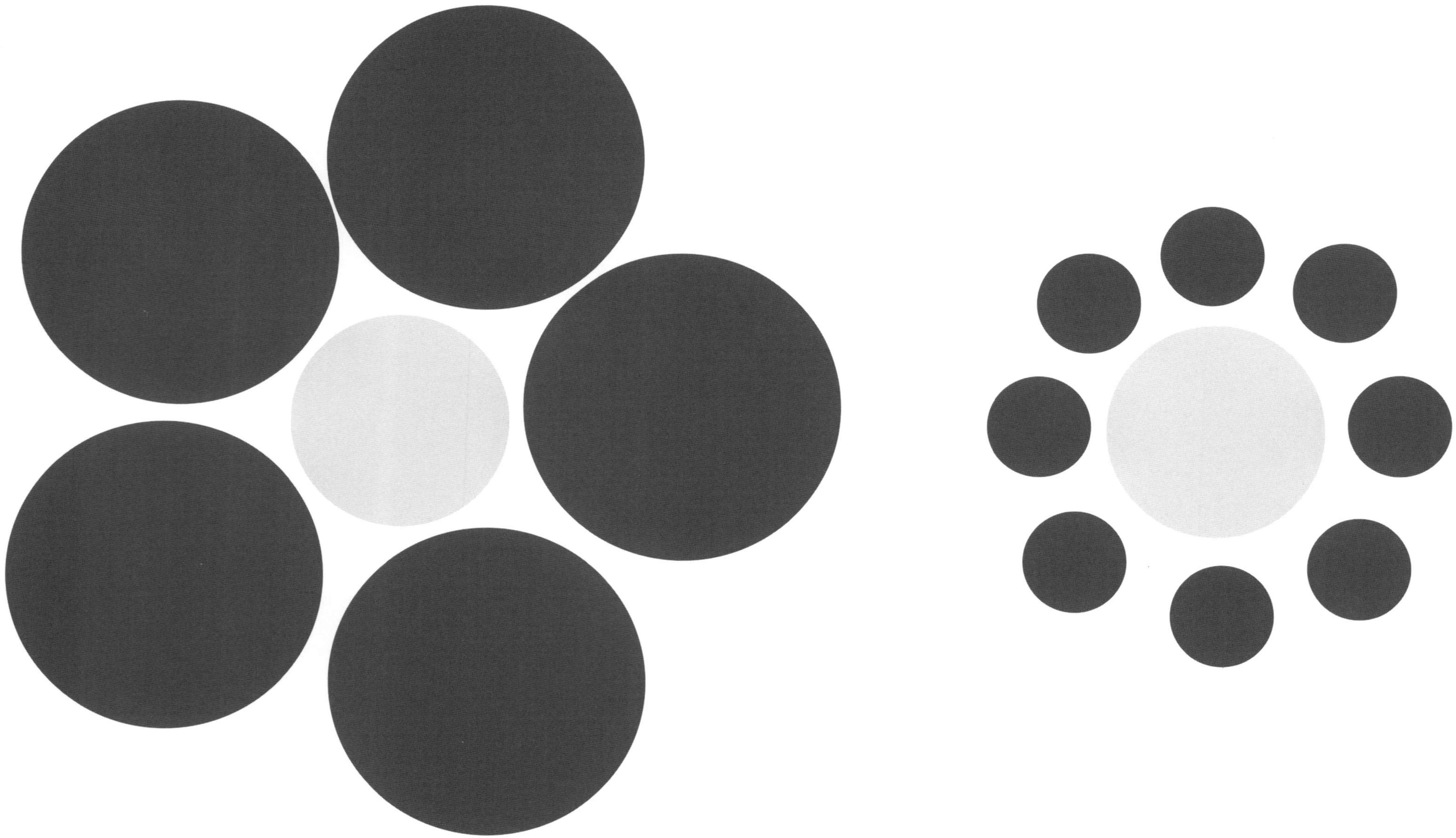

# Trompe-l'œil : tracé

## Chaine de calculs CM1

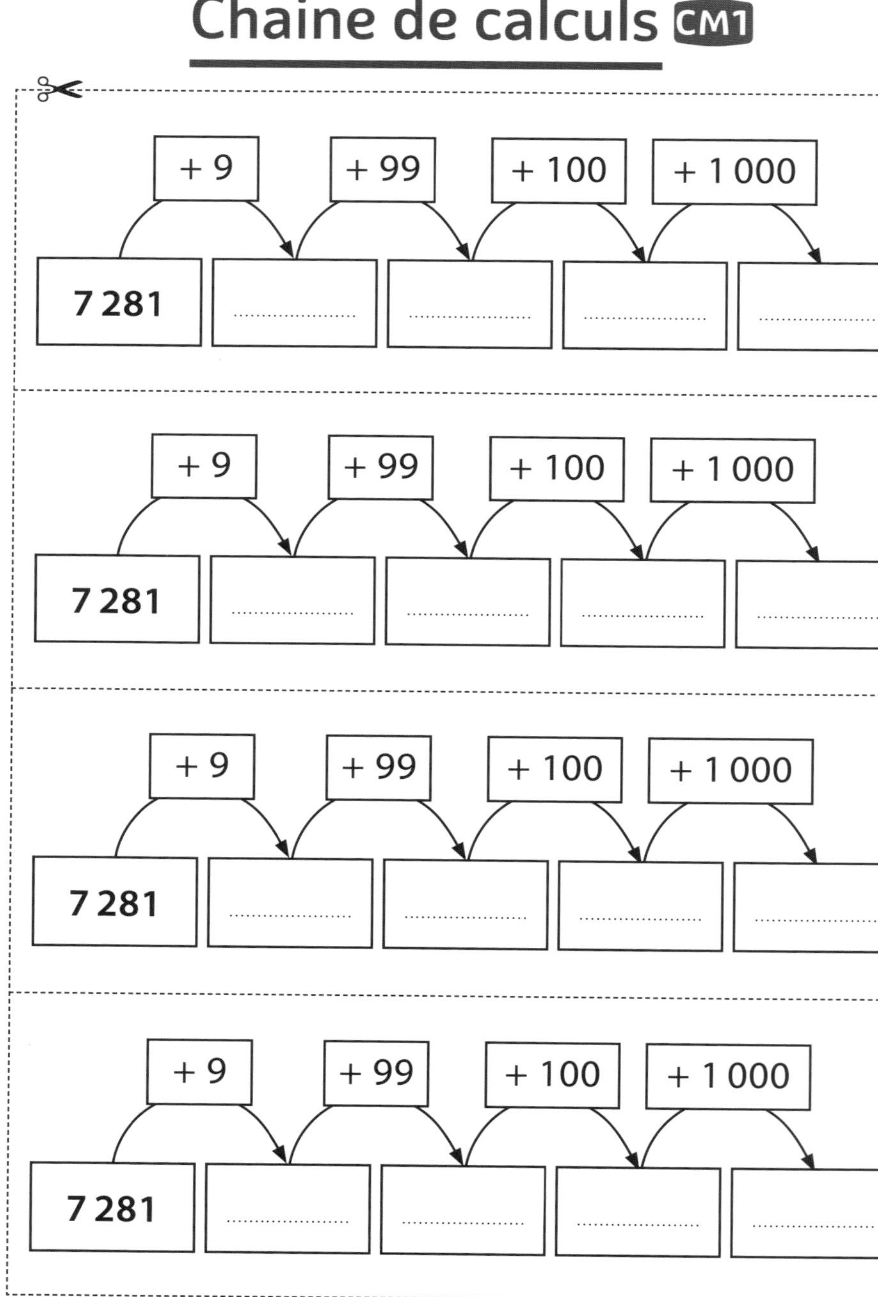


## Chaine de calculs CM2

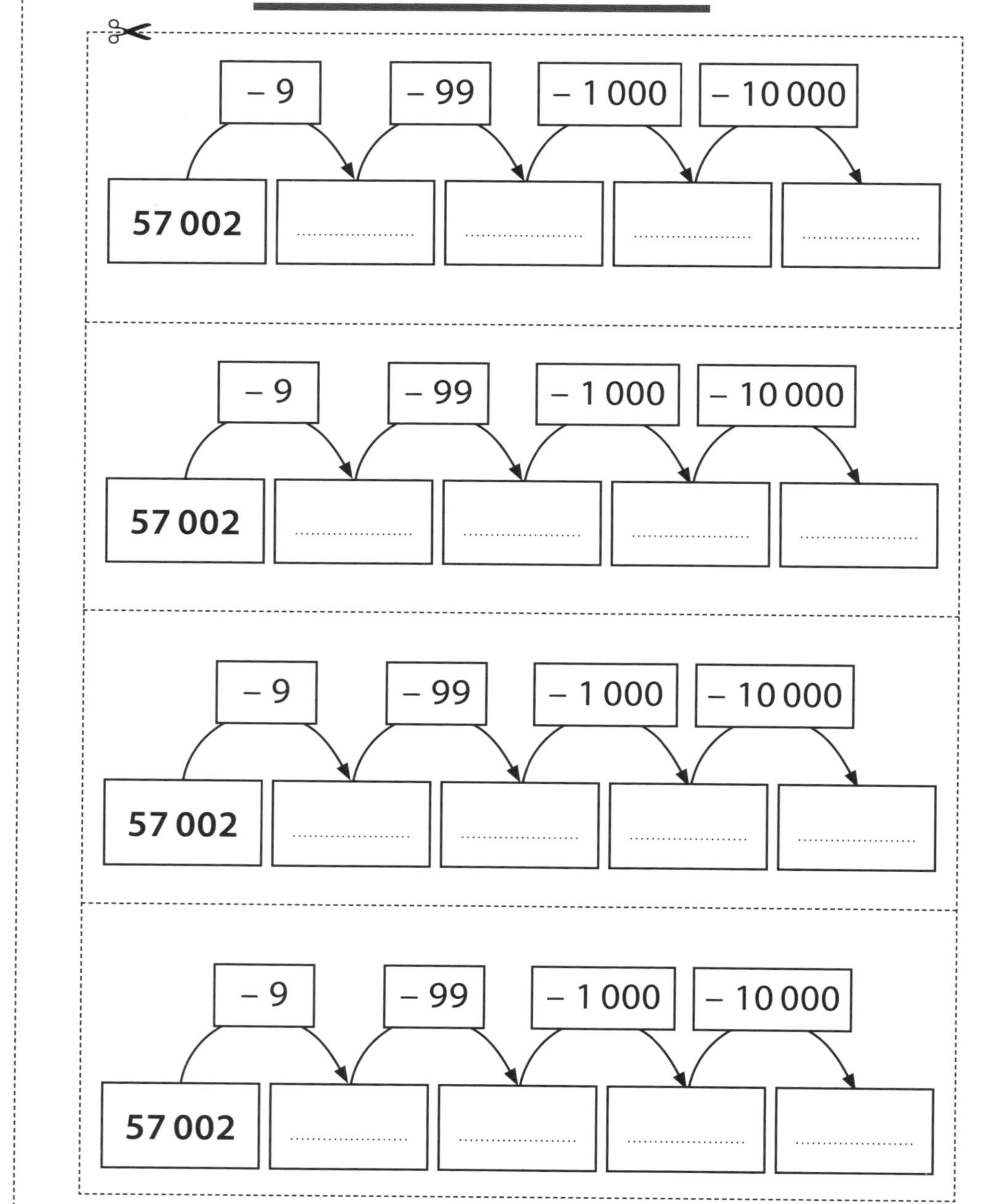

# Exercices périmètre

## EXERCICE 1

Voici un champ vu du ciel et ses dimensions.

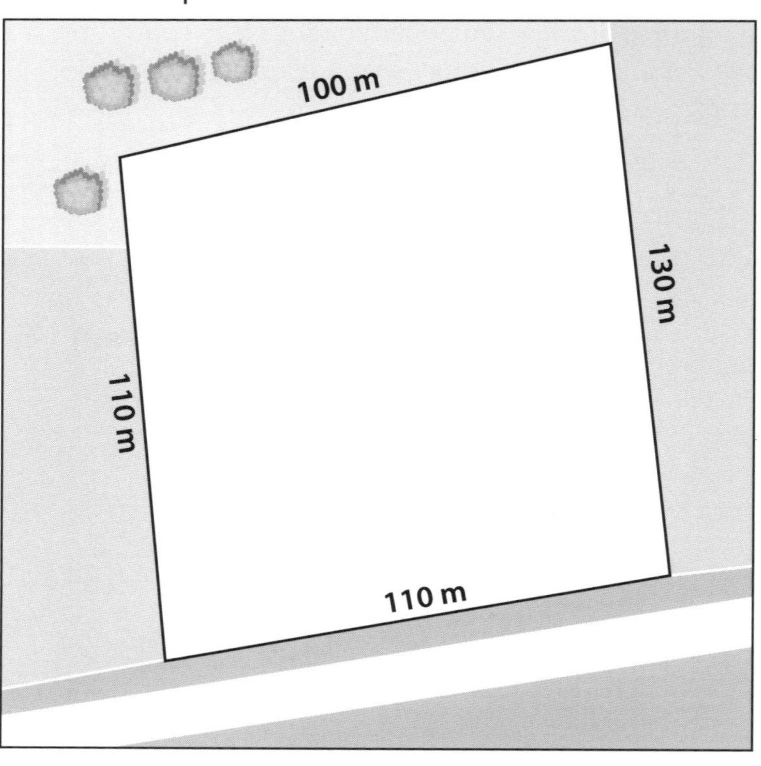


L'agricultrice veut mettre une clôture sur tout le tour du champ.

**Calcule la mesure du tour du champ.**

..................................................

..................................................

..................................................

..................................................

## EXERCICE 2

Voici un champ vu du ciel et ses dimensions.

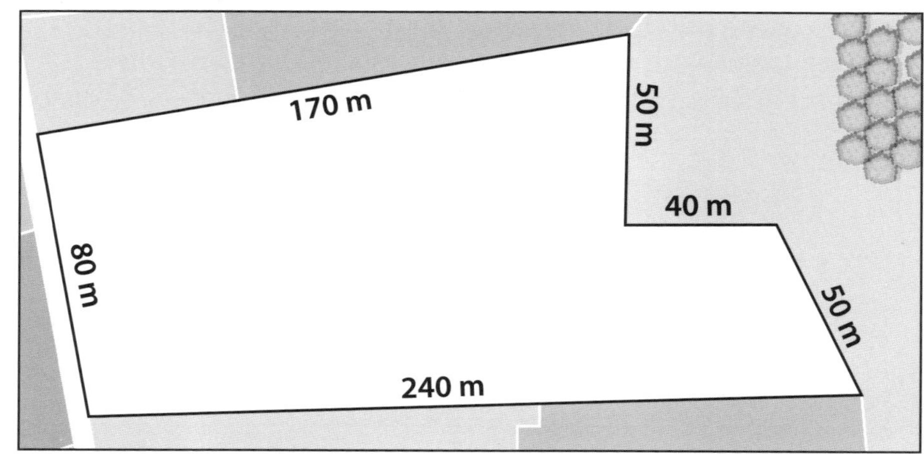


L'agricultrice veut mettre une clôture sur tout le tour du champ.

**Calcule la mesure du tour du champ.**

..................................................

..................................................

..................................................

..................................................

# Exercices losange

**1** **Avec le matériel, fabrique plusieurs sortes de quadrilatères.**

Tu trouves normalement deux sortes de quadrilatères.

**2** **Dessine-les à main levée et écris leur nom.**

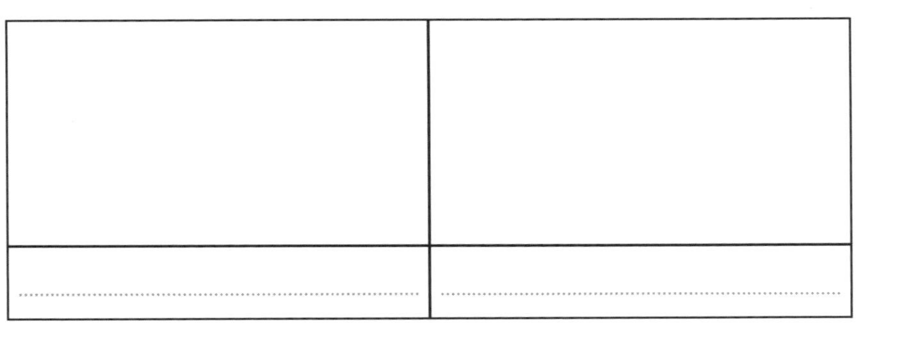

**3** **Quelle est la différence entre les deux ?**

....................................................................................................

**4** **Dans ton cahier, suis ces étapes :**

- Place un point A au coin de deux carreaux. À partir du point A, avance de 4 carreaux vers la droite (en suivant le quadrillage), puis descends de 3 carreaux vers le bas. Place le point B à cet endroit.
- À partir du point B, avance de 4 carreaux vers la droite puis monte de 3 carreaux vers le haut. Place le point C à cet endroit.
- Trace le segment [AB] et le segment [BC]. Place le point D pour que la figure ABCD soit un losange.





# Exercices losange

**1** **Avec le matériel, fabrique plusieurs sortes de quadrilatères.**

Tu trouves normalement deux sortes de quadrilatères.

**2** **Dessine-les à main levée et écris leur nom.**

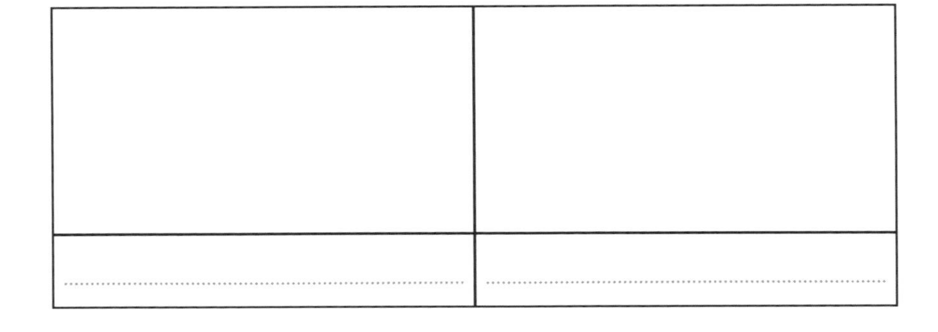

**3** **Quelle est la différence entre les deux ?**

....................................................................................................

**4** **Dans ton cahier, suis ces étapes :**

- Place un point A au coin de deux carreaux. À partir du point A, avance de 4 carreaux vers la droite (en suivant le quadrillage), puis descends de 3 carreaux vers le bas. Place le point B à cet endroit.
- À partir du point B, avance de 4 carreaux vers la droite puis monte de 3 carreaux vers le haut. Place le point C à cet endroit.
- Trace le segment [AB] et le segment [BC]. Place le point D pour que la figure ABCD soit un losange.

# Exercices losange

Tu as appris ce qu'est un losange. Souviens-toi :

***Un losange**, c'est un quadrilatère dont les 4 côtés ont la même longueur.*

Voici un losange :

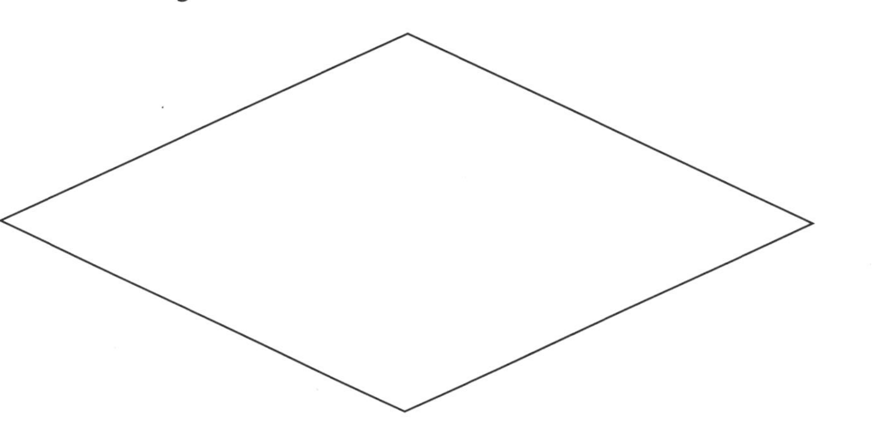

1 **Mesure la longueur du côté du losange : ............ mm**

2 **Trace ses diagonales. Que constates-tu ?**

............................................................

3 **Est-ce qu'un losange est un carré ? Explique ta réponse.**

............................................................

............................................................


# Exercices losange

Tu as appris ce qu'est un losange. Souviens-toi :

***Un losange**, c'est un quadrilatère dont les 4 côtés ont la même longueur.*

Voici un losange :


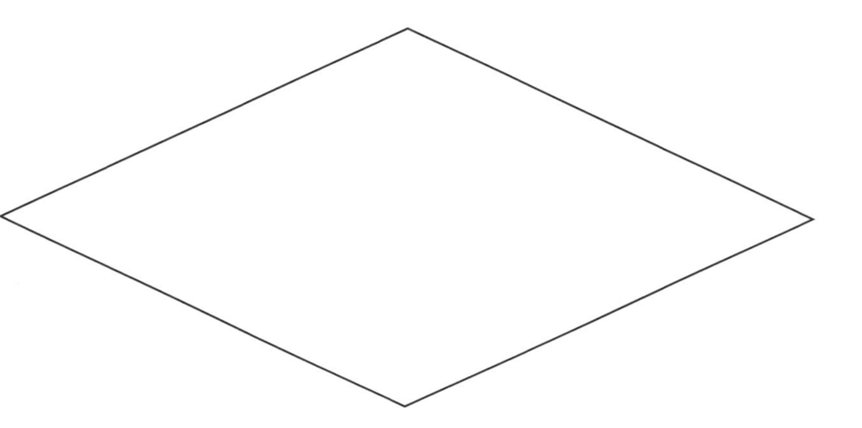


1 **Mesure la longueur du côté du losange : ............ mm**

2 **Trace ses diagonales. Que constates-tu ?**

............................................................

3 **Est-ce qu'un losange est un carré ? Explique ta réponse.**

............................................................

............................................................

# Chronomath 2

1. $3 \times 5 =$ ..........
2. $5 \times 4 =$ ..........
3. $6 \times 4 =$ ..........
4. $8 \times 6 =$ ..........
5. $4 \times 7 =$ ..........
6. $2 \times$ .......... $= 18$
7. $5 \times 9 =$ ..........
8. $7 \times 7 =$ ..........
9. $4 \times$ .......... $= 16$
10. $6 \times$ .......... $= 36$
11. $54 + 9 =$ ..........
12. $131 + 9 =$ ..........
13. $775 + 9 =$ ..........
14. $1\,999 + 9 =$ ..........
15. $77 - 9 =$ ..........
16. $550 - 9 =$ ..........
17. $5\,400 - 99 =$ ..........
18. $155 + 11 =$ ..........
19. $284 + 11 =$ ..........
20. $4\,280 + 100 =$ ..........
21. $19 \times 10 =$ ..........
22. $29 \times 10 =$ ..........
23. $430 \times 10 =$ ..........
24. $501 \times 10 =$ ..........
25. $2\,440 \times 10 =$ ..........
26. $994 \times 100 =$ ..........
27. $1\,955 \times 100 =$ ..........
28. $771 \times 100 =$ ..........
29. $3\,003 \times 100 =$ ..........
30. $12005 \times 100 =$ ..........

**Score :** ..........


# Chronomath 2

5 min

1. $3 \times 5 =$ ..........
2. $5 \times 4 =$ ..........
3. $6 \times 4 =$ ..........
4. $8 \times 6 =$ ..........
5. $4 \times 7 =$ ..........
6. $2 \times$ .......... $= 18$
7. $5 \times 9 =$ ..........
8. $7 \times 7 =$ ..........
9. $4 \times$ .......... $= 16$
10. $6 \times$ .......... $= 36$
11. $54 + 9 =$ ..........
12. $131 + 9 =$ ..........
13. $775 + 9 =$ ..........
14. $1\,999 + 9 =$ ..........
15. $77 - 9 =$ ..........
16. $550 - 9 =$ ..........
17. $5\,400 - 99 =$ ..........
18. $155 + 11 =$ ..........
19. $284 + 11 =$ ..........
20. $4\,280 + 100 =$ ..........
21. $19 \times 10 =$ ..........
22. $29 \times 10 =$ ..........
23. $430 \times 10 =$ ..........
24. $501 \times 10 =$ ..........
25. $2\,440 \times 10 =$ ..........
26. $994 \times 100 =$ ..........
27. $1\,955 \times 100 =$ ..........
28. $771 \times 100 =$ ..........
29. $3\,003 \times 100 =$ ..........
30. $12005 \times 100 =$ ..........

**Score :** ..........

# Chronomath 2 : réponses

1. $3 \times 5 =$ **15**
2. $5 \times 4 =$ **20**
3. $6 \times 4 =$ **24**
4. $8 \times 6 =$ **48**
5. $4 \times 7 =$ **28**
6. $2 \times 9 =$ **18**
7. $5 \times 9 =$ **45**
8. $7 \times 7 =$ **49**
9. $4 \times \mathbf{4} = 16$
10. $6 \times \mathbf{6} = 36$
11. $54 + 9 =$ **63**
12. $131 + 9 =$ **140**
13. $775 + 9 =$ **784**
14. $1\,999 + 9 =$ **2 008**
15. $77 - 9 =$ **68**
16. $550 - 9 =$ **541**
17. $5\,400 - 99 =$ **5 301**
18. $155 + 11 =$ **166**
19. $284 + 11 =$ **295**
20. $4280 + 100 =$ **4 380**
21. $19 \times 10 =$ **190**
22. $29 \times 10 =$ **290**
23. $430 \times 10 =$ **4 300**
24. $501 \times 10 =$ **5 010**
25. $2\,440 \times 10 =$ **24 400**
26. $994 \times 100 =$ **99 400**
27. $1\,955 \times 100 =$ **195 500**
28. $771 \times 100 =$ **77 100**
29. $3\,003 \times 100 =$ **300 300**
30. $12\,005 \times 100 =$ **1 200 500**

# Chronomath 2

1 5 × 7 = ..........
2 4 × 9 = ..........
3 7 × 7 = ..........
4 8 × 7 = ..........
5 8 × 3 = ..........
6 8 × .......... = 72
7 5 × 5 = ..........
8 6 × 7 = ..........
9 4 × .......... = 16
10 .......... × .......... = 63
11 359 + 9 = ..........
12 1 375 + 9 = ..........
13 1 650 + 9 = ..........
14 2 050 + 99 = ..........
15 430 + 99 = ..........

16 570 – 99 = ..........
17 5 900 – 99 = ..........
18 9 202 + 11 = ..........
19 9 244 + 100 = ..........
20 1 209 + 101 = ..........
21 75 × 10 = ..........
22 925 × 10 = ..........
23 4 990 × 10 = ..........
24 91 590 × 10 = ..........
25 1 820 × 100 = ..........
26 10055 × 10 = ..........
27 374 × 100 = ..........
28 771 × 1 000 = ..........
29 3 930 × 1 000 = ..........
30 19 255 × 1 000 = ..........

**Score :** ..........





Chronomath 2

1 5 × 7 = ..........
2 4 × 9 = ..........
3 7 × 7 = ..........
4 8 × 7 = ..........
5 8 × 3 = ..........
6 8 × .......... = 72
7 5 × 5 = ..........
8 6 × 7 = ..........
9 4 × .......... = 16
10 .......... × .......... = 63
11 359 + 9 = ..........
12 1 375 + 9 = ..........
13 1 650 + 9 = ..........
14 2 050 + 99 = ..........
15 430 + 99 = ..........

16 570 – 99 = ..........
17 5 900 – 99 = ..........
18 9 202 + 11 = ..........
19 9 244 + 100 = ..........
20 1 209 + 101 = ..........
21 75 × 10 = ..........
22 925 × 10 = ..........
23 4 990 × 10 = ..........
24 91 590 × 10 = ..........
25 1 820 × 100 = ..........
26 10055 × 10 = ..........
27 374 × 100 = ..........
28 771 × 1 000 = ..........
29 3 930 × 1 000 = ..........
30 19 255 × 1 000 = ..........

Score : ..........

# Chronomath 2 : réponses

1. $5 \times 7 =$ **35**
2. $4 \times 9 =$ **36**
3. $7 \times 7 =$ **49**
4. $8 \times 7 =$ **56**
5. $8 \times 3 =$ **24**
6. $8 \times$ **9** $= 72$
7. $5 \times 5 =$ **25**
8. $6 \times 7 =$ **42**
9. $4 \times$ **4** $= 16$
10. $7 \times$ **9** $= 63$
11. $359 + 9 =$ **368**
12. $1\,375 + 9 =$ **1 384**
13. $1\,650 + 9 =$ **1 659**
14. $2\,050 + 99 =$ **2 149**
15. $430 + 99 =$ **529**
16. $570 - 99 =$ **471**
17. $5\,900 - 99 =$ **5 801**
18. $9\,202 + 11 =$ **9 213**
19. $9\,244 + 100 =$ **9 344**
20. $1\,209 + 101 =$ **1 310**
21. $75 \times 10 =$ **750**
22. $925 \times 10 =$ **9 250**
23. $4\,990 \times 10 =$ **49 900**
24. $91\,590 \times 10 =$ **915 900**
25. $1\,820 \times 100 =$ **182 000**
26. $10\,055 \times 10 =$ **100 550**
27. $374 \times 100 =$ **37 400**
28. $771 \times 1\,000 =$ **771 000**
29. $3\,930 \times 1\,000 =$ **3 930 000**
30. $19\,255 \times 1\,000 =$ **19 255 000**

# Bandes unités

# Segments à mesurer

..............

..............

..............



# Segments à mesurer

..............

..............

..............

# Exercices encadrements

**1** **Coche la bonne réponse.**

| | Vrai | Faux |
|---|---|---|
| On peut encadrer le nombre 26 389 entre 26 300 et 26 400. | ☐ | ☐ |
| On peut encadrer le nombre 150 859 entre 160 850 et 160 860. | ☐ | ☐ |
| On peut encadrer le nombre 725 001 entre 730 000 et 740 000. | ☐ | ☐ |

**2** **Donne un encadrement…**

• à la **centaine près** :

…………… < 1741 < ……………

…………… < 5252 < ……………

• au **millier près** :

…………… < 13852 < ……………

…………… < 74552 < ……………

**3** **Donne un arrondi au millier près des nombres suivants.**

12208 : ……………

74580 : ……………

159250 : ……………


# Exercices encadrements

**1** **Coche la bonne réponse.**

| | Vrai | Faux |
|---|---|---|
| On peut encadrer le nombre 26 389 entre 26 300 et 26 400. | ☐ | ☐ |
| On peut encadrer le nombre 150 859 entre 160 850 et 160 860. | ☐ | ☐ |
| On peut encadrer le nombre 725 001 entre 730 000 et 740 000. | ☐ | ☐ |

**2** **Donne un encadrement…**

• à la **centaine près** :

…………… < 1741 < ……………

…………… < 5252 < ……………

• au **millier près** :

…………… < 13852 < ……………

…………… < 74552 < ……………

**3** **Donne un arrondi au millier près des nombres suivants.**

12208 : ……………

74580 : ……………

159250 : ……………

# *Rituel* Le nombre du jour (2)

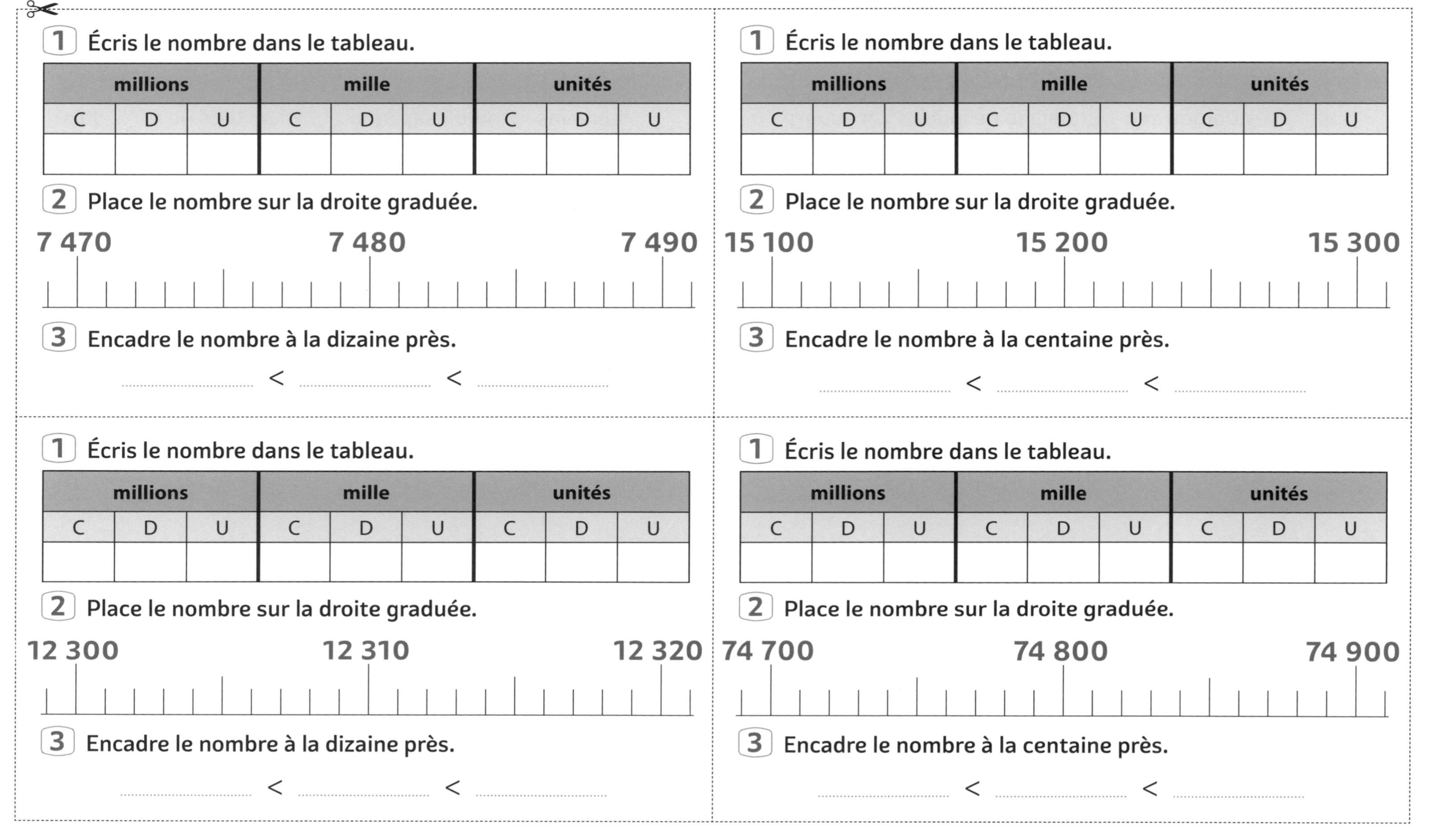

1 Écris le nombre dans le tableau.

| millions | | | mille | | | unités | | |
|---|---|---|---|---|---|---|---|---|
| C | D | U | C | D | U | C | D | U |
| | | | | | | | | |

2 Place le nombre sur la droite graduée.



3 Encadre le nombre à la dizaine près.

.......... < .......... < ..........

1 Écris le nombre dans le tableau.

| millions | | | mille | | | unités | | |
|---|---|---|---|---|---|---|---|---|
| C | D | U | C | D | U | C | D | U |
| | | | | | | | | |

2 Place le nombre sur la droite graduée.



3 Encadre le nombre à la centaine près.

.......... < .......... < ..........

1 Écris le nombre dans le tableau.

| millions | | | mille | | | unités | | |
|---|---|---|---|---|---|---|---|---|
| C | D | U | C | D | U | C | D | U |
| | | | | | | | | |

2 Place le nombre sur la droite graduée.



3 Encadre le nombre à la dizaine près.

.......... < .......... < ..........

1 Écris le nombre dans le tableau.

| millions | | | mille | | | unités | | |
|---|---|---|---|---|---|---|---|---|
| C | D | U | C | D | U | C | D | U |
| | | | | | | | | |

2 Place le nombre sur la droite graduée.



3 Encadre le nombre à la centaine près.

.......... < .......... < ..........

# *Rituel* Le nombre du jour (2)

1 Écris le nombre dans le tableau.

| millions | | | mille | | | unités | | |
|---|---|---|---|---|---|---|---|---|
| C | D | U | C | D | U | C | D | U |
| | | | | | | | | |

2 Place le nombre sur la droite graduée.

15 100 — 15 200 — 15 300

3 Arrondis le nombre à la centaine près.

..............................

1 Écris le nombre dans le tableau.

| millions | | | mille | | | unités | | |
|---|---|---|---|---|---|---|---|---|
| C | D | U | C | D | U | C | D | U |
| | | | | | | | | |

2 Place le nombre sur la droite graduée.

129 000 — 130 000 — 131 000

3 Arrondis le nombre au millier près.

..............................

1 Écris le nombre dans le tableau.

| millions | | | mille | | | unités | | |
|---|---|---|---|---|---|---|---|---|
| C | D | U | C | D | U | C | D | U |
| | | | | | | | | |

2 Place le nombre sur la droite graduée.

154 000 — 154 100 — 154 200

3 Arrondis le nombre à la centaine près.

..............................

1 Écris le nombre dans le tableau.

| millions | | | mille | | | unités | | |
|---|---|---|---|---|---|---|---|---|
| C | D | U | C | D | U | C | D | U |
| | | | | | | | | |

2 Place le nombre sur la droite graduée.

795 000 — 796 000 — 797 000

3 Arrondis le nombre au millier près.

..............................

# Diagramme

**Taille des élèves de la classe**

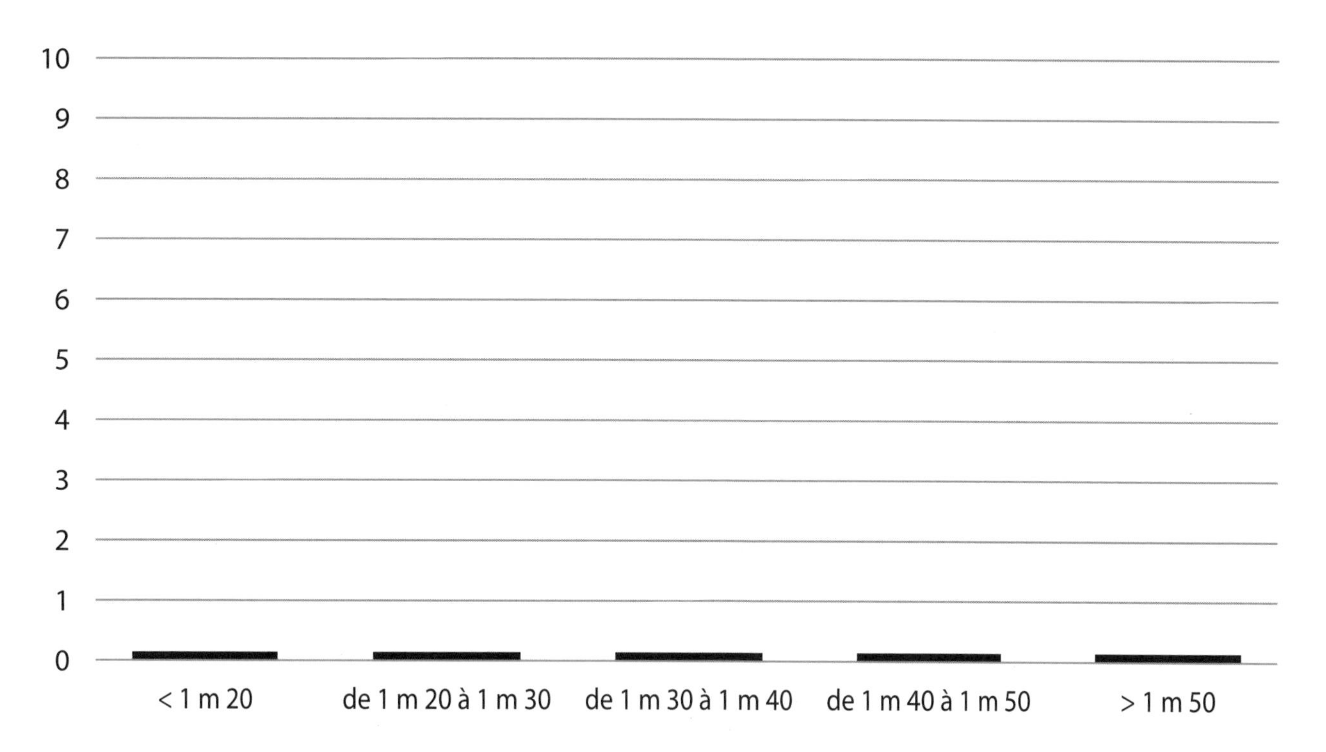


# Diagramme

**Taille des élèves de la classe**

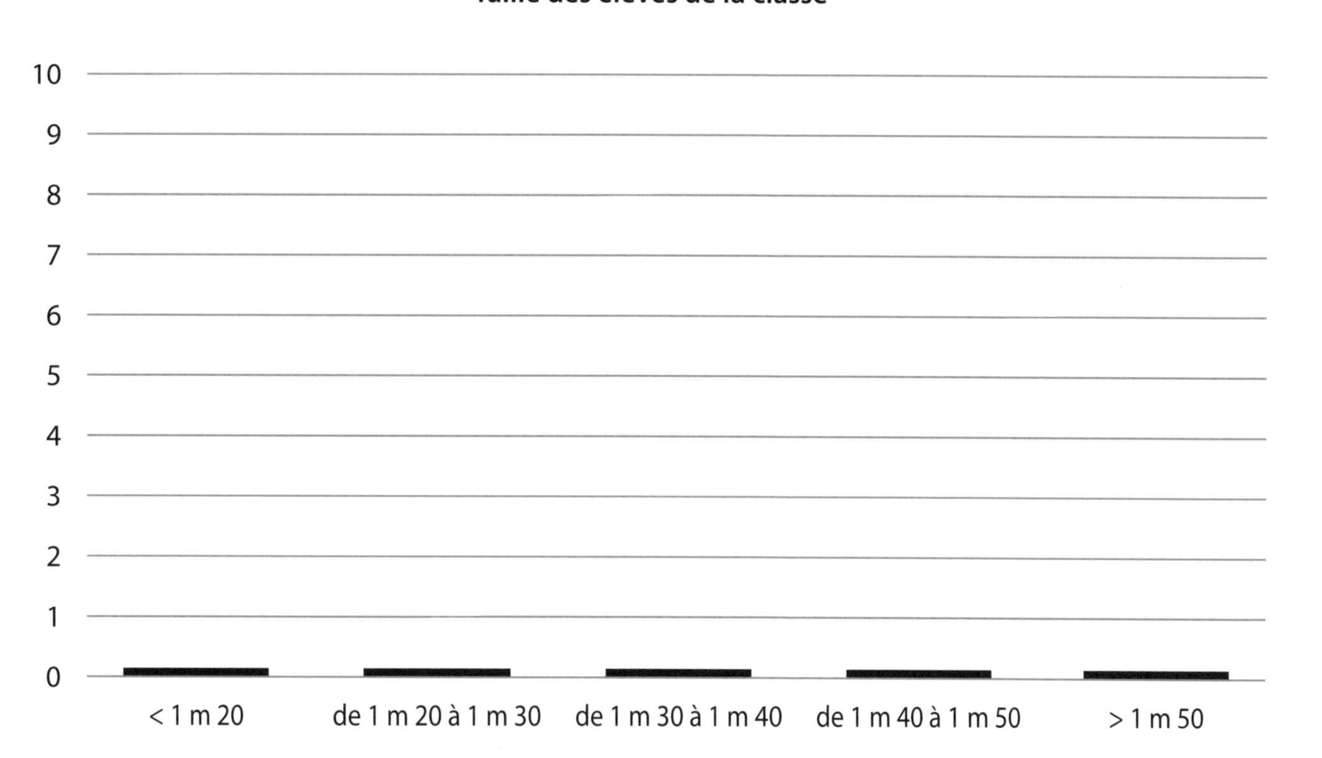

# Exercices encadrements

**1 Coche la bonne réponse.**

| | Vrai | Faux |
|---|---|---|
| On peut encadrer le nombre 6 389 entre 6 300 et 6 400. | ☐ | ☐ |
| On peut encadrer le nombre 15 857 entre 16 850 et 16 860. | ☐ | ☐ |
| On peut encadrer le nombre 725 001 entre 730 000 et 740 000. | ☐ | ☐ |

**2 Donne un encadrement à la dizaine près.**

$\ldots\ldots < 852 < \ldots\ldots$

$\ldots\ldots < 1\,472 < \ldots\ldots$

$\ldots\ldots < 7\,212 < \ldots\ldots$

$\ldots\ldots < 12\,802 < \ldots\ldots$

**2 Donne un encadrement à la centaine près.**

$\ldots\ldots < 1\,341 < \ldots\ldots$

$\ldots\ldots < 5\,252 < \ldots\ldots$

$\ldots\ldots < 13\,852 < \ldots\ldots$


# Exercices encadrements

**1 Coche la bonne réponse.**

| | Vrai | Faux |
|---|---|---|
| On peut encadrer le nombre 6 389 entre 6 300 et 6 400. | ☐ | ☐ |
| On peut encadrer le nombre 15 857 entre 16 850 et 16 860. | ☐ | ☐ |
| On peut encadrer le nombre 725 001 entre 730 000 et 740 000. | ☐ | ☐ |

**2 Donne un encadrement à la dizaine près.**

$\ldots\ldots < 852 < \ldots\ldots$

$\ldots\ldots < 1\,472 < \ldots\ldots$

$\ldots\ldots < 7\,212 < \ldots\ldots$

$\ldots\ldots < 12\,802 < \ldots\ldots$

**2 Donne un encadrement à la centaine près.**

$\ldots\ldots < 1\,341 < \ldots\ldots$

$\ldots\ldots < 5\,252 < \ldots\ldots$

$\ldots\ldots < 13\,852 < \ldots\ldots$

# Activité de tri

**Découpe les étiquettes puis colle ensemble les quatre représentations différentes de la même fraction.**

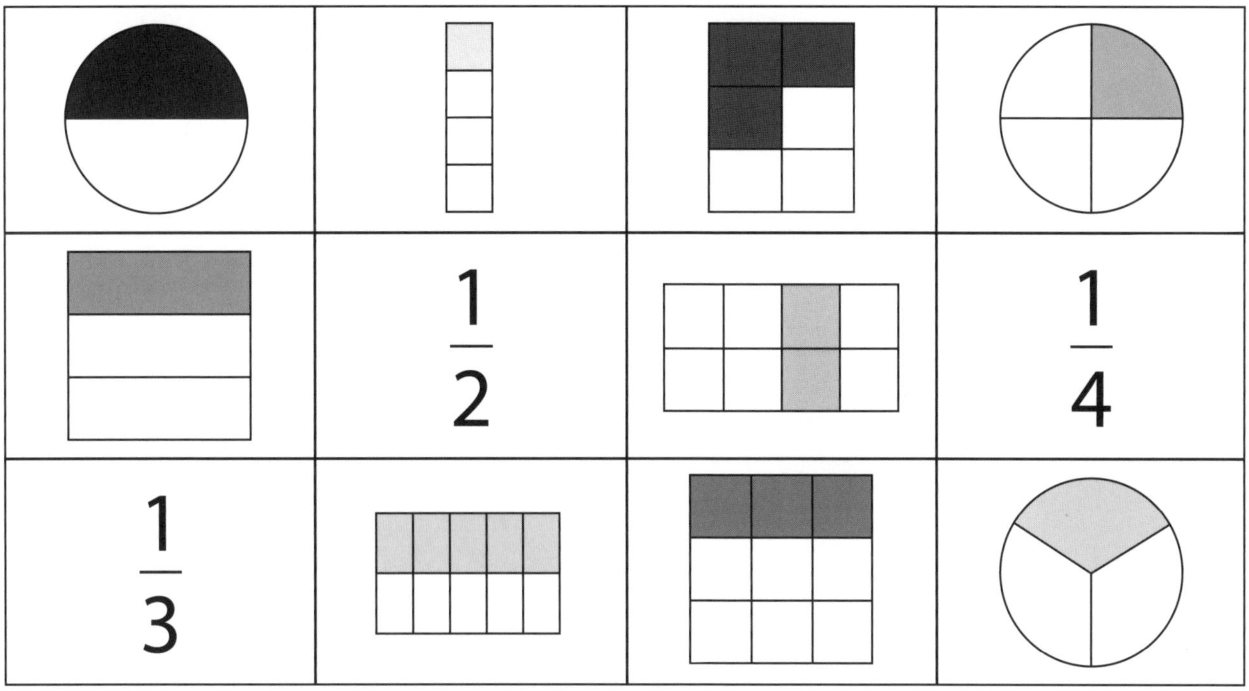

| | | | |
|---|---|---|---|
| | | | |
| | $\frac{1}{2}$ | | $\frac{1}{4}$ |
| $\frac{1}{3}$ | | | |

# Activité de tri

**Découpe les étiquettes puis colle ensemble les quatre représentations différentes de la même fraction.**

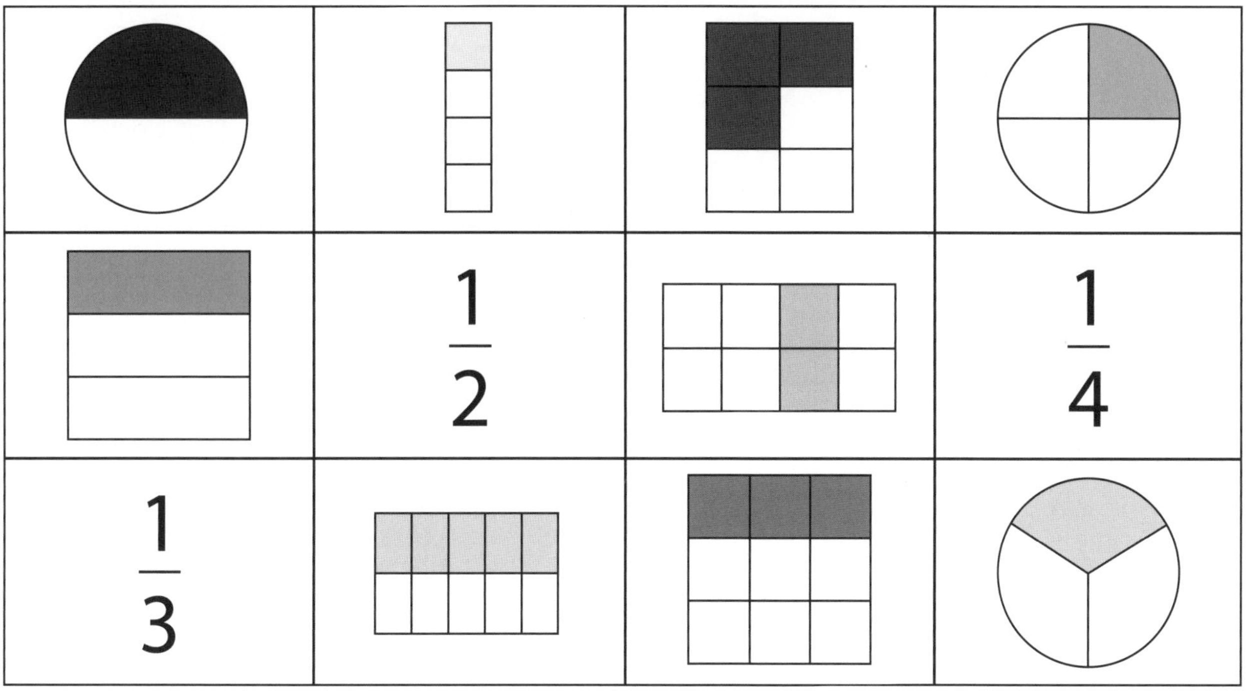

| | | | |
|---|---|---|---|
| | | | |
| | $\frac{1}{2}$ | | $\frac{1}{4}$ |
| $\frac{1}{3}$ | | | |

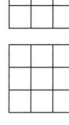

# Exercices fractions (1)

Écris les fractions en chiffres puis en lettres, comme l'exemple.

| | | |
|---|---|---|
| | $\frac{1}{3}$ | un tiers |
| | | |
| | | |
| | | |
| | | |



# Exercices fractions (2)

**1** Colorie pour obtenir la fraction indiquée.

$\frac{1}{3}$ $\frac{1}{6}$ $\frac{2}{3}$ $\frac{1}{4}$

$\frac{3}{4}$

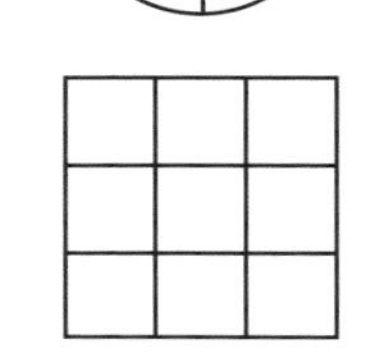

$\frac{1}{3}$

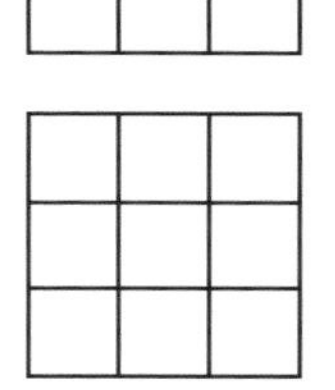

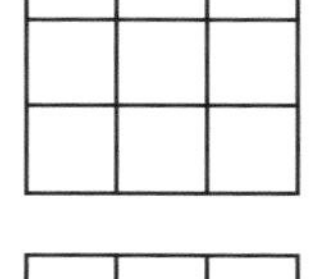

$\frac{5}{9}$

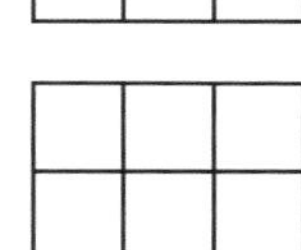

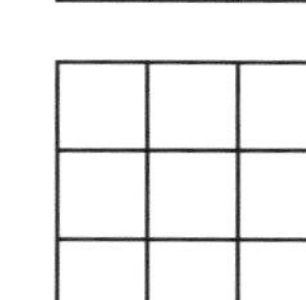

$\frac{7}{9}$

**2** Colorie pour obtenir la fraction indiquée.

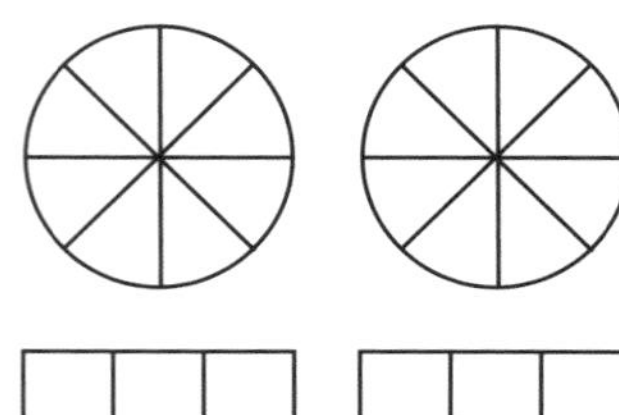

$\frac{7}{4}$

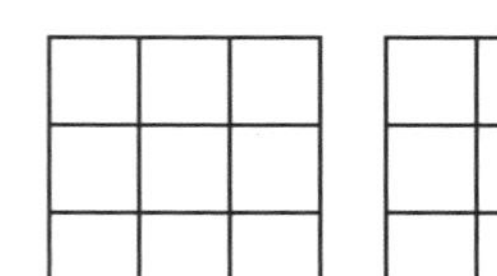

$\frac{20}{9}$

# Fractions : consignes

**1** Colorie la partie demandée.

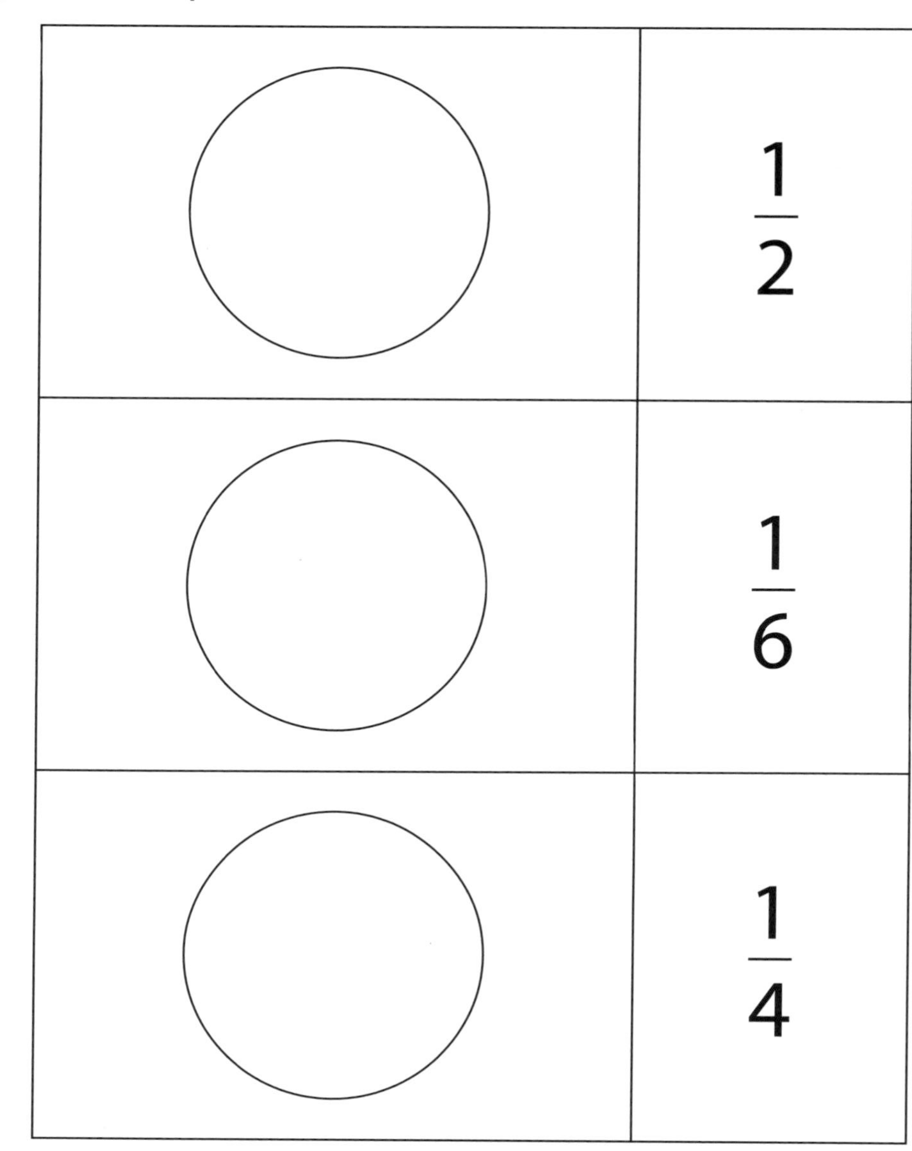


**2** Colorie la partie demandée.

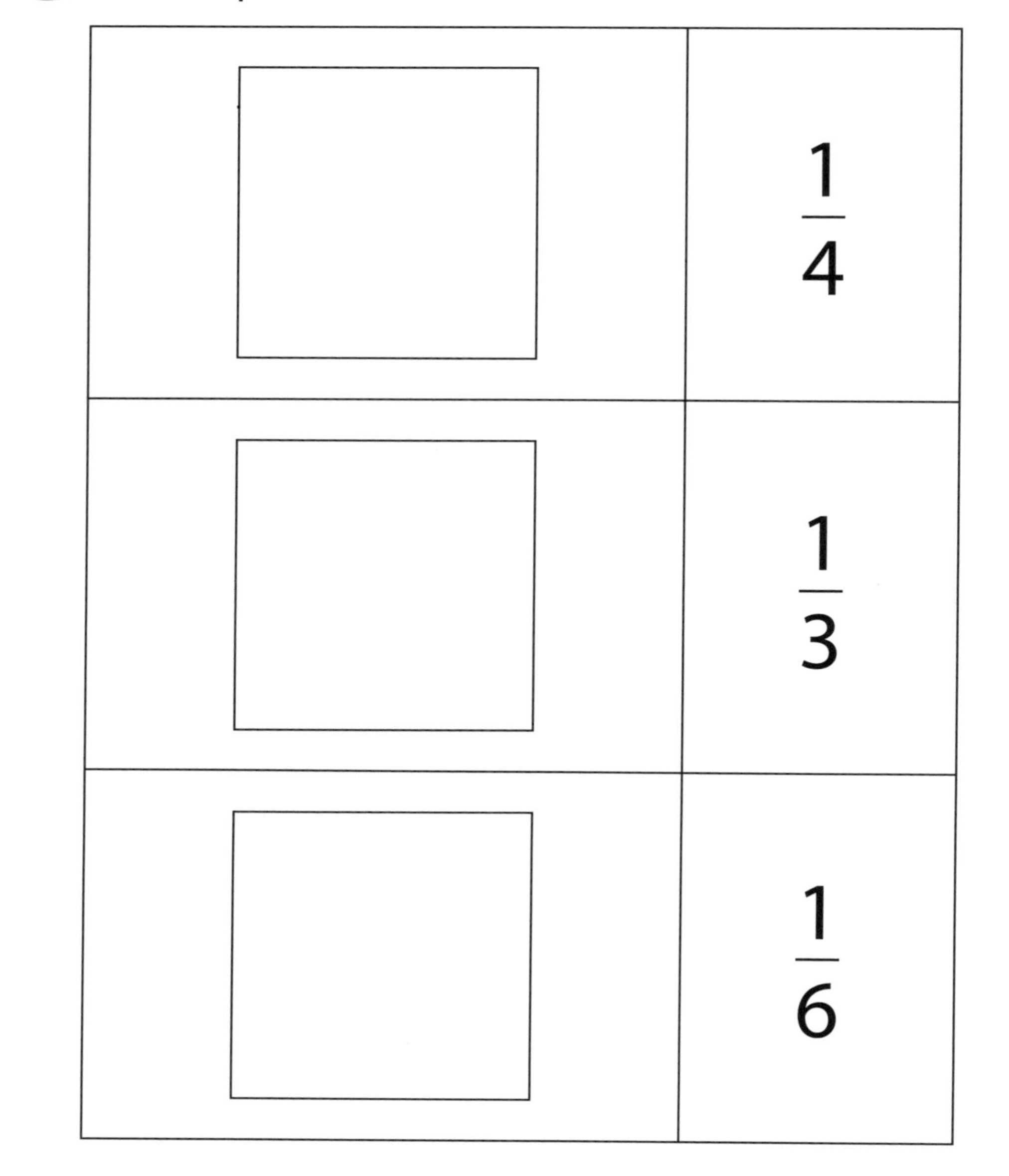

# Fractions : matériel

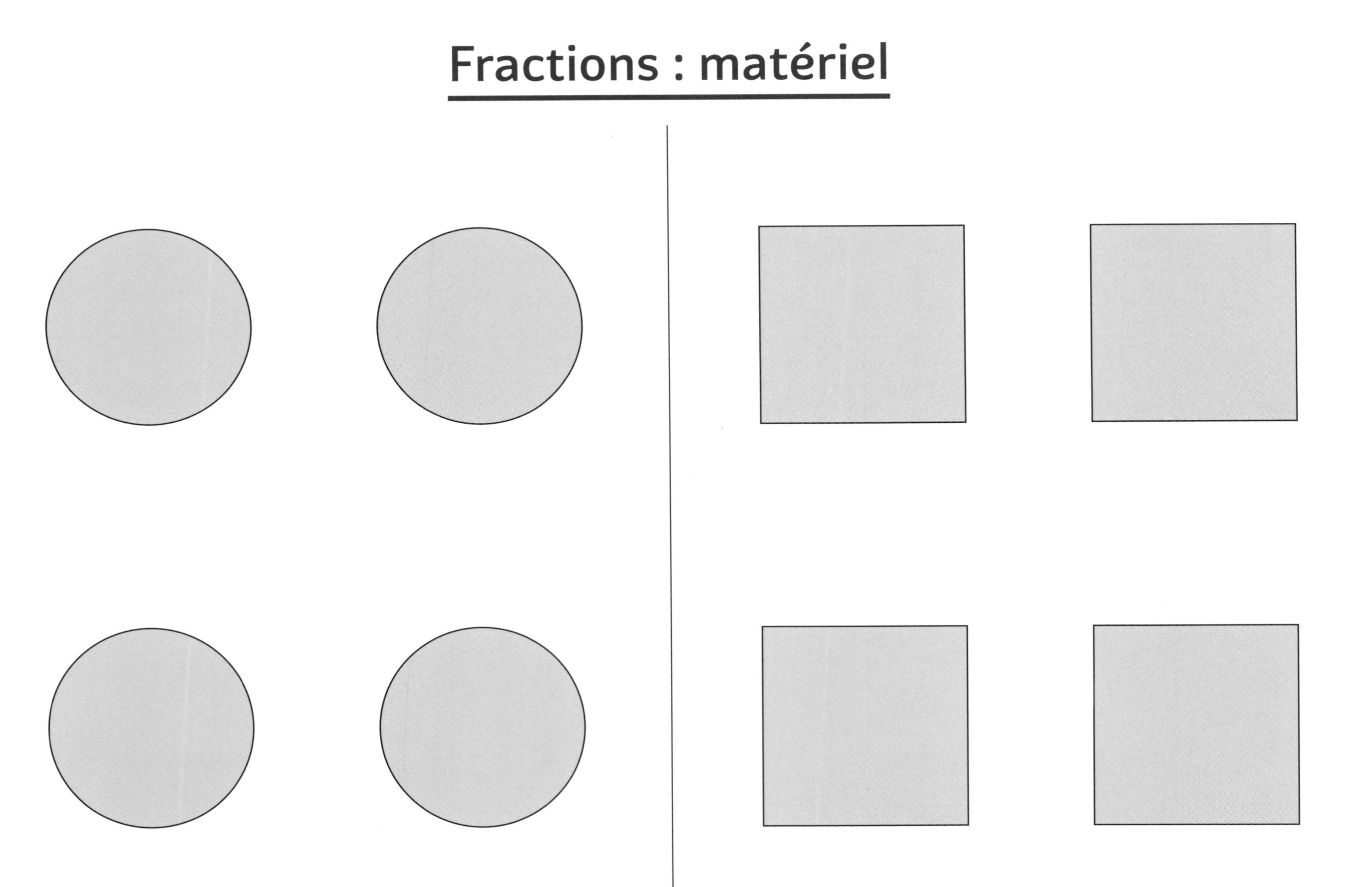

# Images multiplication

IMAGE 1

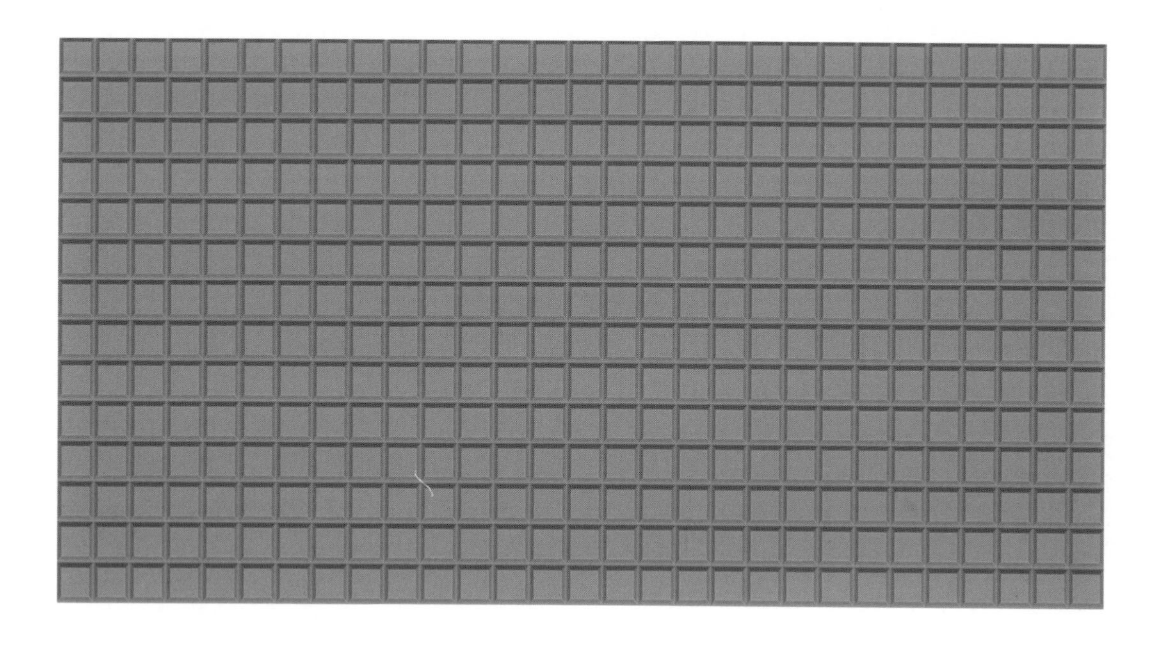

IMAGE 2

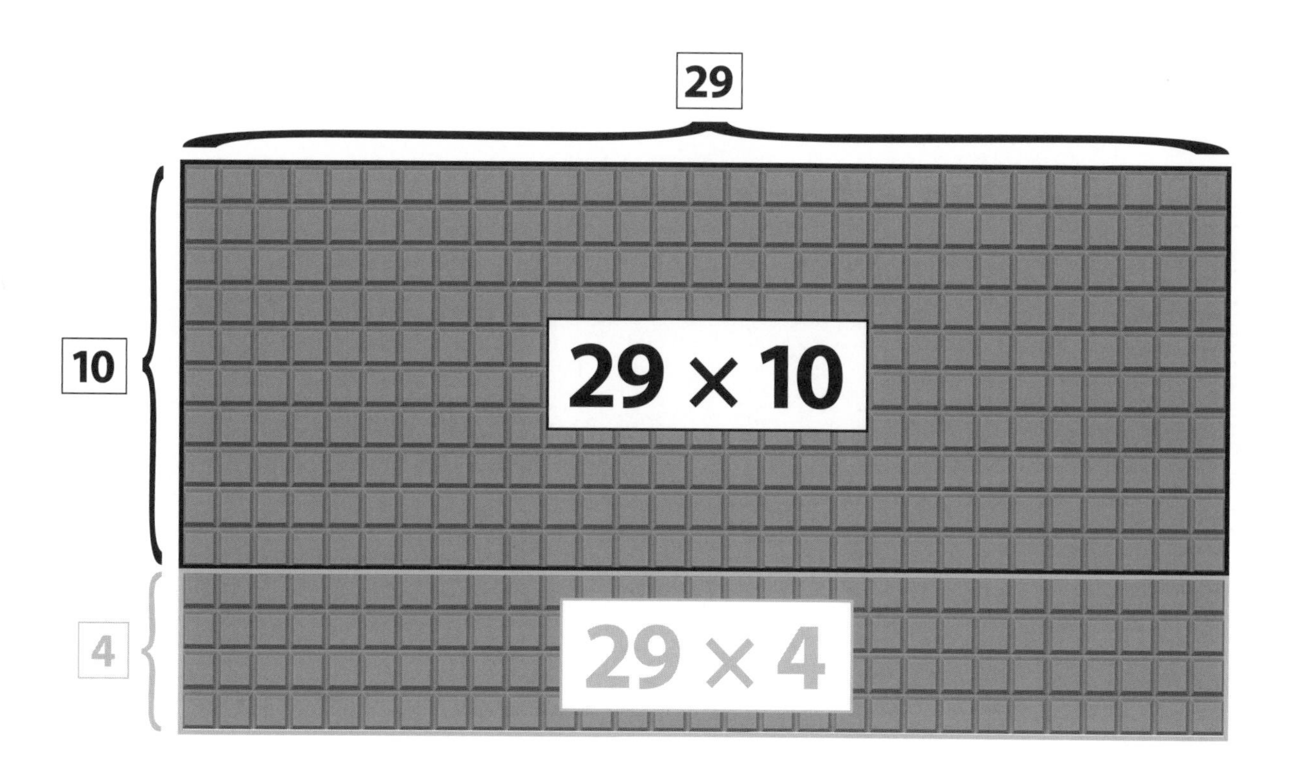

# Programme de construction CM1

**1** **Trace un carré ABCD dont le côté mesure 8 cm.**

**2** **Place les milieux de chaque côté du carré :**
I est le milieu de [AB].
J est le milieu de [BC].
K est le milieu de [CD].
L est le milieu de [DA].

**3** **Trace le quadrilatère IJKL.**

**4** **Lucie dit que ce quadrilatère est un rectangle.**
**A-t-elle raison ?**

..................................................................................................

..................................................................................................



# Programme de construction CM2

**1** **Place les milieux de chaque côté du rectangle :**
I est le milieu de [AB] et J est le milieu de [BC].
K est le milieu de [CD] et L est le milieu de [DA].

A B

D C

**2** **Trace les segments [IJ], [JK], [KL] et [LI].**

**3** **Place les milieux suivants :**
M, milieu de [IJ] ; N, milieu de [JK] ; O, milieu de [KL] ; P, milieu de [LI].

**4** **Trace le quadrilatère MNOP.**
**Quelle est cette figure ? Explique.**

..................................................................................................

..................................................................................................

# Rédaction du programme

Yanis a tracé une figure à main levée :

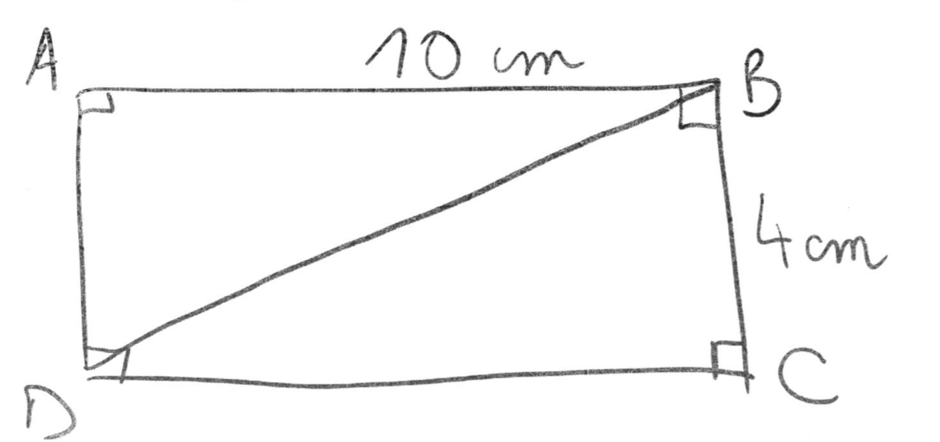


Écris les étapes qui permettent de refaire la même figure :

# Rédaction du programme

Yanis a tracé une figure à main levée :

A
10 cm
B
4 cm
C
D

Écris les étapes qui permettent de refaire la même figure :

DEVOIRS

# Bandes unités

# DEVOIRS Segments à mesurer

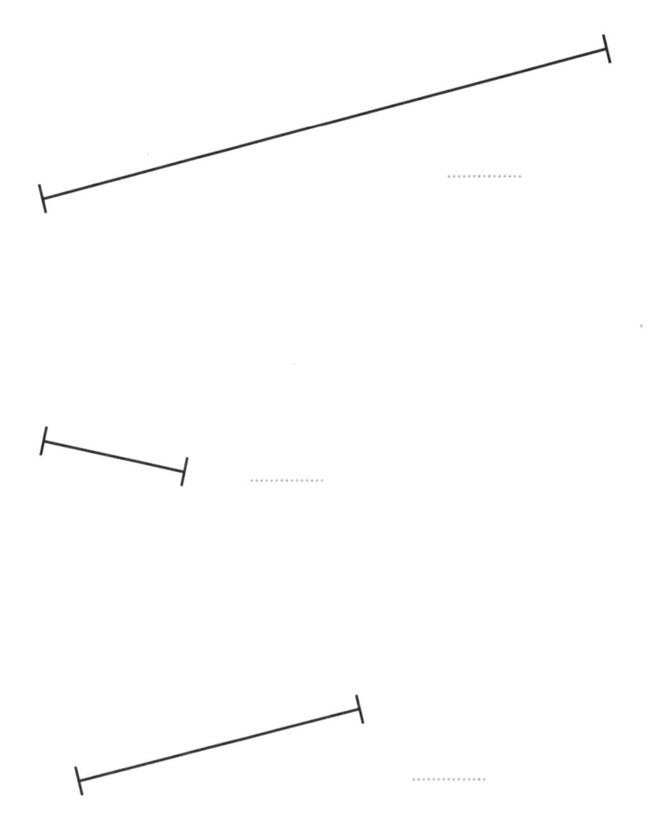

..............

..............

..............

..............

# DEVOIRS Fractions sur une droite graduée

Place sur la droite graduée les fractions suivantes :

$$\frac{1}{2} ; \frac{1}{4} ; \frac{5}{2} ; \frac{9}{4} ; \frac{7}{2} ; \frac{6}{3}$$

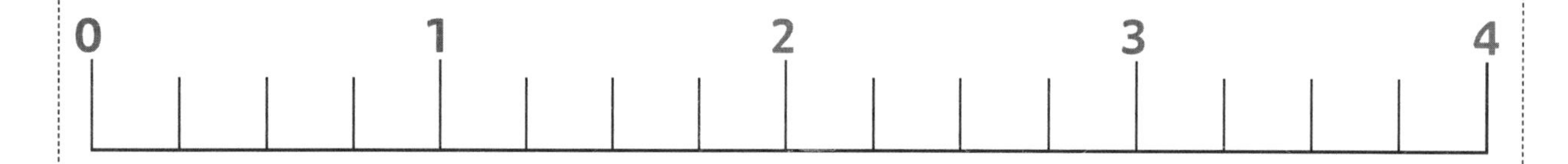


Place sur la droite graduée les fractions suivantes :

$$\frac{1}{2} ; \frac{1}{4} ; \frac{5}{2} ; \frac{9}{4} ; \frac{7}{2} ; \frac{6}{3}$$

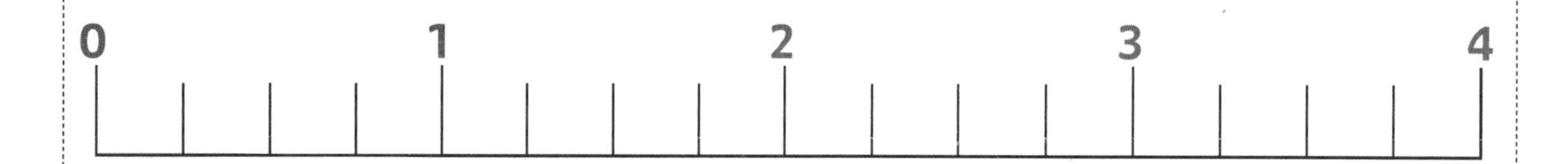


Place sur la droite graduée les fractions suivantes :

$$\frac{1}{2} ; \frac{1}{4} ; \frac{5}{2} ; \frac{9}{4} ; \frac{7}{2} ; \frac{6}{3}$$

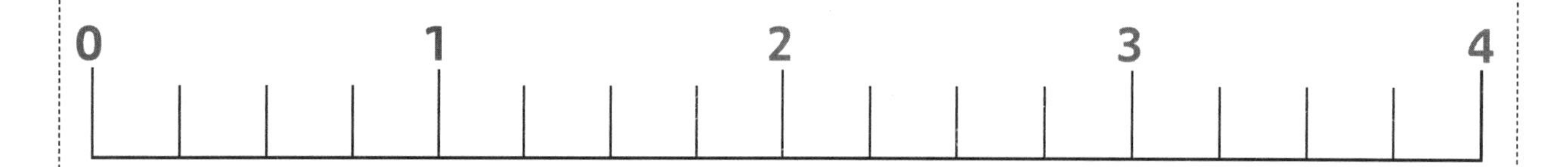


Place sur la droite graduée les fractions suivantes :

$$\frac{1}{2} ; \frac{1}{4} ; \frac{5}{2} ; \frac{9}{4} ; \frac{7}{2} ; \frac{6}{3}$$

# *Rituel* Fractions

FICHE A

FICHE C

FICHE B

FICHE D

# Chronomath 3

1. $3 \times 1 =$ ..........
2. $2 \times 2 =$ ..........
3. $2 \times 4 =$ ..........
4. $3 \times 3 =$ ..........
5. $4 \times 4 =$ ..........
6. $5 \times 5 =$ ..........
7. $4 \times 9 =$ ..........
8. $7 \times 5 =$ ..........
9. $8 \times 6 =$ ..........
10. $7 \times 8 =$ ..........
11. $2 \times$ .......... $= 12$
12. $6 \times$ .......... $= 54$
13. $5 \times$ .......... $= 40$
14. $8 \times$ .......... $= 56$
15. $34 \times 10 =$ ..........
16. $51 \times 10 =$ ..........
17. $98 \times 10 =$ ..........
18. $129 \times 10 =$ ..........
19. $435 \times 10 =$ ..........
20. $5 \times 20 =$ ..........
21. $13 \times 2 =$ ..........
22. $14 \times 2 =$ ..........
23. $13 \times 3 =$ ..........
24. $14 \times 3 =$ ..........
25. $12 \times 4 =$ ..........
26. $31 \times 3 =$ ..........
27. $21 \times 4 =$ ..........
28. $23 \times 5 =$ ..........
29. $33 \times 4 =$ ..........
30. $37 \times 2 =$ ..........

**Score :** ..........

# Chronomath 3

5 min

1. $3 \times 1 =$ ..........
2. $2 \times 2 =$ ..........
3. $2 \times 4 =$ ..........
4. $3 \times 3 =$ ..........
5. $4 \times 4 =$ ..........
6. $5 \times 5 =$ ..........
7. $4 \times 9 =$ ..........
8. $7 \times 5 =$ ..........
9. $8 \times 6 =$ ..........
10. $7 \times 8 =$ ..........
11. $2 \times$ .......... $= 12$
12. $6 \times$ .......... $= 54$
13. $5 \times$ .......... $= 40$
14. $8 \times$ .......... $= 56$
15. $34 \times 10 =$ ..........
16. $51 \times 10 =$ ..........
17. $98 \times 10 =$ ..........
18. $129 \times 10 =$ ..........
19. $435 \times 10 =$ ..........
20. $5 \times 20 =$ ..........
21. $13 \times 2 =$ ..........
22. $14 \times 2 =$ ..........
23. $13 \times 3 =$ ..........
24. $14 \times 3 =$ ..........
25. $12 \times 4 =$ ..........
26. $31 \times 3 =$ ..........
27. $21 \times 4 =$ ..........
28. $23 \times 5 =$ ..........
29. $33 \times 4 =$ ..........
30. $37 \times 2 =$ ..........

**Score :** ..........

# Chronomath 3 : réponses

1. $3 \times 1 = \mathbf{3}$
2. $2 \times 2 = \mathbf{4}$
3. $2 \times 4 = \mathbf{8}$
4. $3 \times 3 = \mathbf{9}$
5. $4 \times 4 = \mathbf{16}$
6. $5 \times 5 = \mathbf{25}$
7. $4 \times 9 = \mathbf{36}$
8. $7 \times 5 = \mathbf{35}$
9. $8 \times 6 = \mathbf{48}$
10. $7 \times 8 = \mathbf{56}$
11. $2 \times \mathbf{6} = 12$
12. $6 \times \mathbf{9} = 54$
13. $5 \times \mathbf{8} = 40$
14. $8 \times \mathbf{7} = 56$
15. $34 \times 10 = \mathbf{340}$
16. $51 \times 10 = \mathbf{510}$
17. $98 \times 10 = \mathbf{980}$
18. $129 \times 10 = \mathbf{1\,290}$
19. $435 \times 10 = \mathbf{4\,350}$
20. $5 \times 20 = \mathbf{100}$
21. $13 \times 2 = \mathbf{26}$
22. $14 \times 2 = \mathbf{28}$
23. $13 \times 3 = \mathbf{39}$
24. $14 \times 3 = \mathbf{42}$
25. $12 \times 4 = \mathbf{48}$
26. $31 \times 3 = \mathbf{93}$
27. $21 \times 4 = \mathbf{84}$
28. $23 \times 5 = \mathbf{115}$
29. $33 \times 4 = \mathbf{132}$
30. $37 \times 2 = \mathbf{74}$

# Chronomath 3

5 min

1. $3 \times 3 =$ ..........
2. $4 \times 4 =$ ..........
3. $5 \times 5 =$ ..........
4. $6 \times 9 =$ ..........
5. $7 \times 7 =$ ..........
6. $8 \times 6 =$ ..........
7. $7 \times 8 =$ ..........
8. $2 \times 2 \times 8 =$ ..........
9. $2 \times 3 \times 7 =$ ..........
10. $3 \times 5 \times 3 =$ ..........
11. $5 \times$ .......... $= 45$
12. $6 \times$ .......... $= 54$
13. $5 \times$ .......... $= 35$
14. $8 \times$ .......... $= 56$
15. .......... $\times$ .......... $= 99$
16. $64 \times 10 =$ ..........
17. $169 \times 100 =$ ..........
18. $509 \times 100 =$ ..........
19. $1\,001 \times 100 =$ ..........
20. $74 \times$ .......... $= 7\,400$
21. $13 \times 3 =$ ..........
22. $15 \times 2 =$ ..........
23. $14 \times 3 =$ ..........
24. $15 \times 3 =$ ..........
25. $12 \times 4 =$ ..........
26. $32 \times 3 =$ ..........
27. $22 \times 4 =$ ..........
28. $122 \times 4 =$ ..........
29. $35 \times 4 =$ ..........
30. $39 \times 2 =$ ..........

**Score :** ..........


# Chronomath 3

5 min

1. $3 \times 3 =$ ..........
2. $4 \times 4 =$ ..........
3. $5 \times 5 =$ ..........
4. $6 \times 9 =$ ..........
5. $7 \times 7 =$ ..........
6. $8 \times 6 =$ ..........
7. $7 \times 8 =$ ..........
8. $2 \times 2 \times 8 =$ ..........
9. $2 \times 3 \times 7 =$ ..........
10. $3 \times 5 \times 3 =$ ..........
11. $5 \times$ .......... $= 45$
12. $6 \times$ .......... $= 54$
13. $5 \times$ .......... $= 35$
14. $8 \times$ .......... $= 56$
15. .......... $\times$ .......... $= 99$
16. $64 \times 10 =$ ..........
17. $169 \times 100 =$ ..........
18. $509 \times 100 =$ ..........
19. $1\,001 \times 100 =$ ..........
20. $74 \times$ .......... $= 7\,400$
21. $13 \times 3 =$ ..........
22. $15 \times 2 =$ ..........
23. $14 \times 3 =$ ..........
24. $15 \times 3 =$ ..........
25. $12 \times 4 =$ ..........
26. $32 \times 3 =$ ..........
27. $22 \times 4 =$ ..........
28. $122 \times 4 =$ ..........
29. $35 \times 4 =$ ..........
30. $39 \times 2 =$ ..........

**Score :** ..........

# Chronomath 3 : réponses

1. $3 \times 3 =$ **9**
2. $4 \times 4 =$ **16**
3. $5 \times 5 =$ **25**
4. $6 \times 9 =$ **54**
5. $7 \times 7 =$ **49**
6. $8 \times 6 =$ **48**
7. $7 \times 8 =$ **56**
8. $2 \times 2 \times 8 =$ **32**
9. $2 \times 3 \times 7 =$ **42**
10. $3 \times 5 \times 3 =$ **45**
11. $5 \times$ **9** $= 45$
12. $6 \times$ **9** $= 54$
13. $5 \times$ **7** $= 35$
14. $8 \times$ **7** $= 56$
15. **9** $\times$ **11** $= 99$
16. $64 \times 10 =$ **640**
17. $169 \times 100 =$ **16 900**
18. $509 \times 100 =$ **50 900**
19. $1\,001 \times 100 =$ **100 100**
20. $74 \times$ **100** $= 7\,400$
21. $13 \times 3 =$ **39**
22. $15 \times 2 =$ **30**
23. $14 \times 3 =$ **42**
24. $15 \times 3 =$ **45**
25. $12 \times 4 =$ **48**
26. $32 \times 3 =$ **96**
27. $22 \times 4 =$ **88**
28. $122 \times 4 =$ **488**
29. $35 \times 4 =$ **140**
30. $39 \times 2 =$ **78**

# Droite graduée

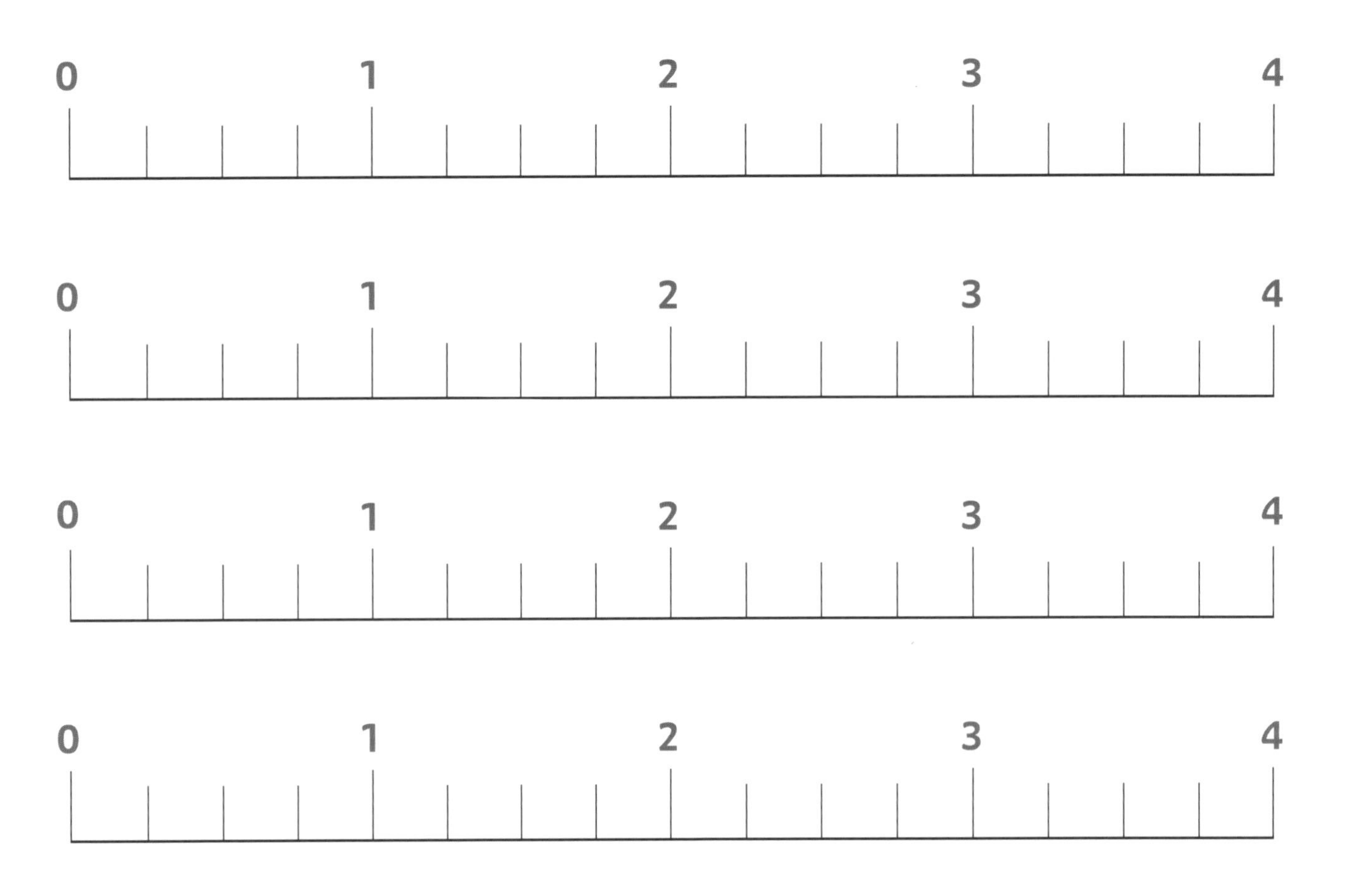


# Bandes

# Exercices fractions

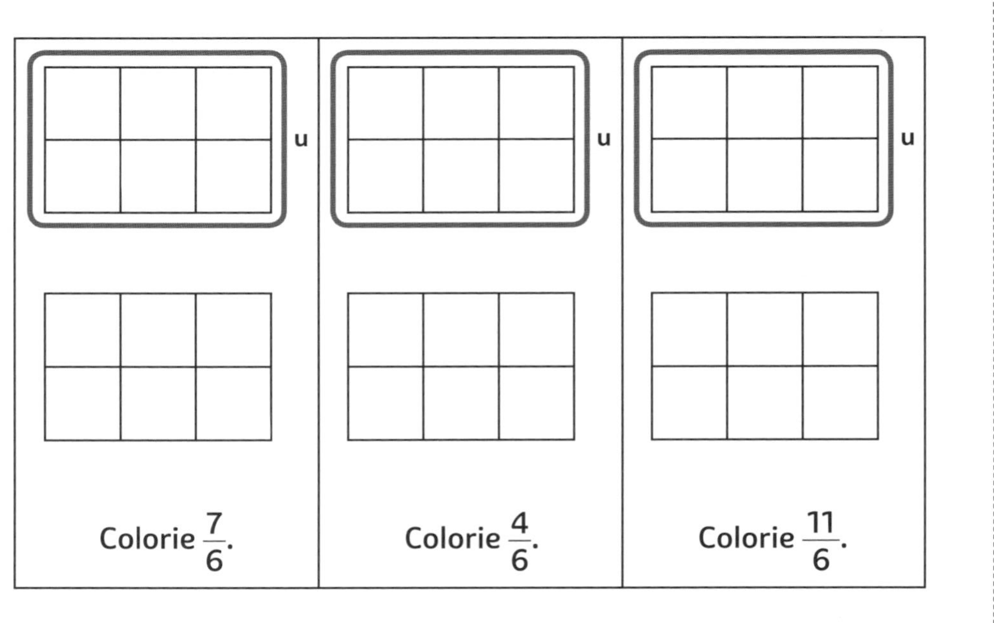


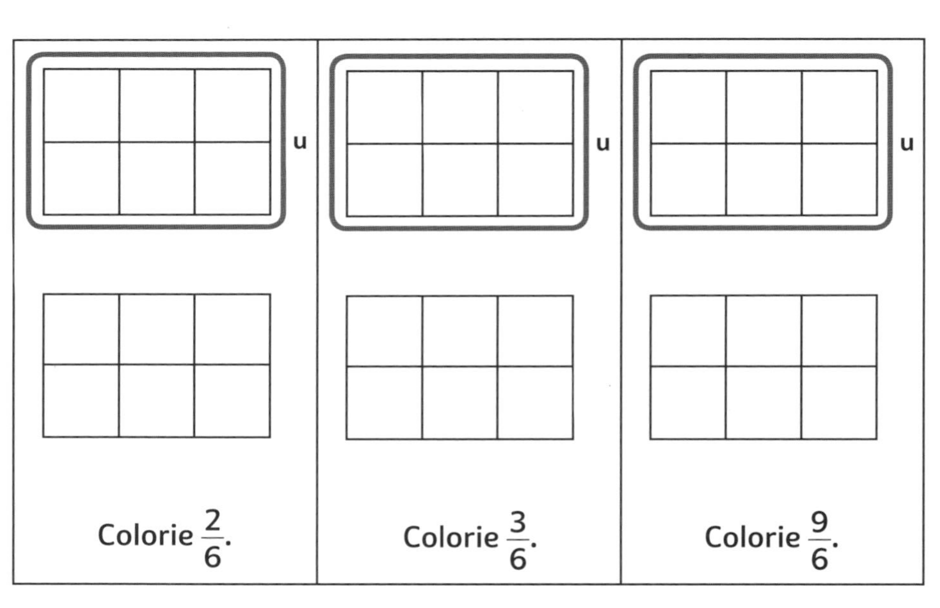




# Exercices fractions

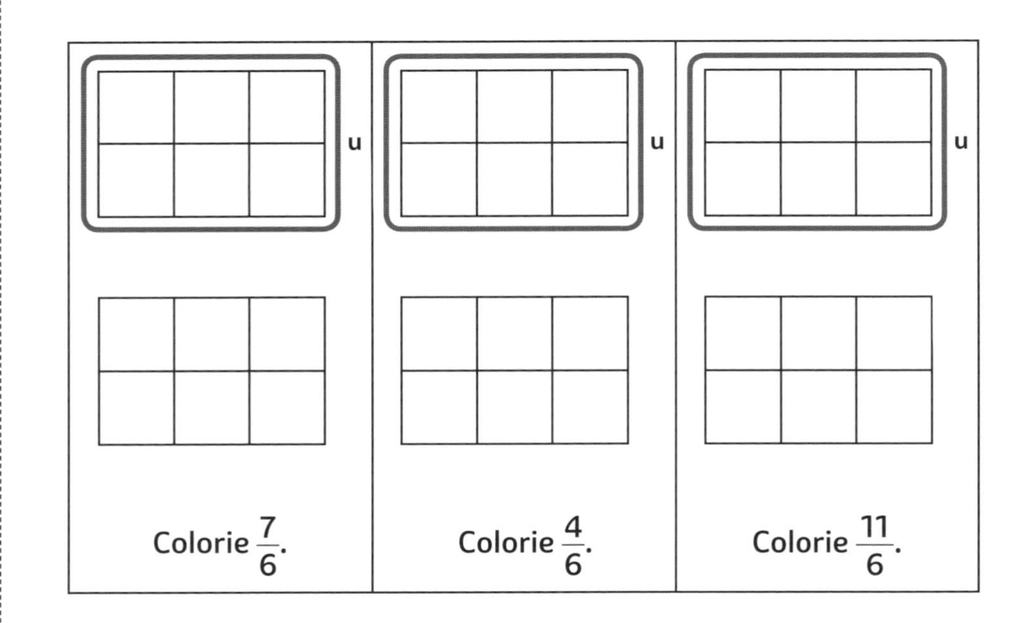


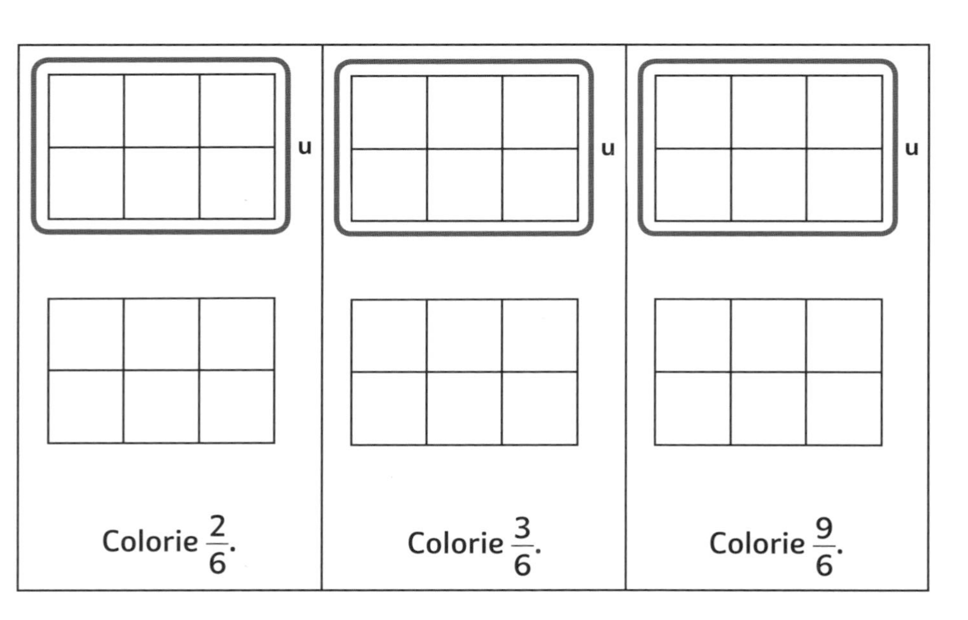

# DEVOIRS Ajouter et enlever 99 CM1

DEVOIRS 1

**Entraine-toi à ajouter 99 à un nombre !**

Choisis un nombre plus grand que 1 000. Ajoute 99.

Vérifie si tu as bon avec un adulte ou avec une calculatrice.

Souviens-toi : ajouter 99, c'est d'abord ajouter 100, puis enlever 1.

Refais-le dix fois avec des nombres différents.

DEVOIRS 2

**Entraine-toi à enlever 99 à un nombre !**

Choisis un nombre plus grand que 1 000. Enlève 99.

Vérifie si tu as bon avec un adulte ou avec une calculatrice.

Souviens-toi : enlever 99, c'est d'abord enlever 100, puis ajouter 1.

Refais-le dix fois avec des nombres différents.

DEVOIRS 1

**Entraine-toi à ajouter 99 à un nombre !**

Choisis un nombre plus grand que 1 000. Ajoute 99.

Vérifie si tu as bon avec un adulte ou avec une calculatrice.

Souviens-toi : ajouter 99, c'est d'abord ajouter 100, puis enlever 1.

Refais-le dix fois avec des nombres différents.

DEVOIRS 2

**Entraine-toi à enlever 99 à un nombre !**

Choisis un nombre plus grand que 1 000. Enlève 99.

Vérifie si tu as bon avec un adulte ou avec une calculatrice.

Souviens-toi : enlever 99, c'est d'abord enlever 100, puis ajouter 1.

Refais-le dix fois avec des nombres différents.

# DEVOIRS Ajouter et enlever 99 CM2

DEVOIRS 1

**Entraine-toi à ajouter 99 à un nombre !**

Choisis un nombre plus grand que 5 000. Ajoute 99.

Vérifie si tu as bon avec un adulte ou avec une calculatrice.

Souviens-toi : ajouter 99, c'est d'abord ajouter 100, puis enlever 1.

Refais-le dix fois avec des nombres différents.

DEVOIRS 2

**Entraine-toi à enlever 99 à un nombre !**

Choisis un nombre plus grand que 5 000. Enlève 99.

Vérifie si tu as bon avec un adulte ou avec une calculatrice.

Souviens-toi : enlever 99, c'est d'abord enlever 100, puis ajouter 1.

Refais-le dix fois avec des nombres différents.

DEVOIRS 1

**Entraine-toi à ajouter 99 à un nombre !**

Choisis un nombre plus grand que 5 000. Ajoute 99.

Vérifie si tu as bon avec un adulte ou avec une calculatrice.

Souviens-toi : ajouter 99, c'est d'abord ajouter 100, puis enlever 1.

Refais-le dix fois avec des nombres différents.

DEVOIRS 2

**Entraine-toi à enlever 99 à un nombre !**

Choisis un nombre plus grand que 5 000. Enlève 99.

Vérifie si tu as bon avec un adulte ou avec une calculatrice.

Souviens-toi : enlever 99, c'est d'abord enlever 100, puis ajouter 1.

Refais-le dix fois avec des nombres différents.

# *Rituel* Droites graduées CM1

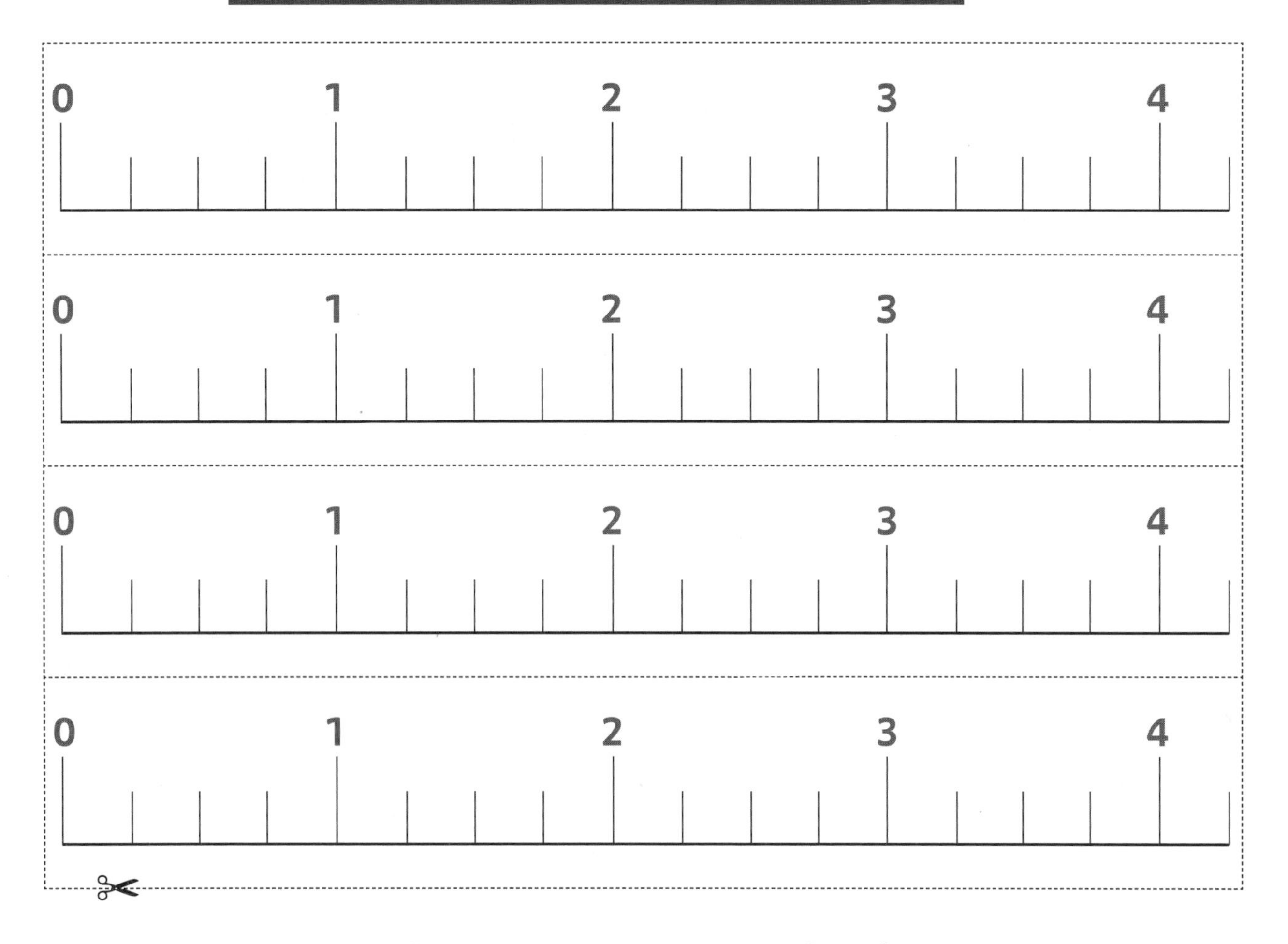


# *Rituel* Droites graduées CM2

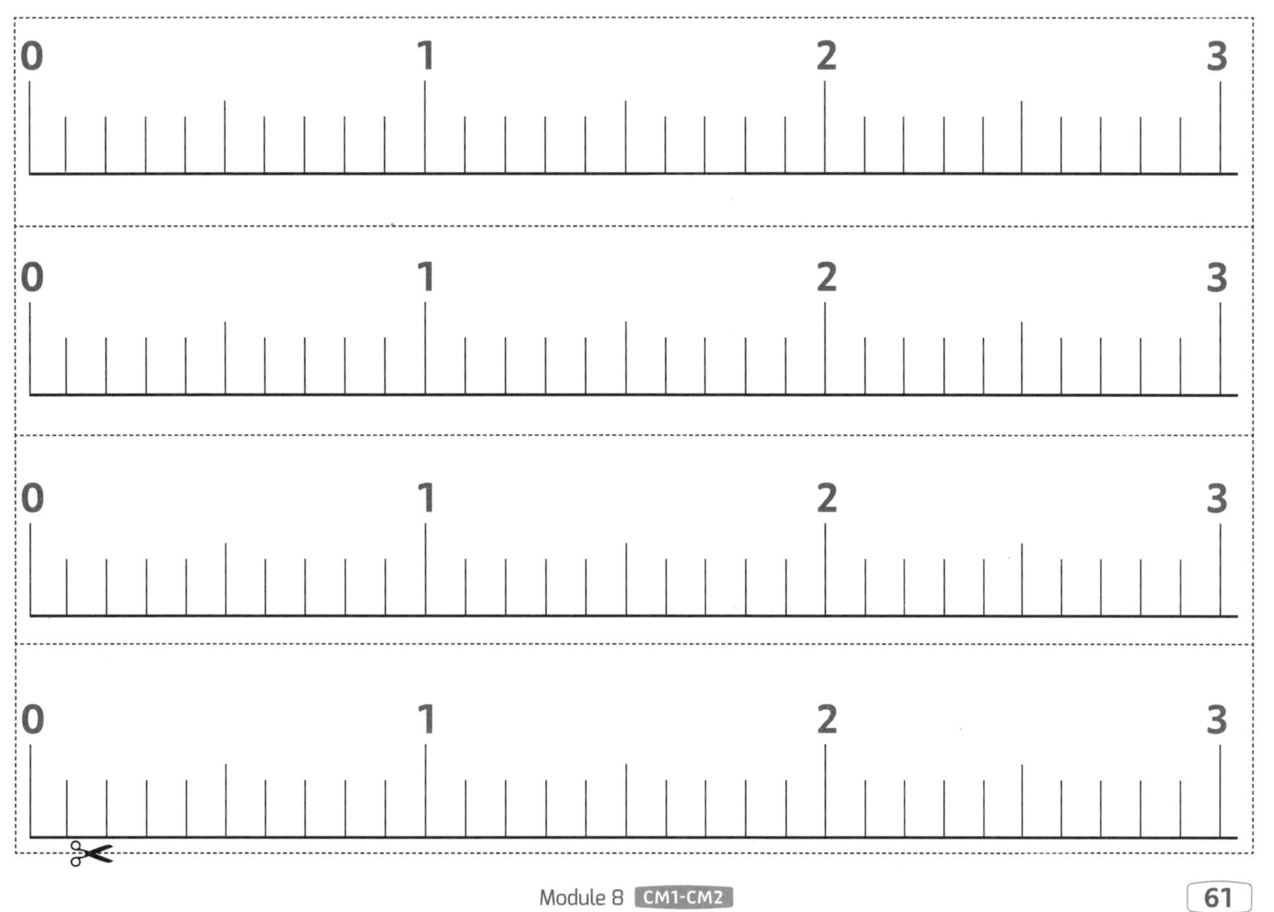

# Modèle d'affiche fractions

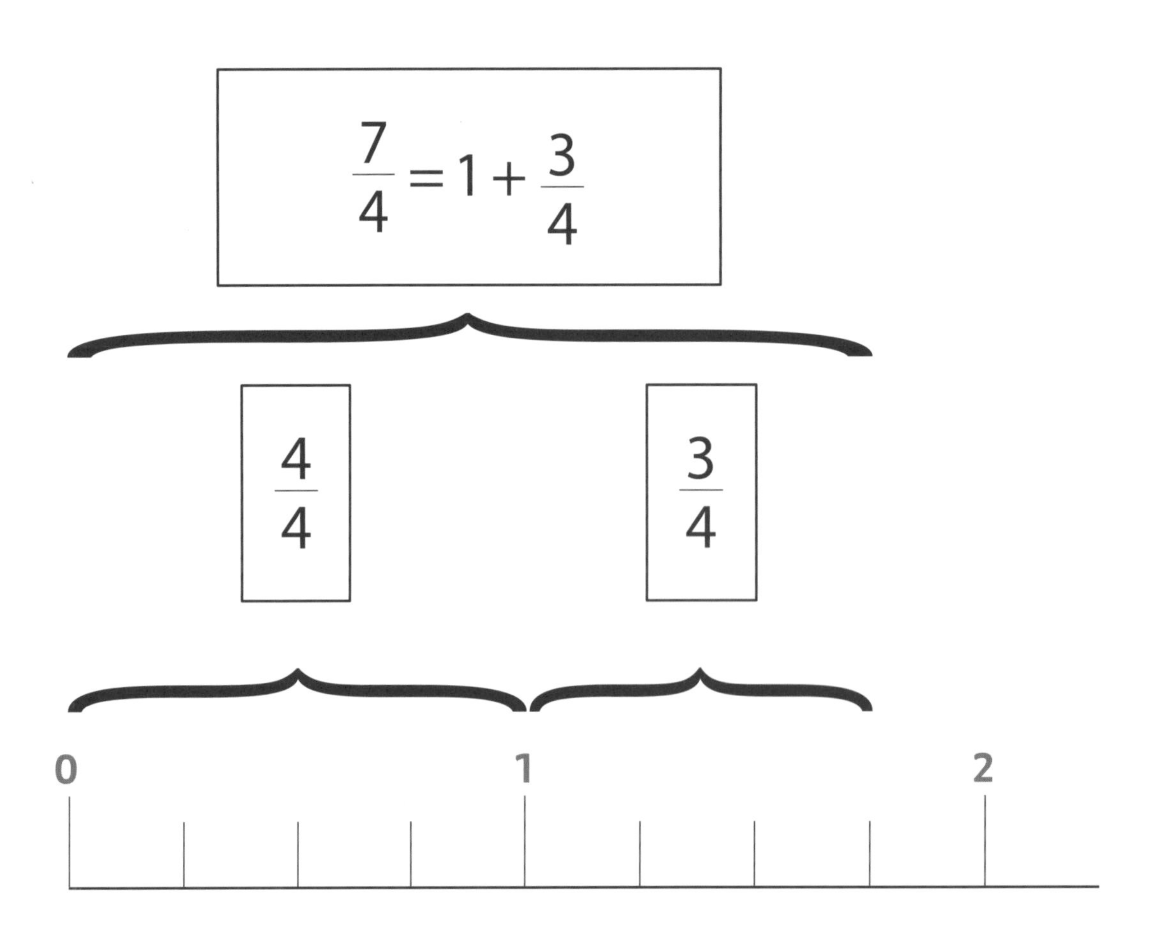


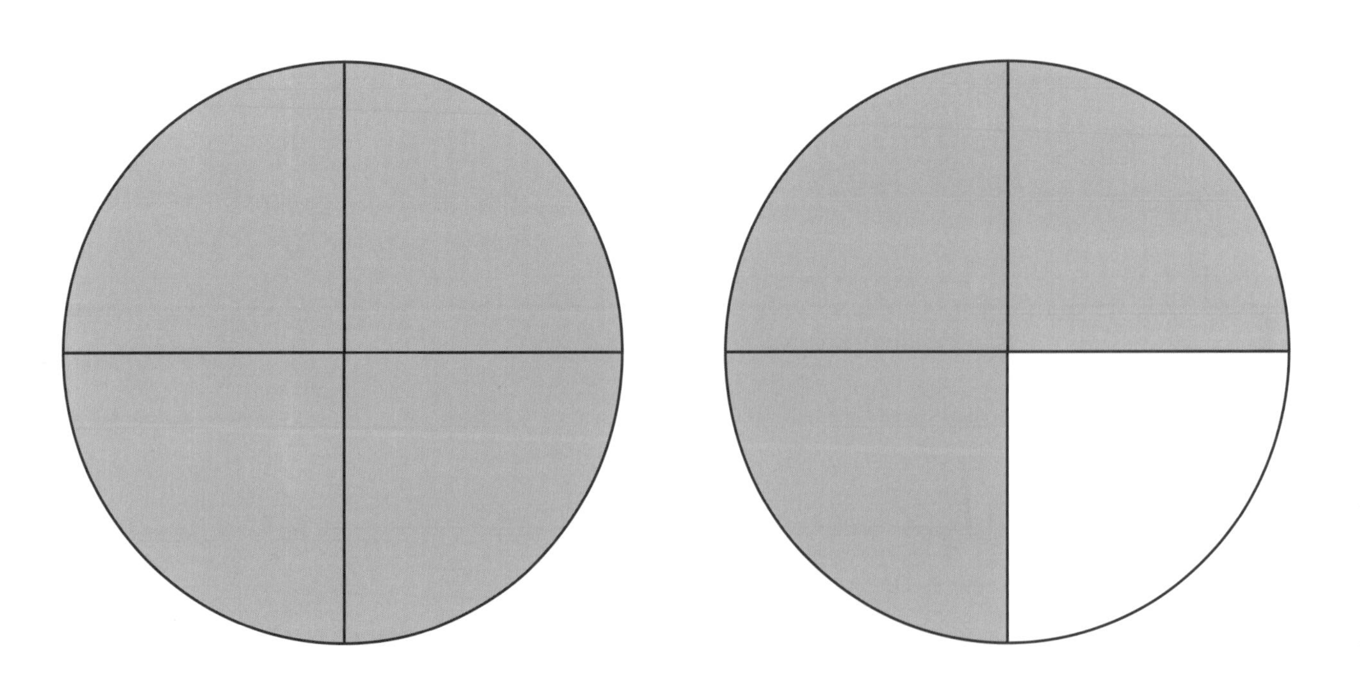

# Exercices fractions décimales

**1** Observe cette droite graduée.

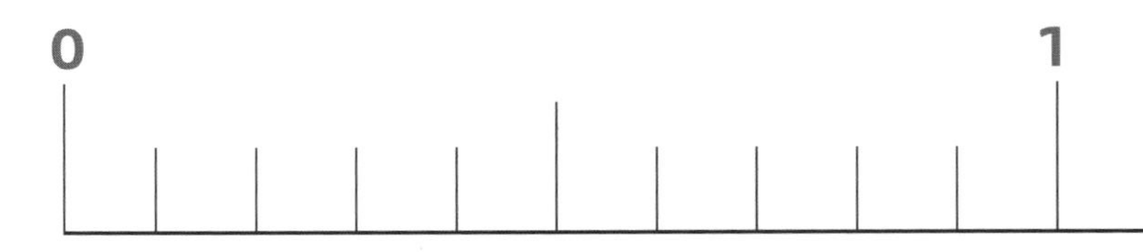


**En combien de parties l'unité est-elle partagée ?**

..........................................................................................

**2** **Essaie de te souvenir comment s'appellent les fractions partagées avec ce nombre.**

Ce sont des fractions ..........................................................

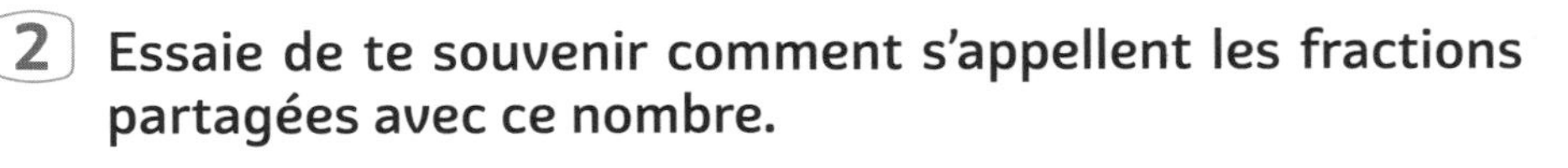

**3** **Complète alors les fractions.**

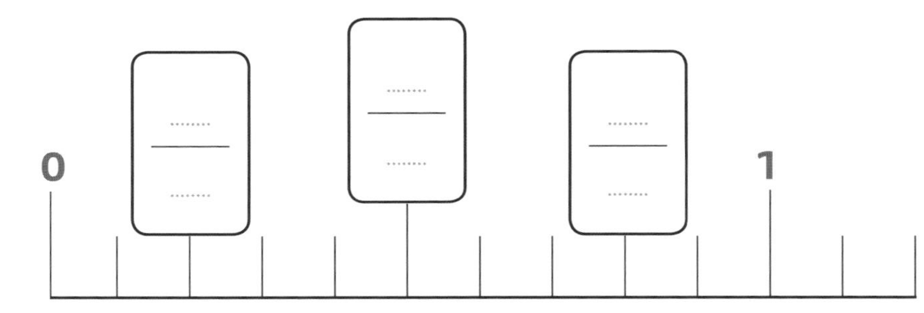






# Exercices fractions décimales

**1** Observe cette droite graduée.

0 1

**En combien de parties l'unité est-elle partagée ?**

..........................................................................................

**2** **Essaie de te souvenir comment s'appellent les fractions partagées avec ce nombre.**

Ce sont des fractions ..........................................................

**3** **Complète alors les fractions.**

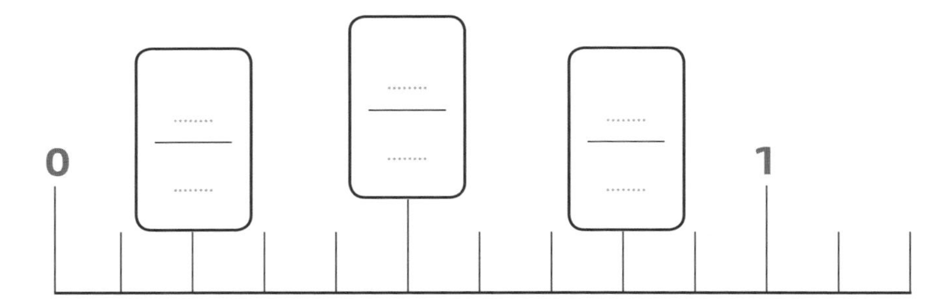

# Exercices multiples CM1

**EXERCICE 1**

Écris 4 multiples des nombres suivants.

5 : ........ ; ........ ; ........ ; ........ .

7 : ........ ; ........ ; ........ ; ........ .

12 : ........ ; ........ ; ........ ; ........ .

**EXERCICE 2**

1. Écris un multiple de 9 compris entre 30 et 40 : ........
2. Écris deux diviseurs de 72 : ........

**EXERCICE 3**

Complète avec les diviseurs qui manquent.

$4 \times$ ........ $= 36$ ........ $\times 3 = 15$

$7 \times$ ........ $= 42$ ........ $\times 8 = 24$

**EXERCICE 4**

Trouve un nombre qui est en même temps multiple de 2

et multiple de 3 : ........

# Exercices multiples CM2

**EXERCICE 1**

Écris 4 multiples des nombres suivants.

6 : ........ ; ........ ; ........ ; ........ .

9 : ........ ; ........ ; ........ ; ........ .

13 : ........ ; ........ ; ........ ; ........ .

**EXERCICE 2**

1. Écris un multiple de 9 compris entre 100 et 200 : ........
2. Écris un diviseur de 72 : ........

**EXERCICE 3**

Complète avec les diviseurs qui manquent.

$4 \times$ ........ $= 36$ ........ $\times 3 = 15$

$7 \times$ ........ $= 42$ ........ $\times 8 = 240$

**EXERCICE 4**

Trouve un nombre qui est en même temps multiple de 4

et multiple de 3 : ........

## *Rituel* La fraction du jour (1)-S2

## *Rituel* La fraction du jour (1)-S3

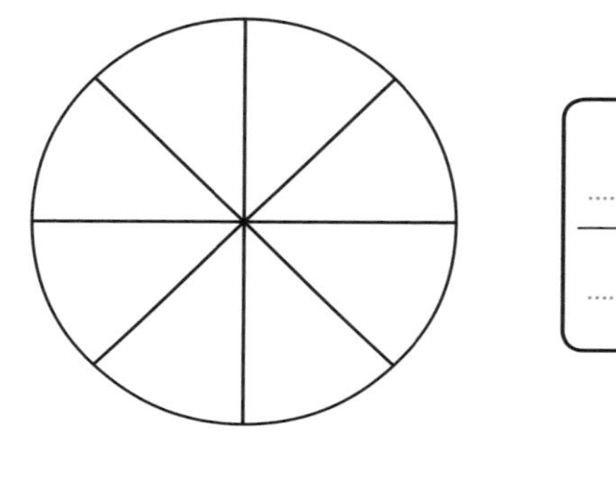

## *Rituel* La fraction du jour (1)-S4

## *Rituel* La fraction du jour (1)-S5

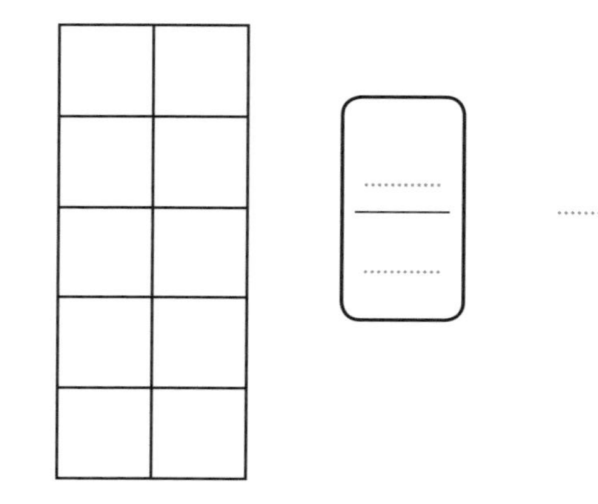

## *Rituel* La fraction du jour (1)-S2

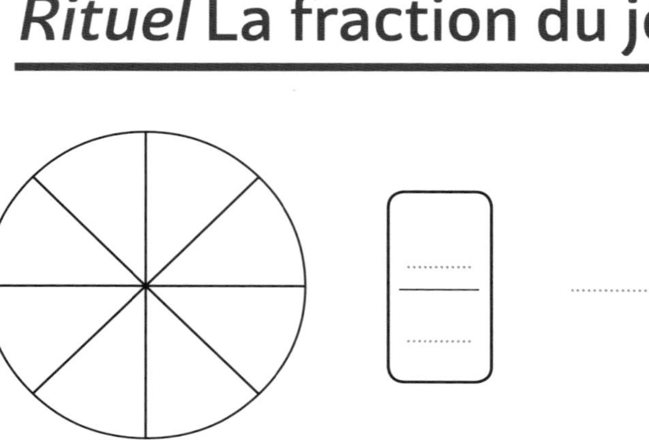

## *Rituel* La fraction du jour (1)-S3

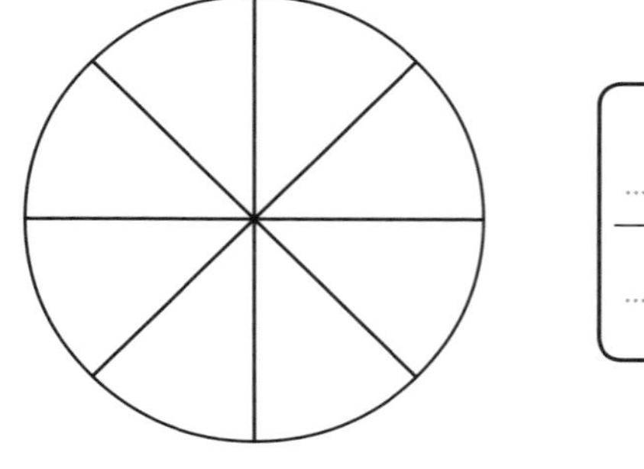

## *Rituel* La fraction du jour (1)-S4

## *Rituel* La fraction du jour (1)-S5

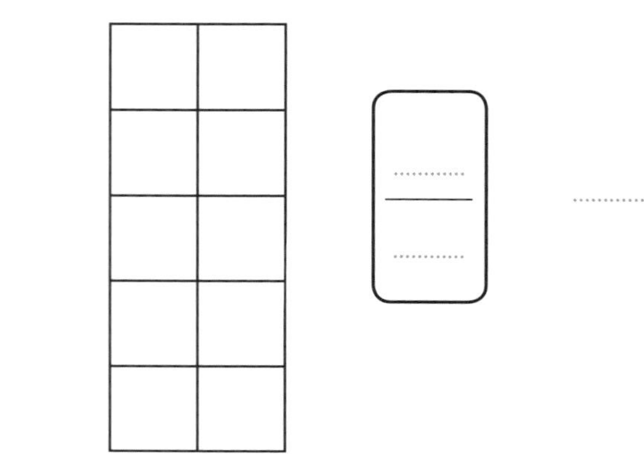

# Problèmes division

PROBLÈME 1

Un éleveur de poules dispose de 72 œufs.
**Combien de boites de 8 œufs peut-il remplir ?**

PROBLÈME 2

J'ai dépensé 54 € pour acheter 6 pots de peinture.
**Quel est le prix d'un pot ?**

PROBLÈME 3

La maitresse a 75 bonbons à partager entre les 25 élèves.
**Combien de bonbons va recevoir chaque élève ?**

PROBLÈME 4

Le libraire a rangé les 64 magazines dans les 8 casiers de sa vitrine.
**Combien y a-t-il de magazines par casier ?**

PROBLÈME 1

Un éleveur de poules dispose de 72 œufs.
**Combien de boites de 8 œufs peut-il remplir ?**

PROBLÈME 2

J'ai dépensé 54 € pour acheter 6 pots de peinture.
**Quel est le prix d'un pot ?**

PROBLÈME 3

La maitresse a 75 bonbons à partager entre les 25 élèves.
**Combien de bonbons va recevoir chaque élève ?**

PROBLÈME 4

Le libraire a rangé les 64 magazines dans les 8 casiers de sa vitrine.
**Combien y a-t-il de magazines par casier ?**

PROBLÈME 1

Un éleveur de poules dispose de 72 œufs.
**Combien de boites de 8 œufs peut-il remplir ?**

PROBLÈME 2

J'ai dépensé 54 € pour acheter 6 pots de peinture.
**Quel est le prix d'un pot ?**

PROBLÈME 3

La maitresse a 75 bonbons à partager entre les 25 élèves.
**Combien de bonbons va recevoir chaque élève ?**

PROBLÈME 4

Le libraire a rangé les 64 magazines dans les 8 casiers de sa vitrine.
**Combien y a-t-il de magazines par casier ?**

PROBLÈME 1

Un éleveur de poules dispose de 72 œufs.
**Combien de boites de 8 œufs peut-il remplir ?**

PROBLÈME 2

J'ai dépensé 54 € pour acheter 6 pots de peinture.
**Quel est le prix d'un pot ?**

PROBLÈME 3

La maitresse a 75 bonbons à partager entre les 25 élèves.
**Combien de bonbons va recevoir chaque élève ?**

PROBLÈME 4

Le libraire a rangé les 64 magazines dans les 8 casiers de sa vitrine.
**Combien y a-t-il de magazines par casier ?**

# Exercices heures

1 ........ h ........ min

2 ........ h ........ min

3 ........ h ........ min

4 ........ h ........ min

5 ........ h ........ min

# Exercices heures

1 ........ h ........ min

2 ........ h ........ min

3 ........ h ........ min

4 ........ h ........ min

5 ........ h ........ min

# Exercices heures

1 ........ h ........ min

2 ........ h ........ min

3 ........ h ........ min

4 ........ h ........ min

5 ........ h ........ min

# Exercices heures

1 ........ h ........ min

2 ........ h ........ min

3 ........ h ........ min

4 ........ h ........ min

5 ........ h ........ min

## DEVOIRS 1 Tables de multiplication

**Révise tes tables pendant 5 minutes. Puis tu as 5 minutes pour faire le plus de calculs possible.**

| | |
|---|---|
| $3 \times 6 =$ ........ | $8 \times 6 =$ ........ |
| $3 \times 5 =$ ........ | $7 \times 8 =$ ........ |
| $2 \times 6 =$ ........ | $9 \times 5 =$ ........ |
| $3 \times 4 =$ ........ | $7 \times 9 =$ ........ |
| $2 \times 7 =$ ........ | $9 \times 9 =$ ........ |
| $8 \times 3 =$ ........ | $4 \times$ ........ $= 16$ |
| $3 \times 3 =$ ........ | $5 \times$ ........ $= 15$ |
| $4 \times 6 =$ ........ | $6 \times$ ........ $= 18$ |
| $4 \times 5 =$ ........ | $4 \times$ ........ $= 36$ |
| $5 \times 5 =$ ........ | $4 \times$ ........ $= 32$ |
| $9 \times 6 =$ ........ | $7 \times$ ........ $= 28$ |
| $8 \times 5 =$ ........ | $6 \times$ ........ $= 42$ |
| $3 \times 7 =$ ........ | ........ $\times$ ........ $= 25$ |
| $7 \times 6 =$ ........ | ........ $\times$ ........ $= 36$ |
| $6 \times 6 =$ ........ | ........ $\times$ ........ $= 64$ |



## DEVOIRS 2 Enlever 200

**Entraine-toi à enlever 200 à un nombre !**

Choisis un nombre entre 1 000 et 2 000.

Enlève 200.

Vérifie si tu as bon avec un adulte ou avec une calculatrice.

Recommence dix fois avec des nombres différents.

**Entraine-toi à enlever 200 à un nombre !**

Choisis un nombre entre 1 000 et 2 000.

Enlève 200.

Vérifie si tu as bon avec un adulte ou avec une calculatrice.

Recommence dix fois avec des nombres différents.

## DEVOIRS 3 Enlever 500

**Entraine-toi à enlever 500 à un nombre !**

Choisis un nombre entre 1 000 et 2 000.

Enlève 500.

Vérifie si tu as bon avec un adulte ou avec une calculatrice.

Recommence dix fois avec des nombres différents.

**Entraine-toi à enlever 500 à un nombre !**

Choisis un nombre entre 1 000 et 2 000.

Enlève 500.

Vérifie si tu as bon avec un adulte ou avec une calculatrice.

Recommence dix fois avec des nombres différents.

## DEVOIRS 1 Tables de multiplication

**Révise tes tables pendant 5 minutes. Puis tu as 5 minutes pour faire le plus de calculs possible.**

| | |
|---|---|
| 3 × 6 = ........ | 8 × 6 = ........ |
| 3 × 5 = ........ | 7 × 8 = ........ |
| 2 × 6 = ........ | 9 × 5 = ........ |
| 3 × 11 = ........ | 7 × 9 = ........ |
| 2 × 7 = ........ | 9 × 9 = ........ |
| 8 × 11 = ........ | 4 × 12 = ........ |
| 3 × 3 = ........ | 5 × ........ = 15 |
| 4 × 6 = ........ | 6 × ........ = 18 |
| 4 × 5 = ........ | 4 × ........ = 36 |
| 5 × 5 = ........ | 4 × ........ = 32 |
| 9 × 6 = ........ | 7 × ........ = 28 |
| 8 × 5 = ........ | 6 × ........ = 66 |
| 3 × 7 = ........ | ........ × ........ = 25 |
| 7 × 6 = ........ | ........ × ........ = 36 |
| 6 × 6 = ........ | ........ × ........ = 64 |

## DEVOIRS 2 Enlever 200

**Entraine-toi à enlever 200 à un nombre !**

Choisis un nombre entre 10 000 et 20 000.

Enlève 200.

Vérifie si tu as bon avec un adulte ou avec une calculatrice.

Recommence dix fois avec des nombres différents.

**Entraine-toi à enlever 200 à un nombre !**

Choisis un nombre entre 10 000 et 20 000.

Enlève 200.

Vérifie si tu as bon avec un adulte ou avec une calculatrice.

Recommence dix fois avec des nombres différents.

## DEVOIRS 3 Enlever 500

**Entraine-toi à enlever 500 à un nombre !**

Choisis un nombre entre 10 000 et 20 000.

Enlève 500.

Vérifie si tu as bon avec un adulte ou avec une calculatrice.

Recommence dix fois avec des nombres différents.

**Entraine-toi à enlever 500 à un nombre !**

Choisis un nombre entre 10 000 et 20 000.

Enlève 500.

Vérifie si tu as bon avec un adulte ou avec une calculatrice.

Recommence dix fois avec des nombres différents.

# Chronomath 4

5 min

1. $3 \times 6 =$ ..........
2. $7 \times 4 =$ ..........
3. $6 \times 9 =$ ..........
4. $8 \times 7 =$ ..........
5. $4 \times 7 =$ ..........
6. $5 \times 8 =$ ..........
7. $7 \times 7 =$ ..........
8. $4 \times$ .......... $= 16$
9. $4 \times$ .......... $= 32$
10. $6 \times$ .......... $= 42$
11. $74 + 9 =$ ..........
12. $333 + 9 =$ ..........
13. $715 + 9 =$ ..........
14. $372 + 9 =$ ..........
15. $84 - 9 =$ ..........
16. $733 - 9 =$ ..........
17. $429 - 9 =$ ..........
18. $550 - 9 =$ ..........
19. $5\,403 + 99 =$ ..........
20. $1\,255 - 99 =$ ..........
21. $19 \times 10 =$ ..........
22. $78 \times 10 =$ ..........
23. $408 \times 10 =$ ..........
24. $5\,070 \times 10 =$ ..........
25. $2\,490 \times 10 =$ ..........
26. $997 \times 100 =$ ..........
27. $7\,955 \times 100 =$ ..........
28. $8\,001 \times 100 =$ ..........
29. $3\,030 \times 100 =$ ..........
30. $1\,925 \times 1\,000 =$ ..........

**Score :** ..........




# Chronomath 4

5 min

1. $3 \times 6 =$ ..........
2. $7 \times 4 =$ ..........
3. $6 \times 9 =$ ..........
4. $8 \times 7 =$ ..........
5. $4 \times 7 =$ ..........
6. $5 \times 8 =$ ..........
7. $7 \times 7 =$ ..........
8. $4 \times$ .......... $= 16$
9. $4 \times$ .......... $= 32$
10. $6 \times$ .......... $= 42$
11. $74 + 9 =$ ..........
12. $333 + 9 =$ ..........
13. $715 + 9 =$ ..........
14. $372 + 9 =$ ..........
15. $84 - 9 =$ ..........
16. $733 - 9 =$ ..........
17. $429 - 9 =$ ..........
18. $550 - 9 =$ ..........
19. $5\,403 + 99 =$ ..........
20. $1\,255 - 99 =$ ..........
21. $19 \times 10 =$ ..........
22. $78 \times 10 =$ ..........
23. $408 \times 10 =$ ..........
24. $5\,070 \times 10 =$ ..........
25. $2\,490 \times 10 =$ ..........
26. $997 \times 100 =$ ..........
27. $7\,955 \times 100 =$ ..........
28. $8\,001 \times 100 =$ ..........
29. $3\,030 \times 100 =$ ..........
30. $1\,925 \times 1\,000 =$ ..........

**Score :** ..........

# Chronomath 4 : réponses

1. $3 \times 6 =$ **18**
2. $7 \times 4 =$ **28**
3. $6 \times 9 =$ **54**
4. $8 \times 7 =$ **56**
5. $4 \times 7 =$ **28**
6. $5 \times 8 =$ **40**
7. $7 \times 7 =$ **49**
8. $4 \times \mathbf{4} = 16$
9. $4 \times \mathbf{8} = 32$
10. $6 \times \mathbf{7} = 42$
11. $74 + 9 =$ **83**
12. $333 + 9 =$ **342**
13. $715 + 9 =$ **724**
14. $372 + 9 =$ **381**
15. $84 - 9 =$ **75**
16. $733 - 9 =$ **724**
17. $429 - 9 =$ **420**
18. $550 - 9 =$ **541**
19. $5\,403 + 99 =$ **5 502**
20. $1\,255 - 99 =$ **1 156**
21. $19 \times 10 =$ **190**
22. $78 \times 10 =$ **780**
23. $408 \times 10 =$ **4 080**
24. $5\,070 \times 10 =$ **50 700**
25. $2\,490 \times 10 =$ **24 900**
26. $997 \times 100 =$ **99 700**
27. $7\,955 \times 100 =$ **795 500**
28. $8\,001 \times 100 =$ **800 100**
29. $3\,030 \times 100 =$ **303 000**
30. $1\,925 \times 1\,000 =$ **1 925 000**

# Chronomath 4

5 min

1. 2 × 7 = ..........
2. 4 × 9 = ..........
3. 7 × 7 = ..........
4. 8 × 7 = ..........
5. 8 × 6 = ..........
6. 8 × .......... = 64
7. 5 × 7 = ..........
8. 6 × 7 = ..........
9. 4 × .......... = 36
10. .......... × .......... = 63
11. 754 + 9 = ..........
12. 1 875 + 9 = ..........
13. 4 670 – 9 = ..........
14. 5 066 – 9 = ..........
15. 413 + 99 = ..........
16. 1 578 + 99 = ..........
17. 743 – 99 = ..........
18. 9 234 – 99 = ..........
19. 2 950 + 200 = ..........
20. 5 780 + 500 = ..........
21. 750 × 10 = ..........
22. 1 925 × 10 = ..........
23. 6 998 × 10 = ..........
24. 91 590 × 10 = ..........
25. 10 825 × 100 = ..........
26. 19 444 × 100 = ..........
27. 379 × 1 000 = ..........
28. 789 × 1 000 = ..........
29. 25 500 × 1 000 = ..........
30. 199 500 × 1 000 = ..........

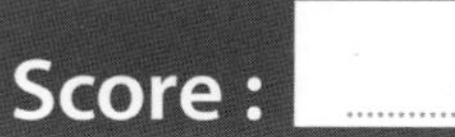

Score : ..........




# Chronomath 4

5 min

1. 2 × 7 = ..........
2. 4 × 9 = ..........
3. 7 × 7 = ..........
4. 8 × 7 = ..........
5. 8 × 6 = ..........
6. 8 × .......... = 64
7. 5 × 7 = ..........
8. 6 × 7 = ..........
9. 4 × .......... = 36
10. .......... × .......... = 63
11. 754 + 9 = ..........
12. 1 875 + 9 = ..........
13. 4 670 – 9 = ..........
14. 5 066 – 9 = ..........
15. 413 + 99 = ..........
16. 1 578 + 99 = ..........
17. 743 – 99 = ..........
18. 9 234 – 99 = ..........
19. 2 950 + 200 = ..........
20. 5 780 + 500 = ..........
21. 750 × 10 = ..........
22. 1 925 × 10 = ..........
23. 6 998 × 10 = ..........
24. 91 590 × 10 = ..........
25. 10 825 × 100 = ..........
26. 19 444 × 100 = ..........
27. 379 × 1 000 = ..........
28. 789 × 1 000 = ..........
29. 25 500 × 1 000 = ..........
30. 199 500 × 1 000 = ..........

Score : ..........

# Chronomath 4 : réponses

1. $2 \times 7 =$ **14**
2. $4 \times 9 =$ **36**
3. $7 \times 7 =$ **49**
4. $8 \times 7 =$ **56**
5. $8 \times 6 =$ **48**
6. $8 \times$ **8** $= 64$
7. $5 \times 7 =$ **35**
8. $6 \times 7 =$ **42**
9. $4 \times$ **9** $= 36$
10. **7** $\times$ **9** $= 63$
11. $754 + 9 =$ **763**
12. $1\,875 + 9 =$ **1 884**
13. $4\,670 - 9 =$ **4 661**
14. $5\,066 - 9 =$ **5 057**
15. $413 + 99 =$ **512**
16. $1\,578 + 99 =$ **1 677**
17. $743 - 99 =$ **644**
18. $9\,234 - 99 =$ **9 135**
19. $2\,950 + 200 =$ **3 150**
20. $5\,780 + 500 =$ **6 280**
21. $750 \times 10 =$ **7 500**
22. $1\,925 \times 10 =$ **19 250**
23. $6\,998 \times 10 =$ **69 980**
24. $91\,590 \times 10 =$ **915 900**
25. $10\,825 \times 100 =$ **1 082 500**
26. $19\,444 \times 100 =$ **1 944 400**
27. $379 \times 1\,000 =$ **379 000**
28. $789 \times 1\,000 =$ **789 000**
29. $25\,500 \times 1\,000 =$ **25 500 000**
30. $199\,500 \times 1\,000 =$ **199 500 000**

# Diagramme

30

25

20

15

10

5

0

C1 C2 C3 C4 C5 C6 C7 C8 C9 C10 C11 C12

# Suivi des tables de multiplication

| $2 \times 2 = 4$ | O O O O O O O O O O |
|---|---|
| $2 \times 3 = 6$ | O O O O O O O O O O |
| $2 \times 4 = 8$ | O O O O O O O O O O |
| $2 \times 5 = 10$ | O O O O O O O O O O |
| $2 \times 6 = 12$ | O O O O O O O O O O |
| $2 \times 7 = 14$ | O O O O O O O O O O |
| $2 \times 8 = 16$ | O O O O O O O O O O |
| $2 \times 9 = 18$ | O O O O O O O O O O |
| $2 \times 10 = 20$ | O O O O O O O O O O |
| $2 \times 11 = 22$ | O O O O O O O O O O |
| $3 \times 2 = 6$ | O O O O O O O O O O |
| $3 \times 3 = 9$ | O O O O O O O O O O |
| $3 \times 4 = 12$ | O O O O O O O O O O |
| $3 \times 5 = 15$ | O O O O O O O O O O |
| $3 \times 6 = 18$ | O O O O O O O O O O |
| $3 \times 7 = 21$ | O O O O O O O O O O |
| $3 \times 8 = 24$ | O O O O O O O O O O |
| $3 \times 9 = 27$ | O O O O O O O O O O |
| $3 \times 10 = 30$ | O O O O O O O O O O |
| $3 \times 11 = 33$ | O O O O O O O O O O |
| $4 \times 2 = 8$ | O O O O O O O O O O |
| $4 \times 3 = 12$ | O O O O O O O O O O |
| $4 \times 4 = 16$ | O O O O O O O O O O |
| $4 \times 5 = 20$ | O O O O O O O O O O |
| $4 \times 6 = 24$ | O O O O O O O O O O |
| $4 \times 7 = 28$ | O O O O O O O O O O |
| $4 \times 8 = 32$ | O O O O O O O O O O |
| $4 \times 9 = 36$ | O O O O O O O O O O |
| $4 \times 10 = 40$ | O O O O O O O O O O |

| $5 \times 2 = 10$ | O O O O O O O O O O |
|---|---|
| $5 \times 3 = 15$ | O O O O O O O O O O |
| $5 \times 4 = 20$ | O O O O O O O O O O |
| $5 \times 5 = 25$ | O O O O O O O O O O |
| $5 \times 6 = 30$ | O O O O O O O O O O |
| $5 \times 7 = 35$ | O O O O O O O O O O |
| $5 \times 8 = 40$ | O O O O O O O O O O |
| $5 \times 9 = 45$ | O O O O O O O O O O |
| $5 \times 10 = 50$ | O O O O O O O O O O |
| $5 \times 11 = 55$ | O O O O O O O O O O |
| $6 \times 2 = 12$ | O O O O O O O O O O |
| $6 \times 3 = 18$ | O O O O O O O O O O |
| $6 \times 4 = 24$ | O O O O O O O O O O |
| $6 \times 5 = 30$ | O O O O O O O O O O |
| $6 \times 6 = 36$ | O O O O O O O O O O |
| $6 \times 7 = 42$ | O O O O O O O O O O |
| $6 \times 8 = 48$ | O O O O O O O O O O |
| $6 \times 9 = 54$ | O O O O O O O O O O |
| $6 \times 10 = 60$ | O O O O O O O O O O |
| $6 \times 11 = 66$ | O O O O O O O O O O |
| $7 \times 2 = 14$ | O O O O O O O O O O |
| $7 \times 3 = 21$ | O O O O O O O O O O |
| $7 \times 4 = 28$ | O O O O O O O O O O |
| $7 \times 5 = 35$ | O O O O O O O O O O |
| $7 \times 6 = 42$ | O O O O O O O O O O |
| $7 \times 7 = 49$ | O O O O O O O O O O |
| $7 \times 8 = 56$ | O O O O O O O O O O |
| $7 \times 9 = 63$ | O O O O O O O O O O |
| $7 \times 10 = 70$ | O O O O O O O O O O |

| $8 \times 2 = 16$ | O O O O O O O O O O |
|---|---|
| $8 \times 3 = 24$ | O O O O O O O O O O |
| $8 \times 4 = 32$ | O O O O O O O O O O |
| $8 \times 5 = 40$ | O O O O O O O O O O |
| $8 \times 6 = 48$ | O O O O O O O O O O |
| $8 \times 7 = 56$ | O O O O O O O O O O |
| $8 \times 8 = 64$ | O O O O O O O O O O |
| $8 \times 9 = 72$ | O O O O O O O O O O |
| $8 \times 10 = 80$ | O O O O O O O O O O |
| $8 \times 11 = 88$ | O O O O O O O O O O |
| $9 \times 2 = 18$ | O O O O O O O O O O |
| $9 \times 3 = 27$ | O O O O O O O O O O |
| $9 \times 4 = 36$ | O O O O O O O O O O |
| $9 \times 5 = 45$ | O O O O O O O O O O |
| $9 \times 6 = 54$ | O O O O O O O O O O |
| $9 \times 7 = 63$ | O O O O O O O O O O |
| $9 \times 8 = 72$ | O O O O O O O O O O |
| $9 \times 9 = 81$ | O O O O O O O O O O |
| $9 \times 10 = 90$ | O O O O O O O O O O |
| $9 \times 11 = 99$ | O O O O O O O O O O |
| $12 \times 2 = 24$ | O O O O O O O O O O |
| $12 \times 3 = 36$ | O O O O O O O O O O |
| $12 \times 4 = 48$ | O O O O O O O O O O |
| $12 \times 5 = 60$ | O O O O O O O O O O |
| $12 \times 6 = 72$ | O O O O O O O O O O |
| $12 \times 7 = 84$ | O O O O O O O O O O |
| $12 \times 8 = 96$ | O O O O O O O O O O |
| $12 \times 9 = 108$ | O O O O O O O O O O |
| $12 \times 10 = 120$ | O O O O O O O O O O |

# Suivi des tables de multiplication

| $2 \times 2 = 4$ | O O O O O O O O O O |
|---|---|
| $2 \times 3 = 6$ | O O O O O O O O O O |
| $2 \times 4 = 8$ | O O O O O O O O O O |
| $2 \times 5 = 10$ | O O O O O O O O O O |
| $2 \times 6 = 12$ | O O O O O O O O O O |
| $2 \times 7 = 14$ | O O O O O O O O O O |
| $2 \times 8 = 16$ | O O O O O O O O O O |
| $2 \times 9 = 18$ | O O O O O O O O O O |
| $2 \times 11 = 22$ | O O O O O O O O O O |
| $2 \times 12 = 24$ | O O O O O O O O O O |
| $3 \times 2 = 6$ | O O O O O O O O O O |
| $3 \times 3 = 9$ | O O O O O O O O O O |
| $3 \times 4 = 12$ | O O O O O O O O O O |
| $3 \times 5 = 15$ | O O O O O O O O O O |
| $3 \times 6 = 18$ | O O O O O O O O O O |
| $3 \times 7 = 21$ | O O O O O O O O O O |
| $3 \times 8 = 24$ | O O O O O O O O O O |
| $3 \times 9 = 27$ | O O O O O O O O O O |
| $3 \times 11 = 33$ | O O O O O O O O O O |
| $3 \times 12 = 36$ | O O O O O O O O O O |
| $4 \times 2 = 8$ | O O O O O O O O O O |
| $4 \times 3 = 12$ | O O O O O O O O O O |
| $4 \times 4 = 16$ | O O O O O O O O O O |
| $4 \times 5 = 20$ | O O O O O O O O O O |
| $4 \times 6 = 24$ | O O O O O O O O O O |
| $4 \times 7 = 28$ | O O O O O O O O O O |
| $4 \times 8 = 32$ | O O O O O O O O O O |
| $4 \times 9 = 36$ | O O O O O O O O O O |
| $4 \times 11 = 44$ | O O O O O O O O O O |

| $5 \times 2 = 10$ | O O O O O O O O O O |
|---|---|
| $5 \times 3 = 15$ | O O O O O O O O O O |
| $5 \times 4 = 20$ | O O O O O O O O O O |
| $5 \times 5 = 25$ | O O O O O O O O O O |
| $5 \times 6 = 30$ | O O O O O O O O O O |
| $5 \times 7 = 35$ | O O O O O O O O O O |
| $5 \times 8 = 40$ | O O O O O O O O O O |
| $5 \times 9 = 45$ | O O O O O O O O O O |
| $5 \times 11 = 55$ | O O O O O O O O O O |
| $5 \times 12 = 60$ | O O O O O O O O O O |
| $6 \times 2 = 12$ | O O O O O O O O O O |
| $6 \times 3 = 18$ | O O O O O O O O O O |
| $6 \times 4 = 24$ | O O O O O O O O O O |
| $6 \times 5 = 30$ | O O O O O O O O O O |
| $6 \times 6 = 36$ | O O O O O O O O O O |
| $6 \times 7 = 42$ | O O O O O O O O O O |
| $6 \times 8 = 48$ | O O O O O O O O O O |
| $6 \times 9 = 54$ | O O O O O O O O O O |
| $6 \times 11 = 66$ | O O O O O O O O O O |
| $6 \times 12 = 72$ | O O O O O O O O O O |
| $7 \times 2 = 14$ | O O O O O O O O O O |
| $7 \times 3 = 21$ | O O O O O O O O O O |
| $7 \times 4 = 28$ | O O O O O O O O O O |
| $7 \times 5 = 35$ | O O O O O O O O O O |
| $7 \times 6 = 42$ | O O O O O O O O O O |
| $7 \times 7 = 49$ | O O O O O O O O O O |
| $7 \times 8 = 56$ | O O O O O O O O O O |
| $7 \times 9 = 63$ | O O O O O O O O O O |
| $7 \times 11 = 77$ | O O O O O O O O O O |

| $8 \times 2 = 16$ | O O O O O O O O O O |
|---|---|
| $8 \times 3 = 24$ | O O O O O O O O O O |
| $8 \times 4 = 32$ | O O O O O O O O O O |
| $8 \times 5 = 40$ | O O O O O O O O O O |
| $8 \times 6 = 48$ | O O O O O O O O O O |
| $8 \times 7 = 56$ | O O O O O O O O O O |
| $8 \times 8 = 64$ | O O O O O O O O O O |
| $8 \times 9 = 72$ | O O O O O O O O O O |
| $8 \times 11 = 88$ | O O O O O O O O O O |
| $8 \times 12 = 96$ | O O O O O O O O O O |
| $9 \times 2 = 18$ | O O O O O O O O O O |
| $9 \times 3 = 27$ | O O O O O O O O O O |
| $9 \times 4 = 36$ | O O O O O O O O O O |
| $9 \times 5 = 45$ | O O O O O O O O O O |
| $9 \times 6 = 54$ | O O O O O O O O O O |
| $9 \times 7 = 63$ | O O O O O O O O O O |
| $9 \times 8 = 72$ | O O O O O O O O O O |
| $9 \times 9 = 81$ | O O O O O O O O O O |
| $9 \times 11 = 99$ | O O O O O O O O O O |
| $9 \times 12 = 108$ | O O O O O O O O O O |
| $15 \times 2 = 30$ | O O O O O O O O O O |
| $15 \times 3 = 45$ | O O O O O O O O O O |
| $15 \times 4 = 60$ | O O O O O O O O O O |
| $15 \times 5 = 75$ | O O O O O O O O O O |
| $15 \times 6 = 90$ | O O O O O O O O O O |
| $15 \times 7 = 105$ | O O O O O O O O O O |
| $15 \times 8 = 120$ | O O O O O O O O O O |
| $15 \times 9 = 135$ | O O O O O O O O O O |
| $15 \times 10 = 150$ | O O O O O O O O O O |

# Guide-âne (1,5 cm)

# Guide-âne (1 cm)

# Guide-âne (0,5 cm)

# Hexagone

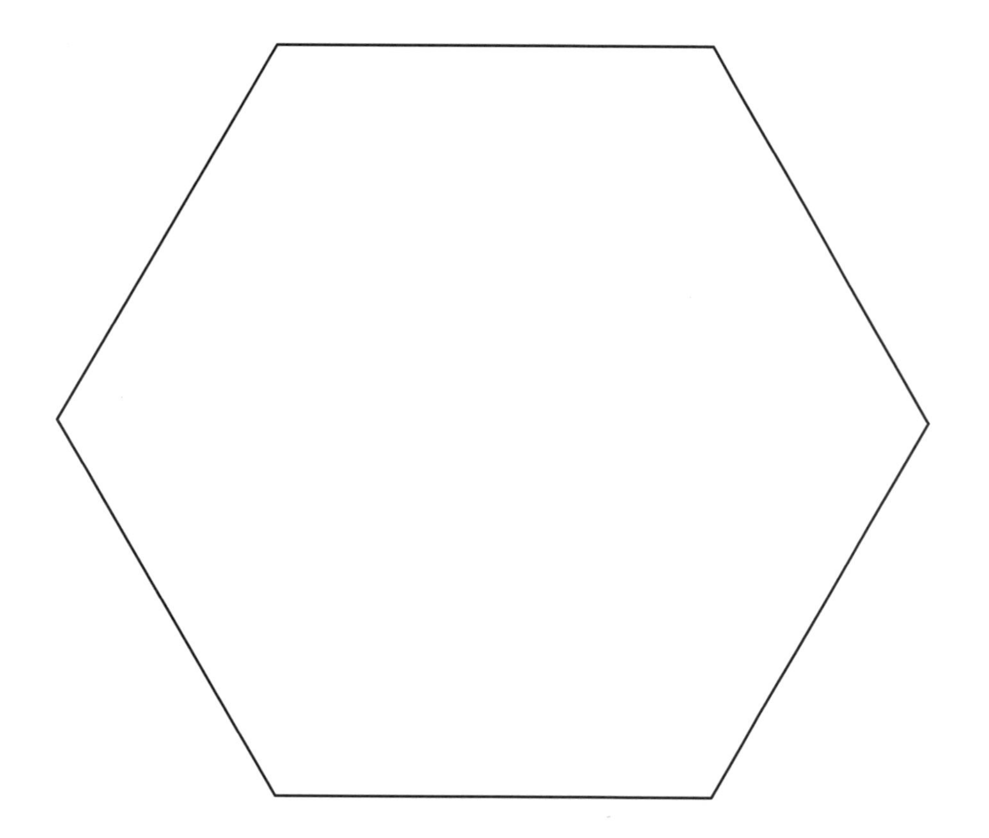

# Fractales

Une fractale, c'est quelque chose qui est fabriqué d'une façon particulière : même si on zoome, il y a toujours des détails. C'est un mathématicien français, Benoît Mandelbrot, qui a inventé le mot « fractales » dans les années 1970. Il l'a inventé à partir du latin *fractus*, qui veut dire « brisé ». Il y a des fractales particulières, pour lesquelles le motif est toujours le même, même si on zoome dessus ! On en trouve dans la nature, comme dans le chou romanesco ou les fougères.

Par exemple en zoomant sur la fougère, chaque feuille est une fougère miniature et, si on zoome à nouveau, on retrouve une fougère miniature, etc.

Pour mieux comprendre, vous pouvez regarder la vidéo de Micmaths.

**Les fractales**
https://lc.cx/YoYo

En géométrie, il y a plusieurs fractales célèbres, comme le flocon de Koch (ou flocon de neige). Pour le construire, il faut faire et refaire les trois mêmes opérations à chaque étape :
- partager chaque segment en trois ;
- construire un triangle équilatéral qui repose sur le tiers central ;
- effacer sa base.

Voici les différentes étapes de construction :

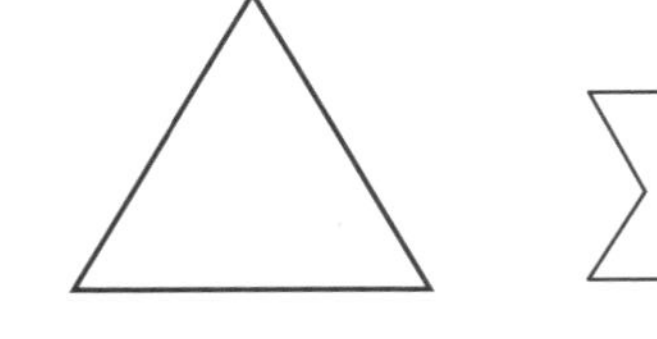

1er tracé

2e tracé

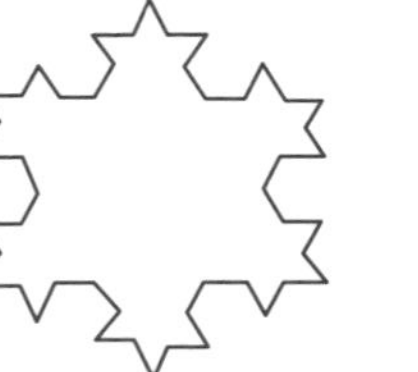
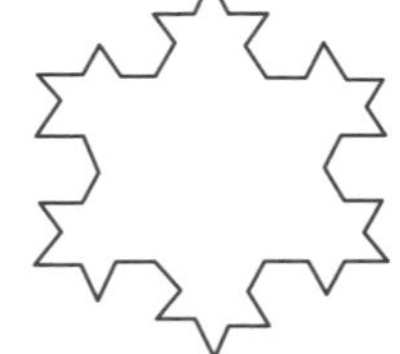
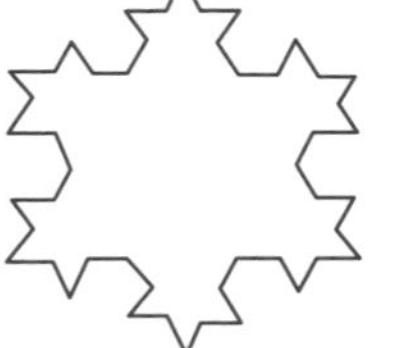
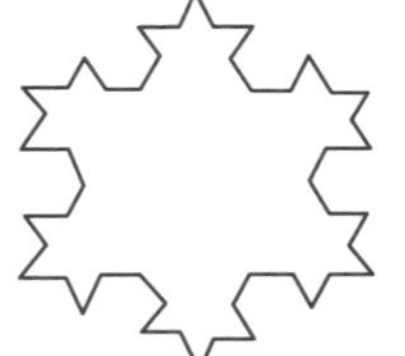
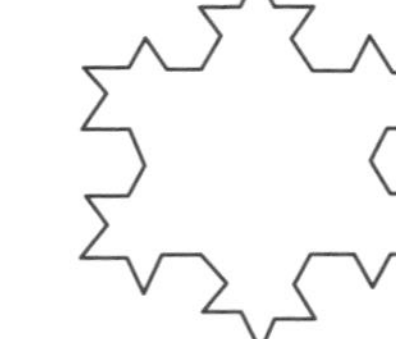

3e tracé

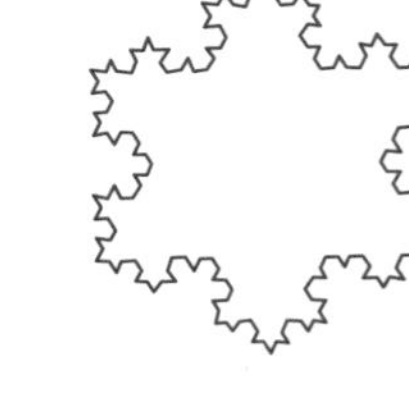

4e tracé

**À vous de jouer !**

Commencez par prendre une feuille A3 et dessinez un triangle équilatéral qui mesure 21 cm de côté, (ou mieux, 42 cm sur une très grande feuille) puis répétez les opérations le plus possible ! Pour bien séparer en trois à chaque étape, vous pouvez utiliser une machine à partager. Le maitre ou la maitresse vous montrera comment faire !

**Arrivez-vous jusqu'au 4e tracé ?**

# Droites graduées

0 1 2

0 1 2

0 1 2

0 1 2

0 1 2

0 1 2

0 1 2

0 1 2

0 1 2

0 1 2

# *Rituel* Le nombre du jour (3)

1 Écris le nombre dans le tableau.

| millions | | | mille | | | unités | | |
|---|---|---|---|---|---|---|---|---|
| C | D | U | C | D | U | C | D | U |
| | | | | | | | | |

2 Donne le nombre de milliers : ..........

3 Encadre le nombre à la dizaine près.

.......... < .......... < ..........

1 Écris le nombre dans le tableau.

| millions | | | mille | | | unités | | |
|---|---|---|---|---|---|---|---|---|
| C | D | U | C | D | U | C | D | U |
| | | | | | | | | |

2 Donne le nombre de dizaines de mille : ..........

3 Encadre le nombre à l'unité de mille près.

.......... < .......... < ..........

1 Écris le nombre dans le tableau.

| millions | | | mille | | | unités | | |
|---|---|---|---|---|---|---|---|---|
| C | D | U | C | D | U | C | D | U |
| | | | | | | | | |

2 Donne le nombre de dizaines de mille : ..........

3 Encadre le nombre à la centaine près.

.......... < .......... < ..........

1 Écris le nombre dans le tableau.

| millions | | | mille | | | unités | | |
|---|---|---|---|---|---|---|---|---|
| C | D | U | C | D | U | C | D | U |
| | | | | | | | | |

2 Donne le nombre de dizaines : ..........

3 Encadre le nombre à l'unité de mille près.

.......... < .......... < ..........

# *Rituel* Le nombre du jour (3)

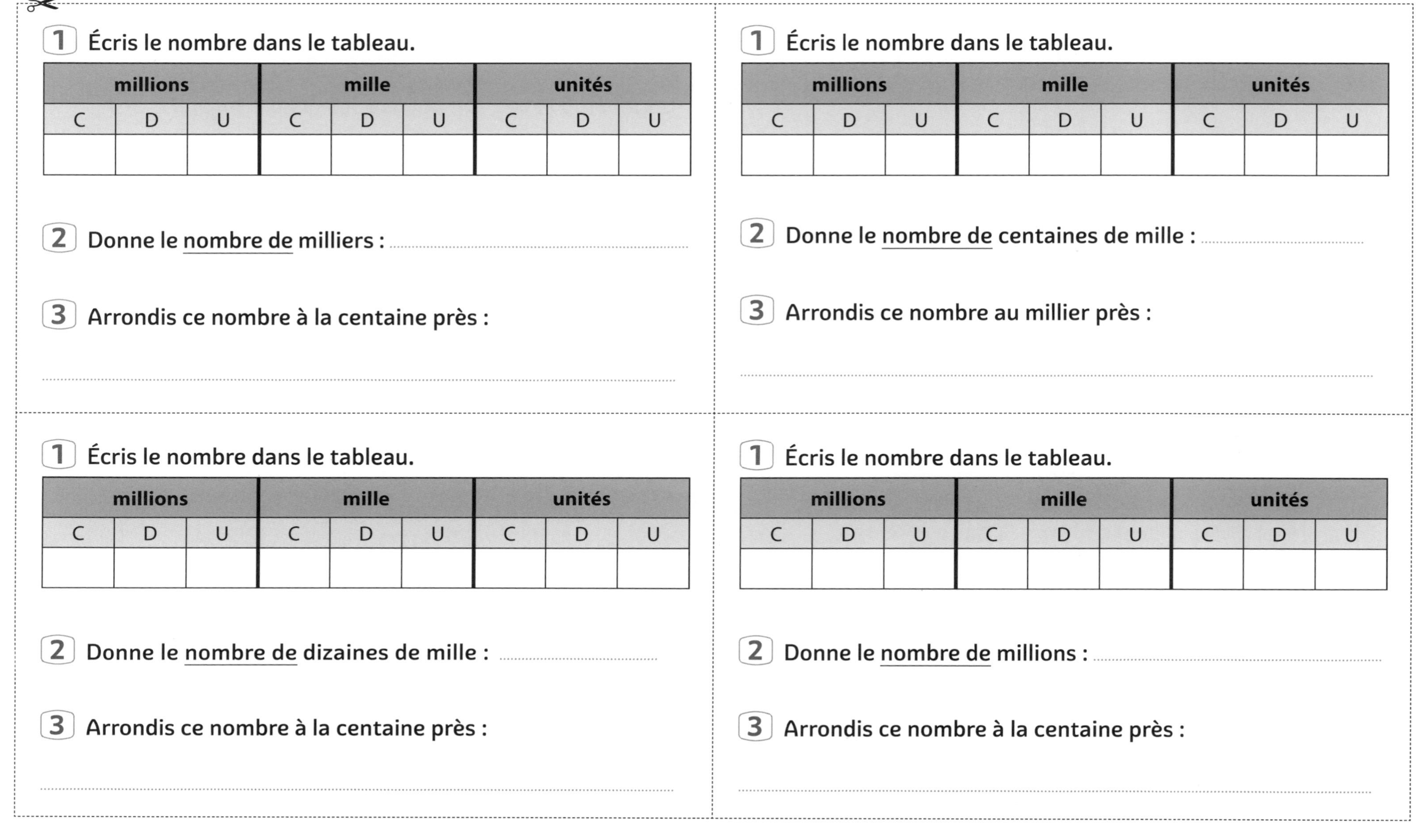

1 Écris le nombre dans le tableau.

| millions | | | mille | | | unités | | |
|---|---|---|---|---|---|---|---|---|
| C | D | U | C | D | U | C | D | U |
| | | | | | | | | |

2 Donne le nombre de milliers : ........................

3 Arrondis ce nombre à la centaine près :

........................

1 Écris le nombre dans le tableau.

| millions | | | mille | | | unités | | |
|---|---|---|---|---|---|---|---|---|
| C | D | U | C | D | U | C | D | U |
| | | | | | | | | |

2 Donne le nombre de centaines de mille : ........................

3 Arrondis ce nombre au millier près :

........................

1 Écris le nombre dans le tableau.

| millions | | | mille | | | unités | | |
|---|---|---|---|---|---|---|---|---|
| C | D | U | C | D | U | C | D | U |
| | | | | | | | | |

2 Donne le nombre de dizaines de mille : ........................

3 Arrondis ce nombre à la centaine près :

........................

1 Écris le nombre dans le tableau.

| millions | | | mille | | | unités | | |
|---|---|---|---|---|---|---|---|---|
| C | D | U | C | D | U | C | D | U |
| | | | | | | | | |

2 Donne le nombre de millions : ........................

3 Arrondis ce nombre à la centaine près :

........................

# Exercice fractions décimales

Observe cette longue droite graduée.

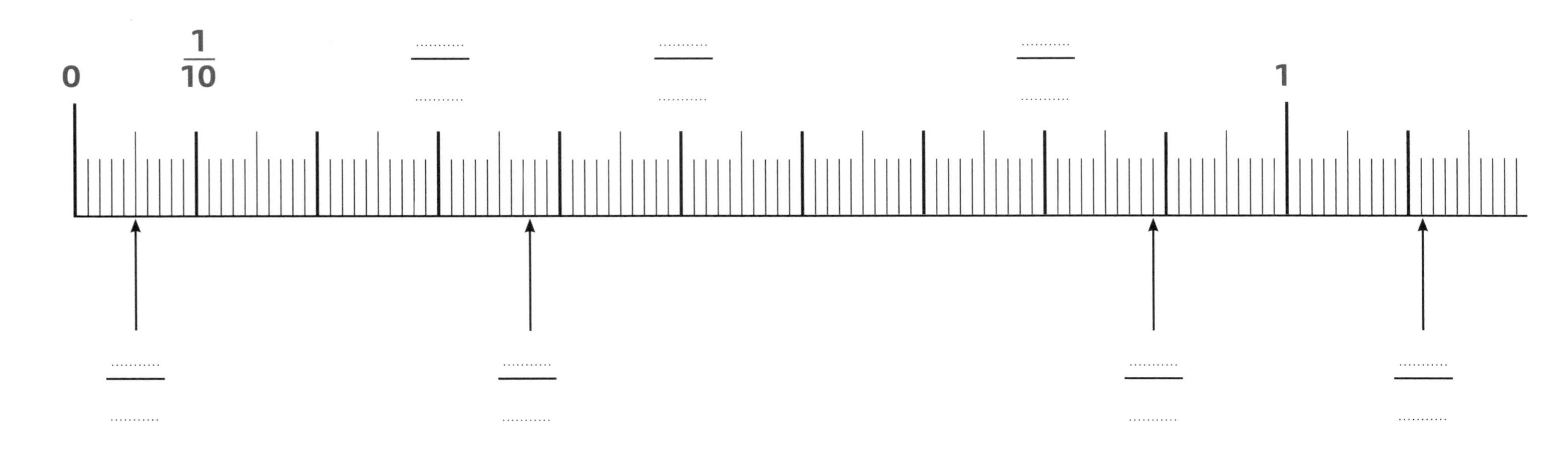


**1** Complète les fractions manquantes au-dessus de la droite graduée.

**2** En combien de parties est découpée toute la bande entre 0 et 1 ? ..........

Donc, à quelle fraction correspond une petite graduation ? ..........

**3** Complète les fractions qui sont en dessous de la droite graduée.

# Chronomath 5

1. 3 × 9 = ..........
2. 4 × 9 = ..........
3. 5 × 5 = ..........
4. 2 × .......... = 12
5. 3 × .......... = 18
6. 6 × .......... = 42
7. .......... × 7 = 49
8. 4 × .......... = 16
9. 32 = .......... × ..........
10. 72 = .......... × ..........
11. 5 × 10 = ..........
12. 2 × 11 = ..........
13. 3 × 11 = ..........
14. 4 × 11 = ..........
15. 7 × 11 = ..........
16. 9 × 11 = ..........
17. 6 × 11 = ..........
18. 8 × 11 = ..........
19. 10 × 11 = ..........
20. 5 × 11 = ..........
21. 22 × 3 = ..........
22. 44 × 2 = ..........
23. 15 × 3 = ..........
24. 32 × 4 = ..........
25. 16 × 5 = ..........
26. 24 : 8 = ..........
27. 27 : 3 = ..........
28. 42 : 6 = ..........
29. 45 : 9 = ..........
30. 240 : 8 = ..........

**Score :** ..........


# Chronomath 5

5 min

1. 3 × 9 = ..........
2. 4 × 9 = ..........
3. 5 × 5 = ..........
4. 2 × .......... = 12
5. 3 × .......... = 18
6. 6 × .......... = 42
7. .......... × 7 = 49
8. 4 × .......... = 16
9. 32 = .......... × ..........
10. 72 = .......... × ..........
11. 5 × 10 = ..........
12. 2 × 11 = ..........
13. 3 × 11 = ..........
14. 4 × 11 = ..........
15. 7 × 11 = ..........
16. 9 × 11 = ..........
17. 6 × 11 = ..........
18. 8 × 11 = ..........
19. 10 × 11 = ..........
20. 5 × 11 = ..........
21. 22 × 3 = ..........
22. 44 × 2 = ..........
23. 15 × 3 = ..........
24. 32 × 4 = ..........
25. 16 × 5 = ..........
26. 24 : 8 = ..........
27. 27 : 3 = ..........
28. 42 : 6 = ..........
29. 45 : 9 = ..........
30. 240 : 8 = ..........

**Score :** ..........

# Chronomath 5 : réponses

1 $3 \times 9 = \mathbf{27}$

2 $4 \times 9 = \mathbf{36}$

3 $5 \times 5 = \mathbf{25}$

4 $2 \times \mathbf{6} = 12$

5 $3 \times \mathbf{6} = 18$

6 $6 \times \mathbf{7} = 42$

7 $7 \times \mathbf{7} = 49$

8 $4 \times \mathbf{4} = 16$

9 $32 = \mathbf{4} \times \mathbf{8}$

10 $72 = \mathbf{8} \times \mathbf{9}$

11 $5 \times 10 = \mathbf{50}$

12 $2 \times 11 = \mathbf{22}$

13 $3 \times 11 = \mathbf{33}$

14 $4 \times 11 = \mathbf{44}$

15 $7 \times 11 = \mathbf{77}$

16 $9 \times 11 = \mathbf{99}$

17 $6 \times 11 = \mathbf{66}$

18 $8 \times 11 = \mathbf{88}$

19 $10 \times 11 = \mathbf{110}$

20 $5 \times 11 = \mathbf{55}$

21 $22 \times 3 = \mathbf{66}$

22 $44 \times 2 = \mathbf{88}$

23 $15 \times 3 = \mathbf{45}$

24 $32 \times 4 = \mathbf{128}$

25 $16 \times 5 = \mathbf{80}$

26 $24 : 8 = \mathbf{3}$

27 $27 : 3 = \mathbf{9}$

28 $42 : 6 = \mathbf{7}$

29 $45 : 9 = \mathbf{5}$

30 $240 : 8 = \mathbf{30}$

# Chronomath 5

5 min

1. 15 = ........ × ........
2. 20 = ........ × ........
3. 30 = ........ × ........
4. 27 = ........ × ........
5. 54 = ........ × ........
6. 25 = ........ × ........
7. 21 = ........ × ........
8. 48 = ........ × ........
9. 72 = ........ × ........
10. 81 = ........ × ........
11. 5 × 11 = ..............
12. 4 × 11 = ..............
13. 7 × 11 = ..............
14. 9 × 11 = ..............
15. 6 × 11 = ..............
16. 10 × 11 = ....................
17. 2 × 12 = ..............
18. 3 × 12 = ..............
19. 4 × 12 = ..............
20. 5 × 12 = ..............
21. 23 × 3 = ..............
22. 44 × 2 = ..............
23. 15 × 3 = ..............
24. 32 × 4 = ....................
25. 16 × 5 = ..............
26. 24 : 8 = ..............
27. 27 : 3 = ..............
28. 42 : 6 = ..............
29. 45 : 3 = ..............
30. 240 : 8 = ..............

**Score :** ............


# Chronomath 5

1. 15 = ........ × ........
2. 20 = ........ × ........
3. 30 = ........ × ........
4. 27 = ........ × ........
5. 54 = ........ × ........
6. 25 = ........ × ........
7. 21 = ........ × ........
8. 48 = ........ × ........
9. 72 = ........ × ........
10. 81 = ........ × ........
11. 5 × 11 = ..............
12. 4 × 11 = ..............
13. 7 × 11 = ..............
14. 9 × 11 = ..............
15. 6 × 11 = ..............
16. 10 × 11 = ....................
17. 2 × 12 = ..............
18. 3 × 12 = ..............
19. 4 × 12 = ..............
20. 5 × 12 = ..............
21. 23 × 3 = ..............
22. 44 × 2 = ..............
23. 15 × 3 = ..............
24. 32 × 4 = ....................
25. 16 × 5 = ..............
26. 24 : 8 = ..............
27. 27 : 3 = ..............
28. 42 : 6 = ..............
29. 45 : 3 = ..............
30. 240 : 8 = ..............

**Score :** ............

# Chronomath 5 : réponses

1 $15 = \mathbf{3} \times \mathbf{5}$

2 $20 = \mathbf{4} \times \mathbf{5}$

3 $30 = \mathbf{6} \times \mathbf{5}$

4 $27 = \mathbf{3} \times \mathbf{9}$

5 $54 = \mathbf{6} \times \mathbf{9}$

6 $25 = \mathbf{5} \times \mathbf{5}$

7 $21 = \mathbf{3} \times \mathbf{7}$

8 $48 = \mathbf{6} \times \mathbf{8}$

9 $72 = \mathbf{8} \times \mathbf{9}$

10 $81 = \mathbf{9} \times \mathbf{9}$

11 $5 \times 11 = \mathbf{55}$

12 $4 \times 11 = \mathbf{44}$

13 $7 \times 11 = \mathbf{77}$

14 $9 \times 11 = \mathbf{99}$

15 $6 \times 11 = \mathbf{66}$

16 $10 \times 11 = \mathbf{110}$

17 $2 \times 12 = \mathbf{24}$

18 $3 \times 12 = \mathbf{36}$

19 $4 \times 12 = \mathbf{48}$

20 $5 \times 12 = \mathbf{60}$

21 $23 \times 3 = \mathbf{69}$

22 $44 \times 2 = \mathbf{88}$

23 $15 \times 3 = \mathbf{45}$

24 $32 \times 4 = \mathbf{128}$

25 $16 \times 5 = \mathbf{80}$

26 $24 : 8 = \mathbf{3}$

27 $27 : 3 = \mathbf{9}$

28 $42 : 6 = \mathbf{7}$

29 $45 : 3 = \mathbf{15}$

30 $240 : 8 = \mathbf{30}$

# Classement de droites

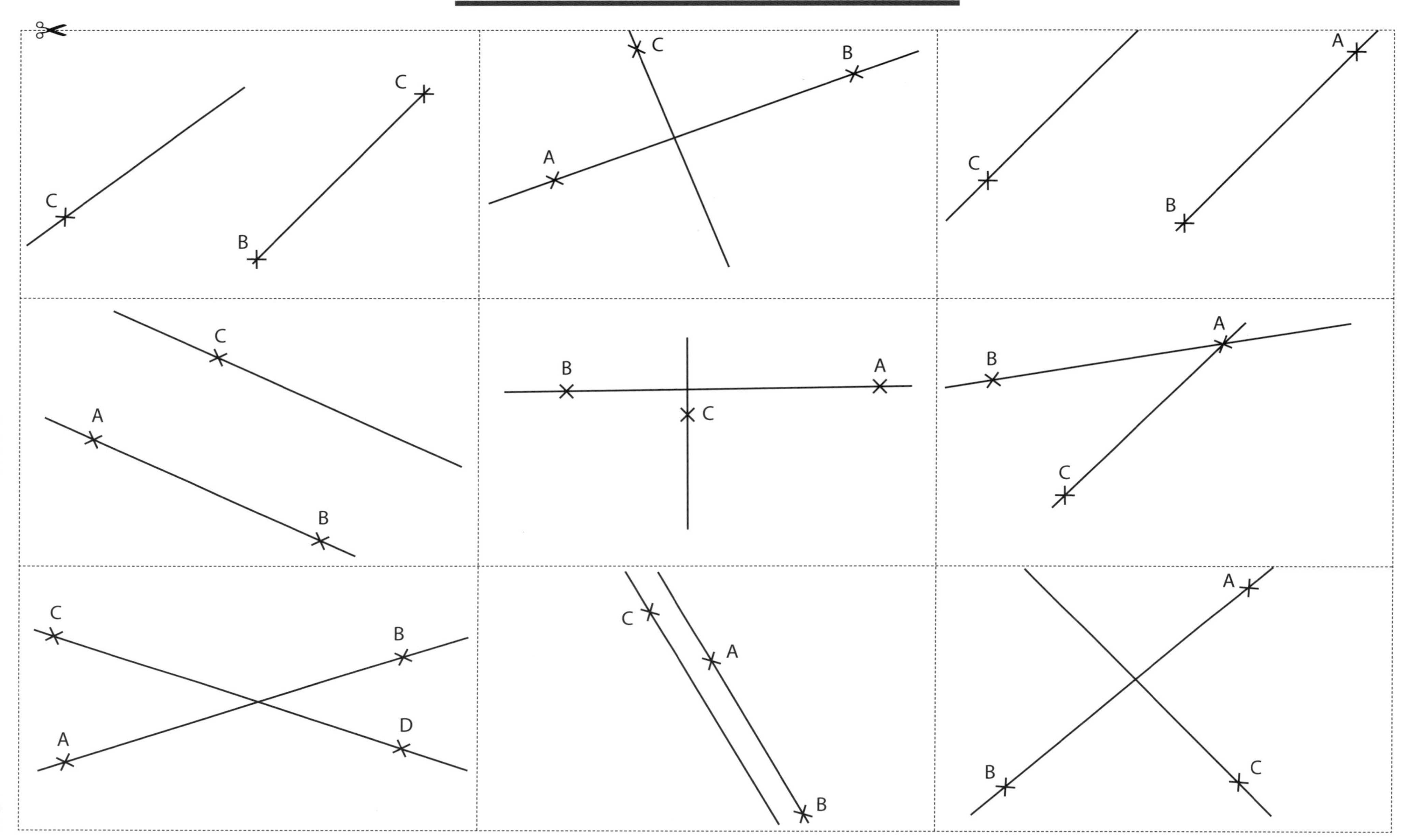

# Exercice droites parallèles CM1

Coche la bonne réponse.

| | Vrai | Faux |
|---|---|---|
| (D1) est parallèle à (D4). | ☐ | ☐ |
| (D1) est parallèle à (D3). | ☐ | ☐ |
| (D2) est parallèle à (D4). | ☐ | ☐ |
| (D4) est parallèle à (D5). | ☐ | ☐ |

# Exercice droites parallèles CM2

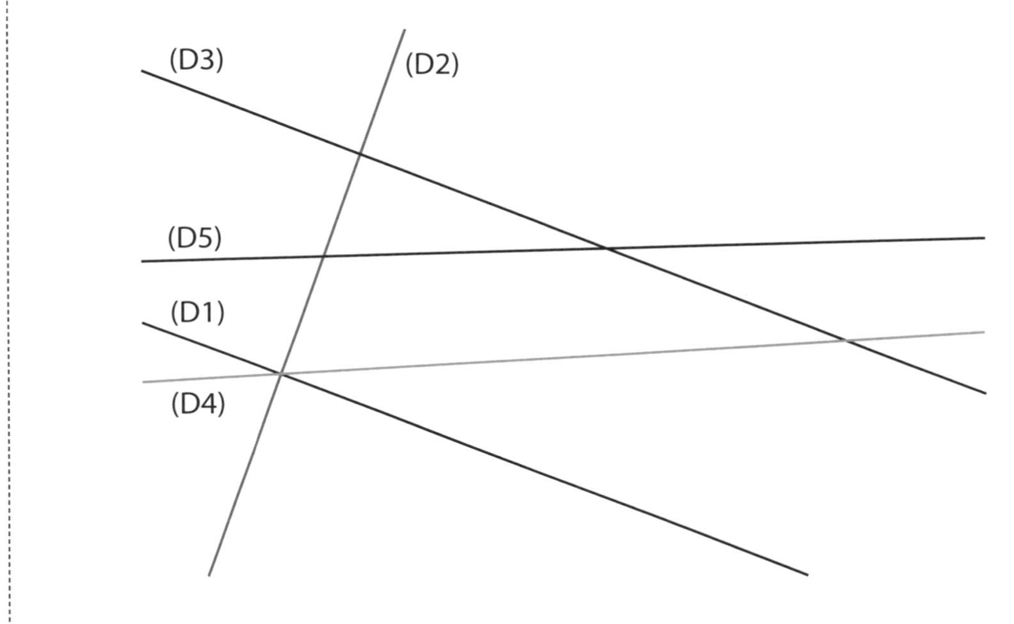


Coche la bonne réponse.

| | Vrai | Faux |
|---|---|---|
| (D1) est parallèle à (D4). | ☐ | ☐ |
| (D1) est parallèle à (D3). | ☐ | ☐ |
| (D2) est parallèle à (D4). | ☐ | ☐ |
| (D2) est parallèle à (D6). | ☐ | ☐ |
| (D4) est parallèle à (D5). | ☐ | ☐ |

# *Rituel* Le nombre décimal du jour (1)

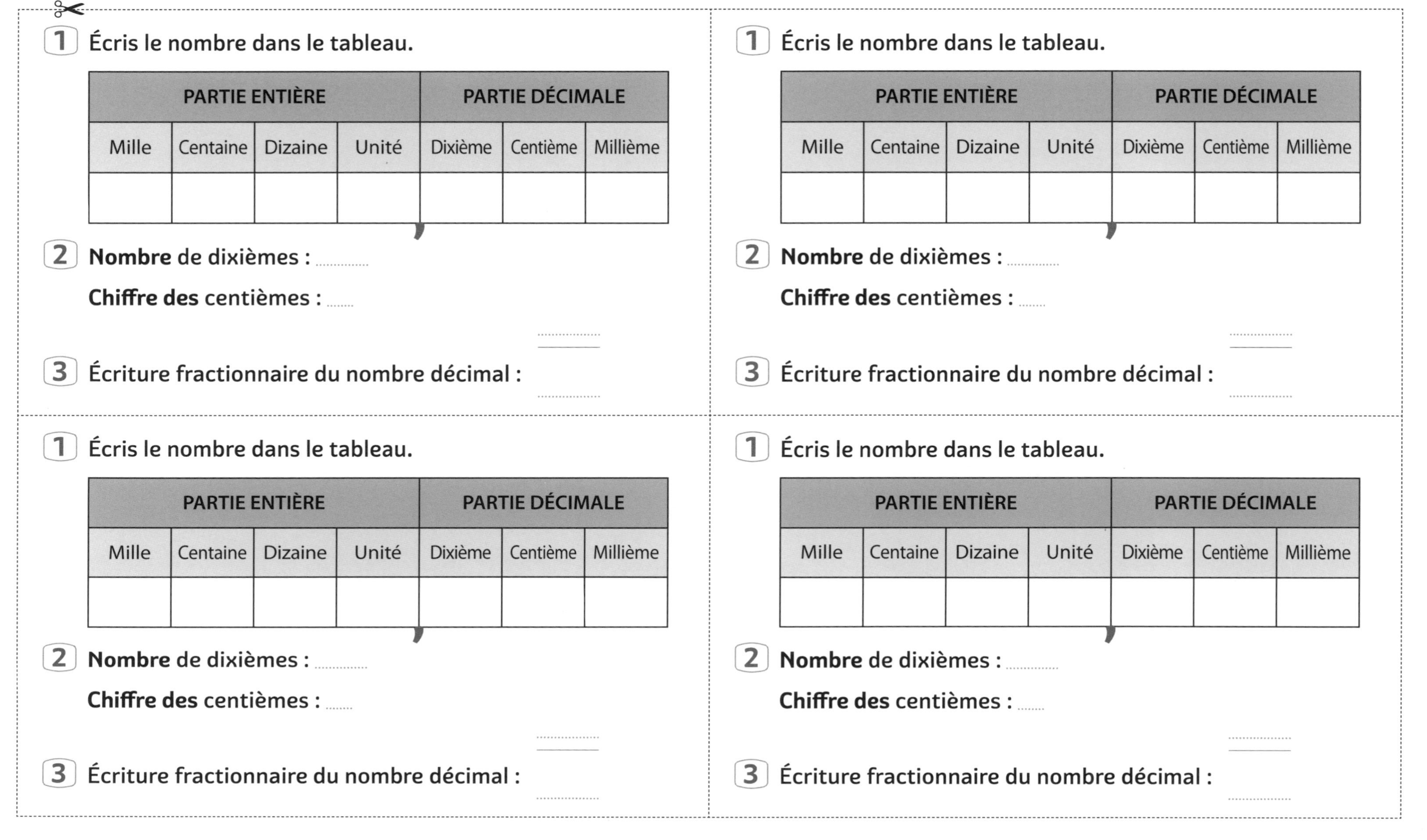

1 Écris le nombre dans le tableau.

| PARTIE ENTIÈRE | | | | PARTIE DÉCIMALE | | |
|---|---|---|---|---|---|---|
| Mille | Centaine | Dizaine | Unité | Dixième | Centième | Millième |
| | | | | | | |

2 **Nombre** de dixièmes : ..........

**Chiffre des** centièmes : .....

3 Écriture fractionnaire du nombre décimal : $\frac{\ldots\ldots}{\ldots\ldots}$

1 Écris le nombre dans le tableau.

| PARTIE ENTIÈRE | | | | PARTIE DÉCIMALE | | |
|---|---|---|---|---|---|---|
| Mille | Centaine | Dizaine | Unité | Dixième | Centième | Millième |
| | | | | | | |

2 **Nombre** de dixièmes : ..........

**Chiffre des** centièmes : .....

3 Écriture fractionnaire du nombre décimal : $\frac{\ldots\ldots}{\ldots\ldots}$

1 Écris le nombre dans le tableau.

| PARTIE ENTIÈRE | | | | PARTIE DÉCIMALE | | |
|---|---|---|---|---|---|---|
| Mille | Centaine | Dizaine | Unité | Dixième | Centième | Millième |
| | | | | | | |

2 **Nombre** de dixièmes : ..........

**Chiffre des** centièmes : .....

3 Écriture fractionnaire du nombre décimal : $\frac{\ldots\ldots}{\ldots\ldots}$

1 Écris le nombre dans le tableau.

| PARTIE ENTIÈRE | | | | PARTIE DÉCIMALE | | |
|---|---|---|---|---|---|---|
| Mille | Centaine | Dizaine | Unité | Dixième | Centième | Millième |
| | | | | | | |

2 **Nombre** de dixièmes : ..........

**Chiffre des** centièmes : .....

3 Écriture fractionnaire du nombre décimal : $\frac{\ldots\ldots}{\ldots\ldots}$

# Carte mentale de $\frac{1}{4}$

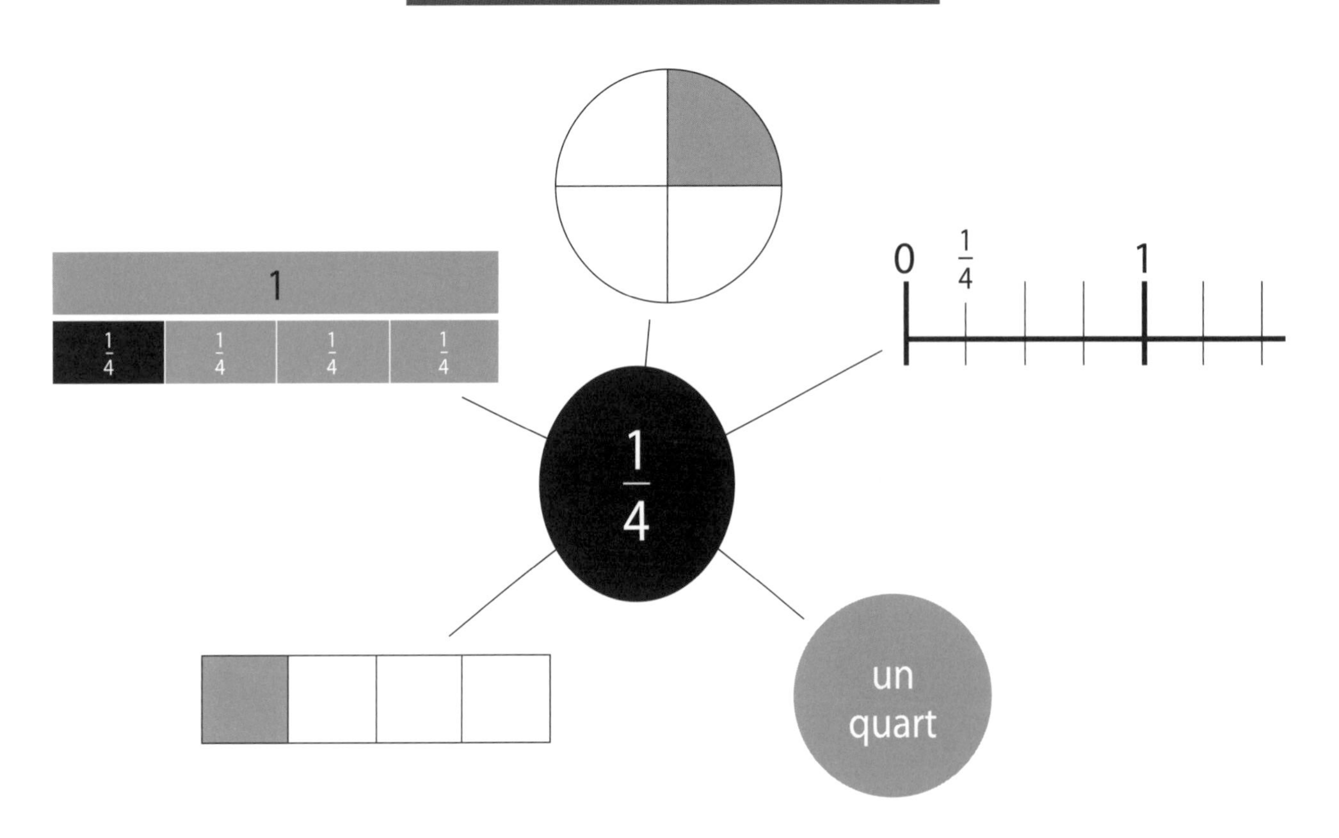


# Carte mentale de $\frac{1}{4}$

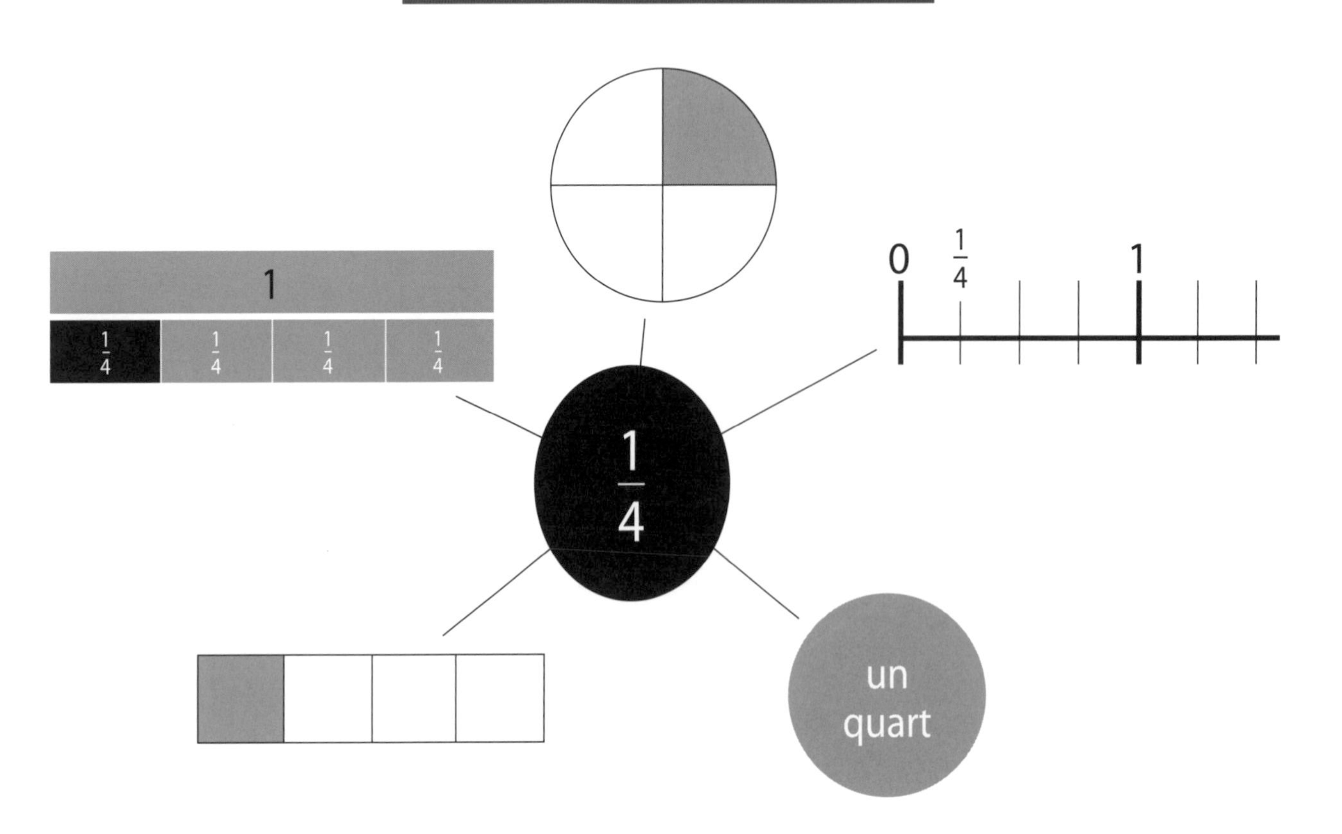

# Problème recette CM1

Voici la recette d'un fondant au chocolat **pour 6 personnes** :

**Ingrédients**
- 3 cuillères à soupe de lait
- 4 oeufs
- 50 g de farine
- 100 g de beurre
- 150 g de sucre
- 200 g de chocolat

**Recette**
- Faire fondre le beurre avec le chocolat.
- Ajouter le sucre.
- Ajouter la farine et les jaunes d'œuf.
- Monter les blancs en neige avec une une pincée de sel et les incorporer.
- Cuire au four à 180 °C (25 min).

**Complète le tableau.**

| Ingrédients | Quantités pour 12 personnes |
|---|---|
| Lait | 6 cuillères |
| Œufs | ........................ |
| Farine | ........................ |
| Beurre | ........................ |
| Sucre | ........................ |
| Chocolat | ........................ |



# Problème recette CM2

Voici la recette d'un fondant aux amandes **pour 8 personnes** :

**Ingrédients**
- 4 œufs
- 200 g de poudre d'amandes
- 200 g de cassonade
- 100 g de beurre
- 30 g de farine
- 50 g de pépites de chocolat

**Recette**
- Mélanger les œufs et le sucre.
- Ajouter la poudre d'amandes, une pincée de sel et la farine
- Ajouter le beurre fondu puis les pépites de chocolat.
- Mettre dans un plat au four à 200 °C entre 20 et 30 min, en surveillant. La pointe d'un couteau doit ressortir sèche du gâteau.
- Démouler le gâteau lorsqu'il est tiède.

**Complète le tableau.**

| Ingrédients | Quantités pour 24 personnes |
|---|---|
| Œufs | ........................ |
| Poudre d'amandes | ........................ |
| Cassonade | ........................ |
| Beurre | ........................ |
| Farine | ........................ |
| Pépites de chocolat | ........................ |

# Exercices droites perpendiculaires

**1** Les deux droites sont-elles perpendiculaires ?

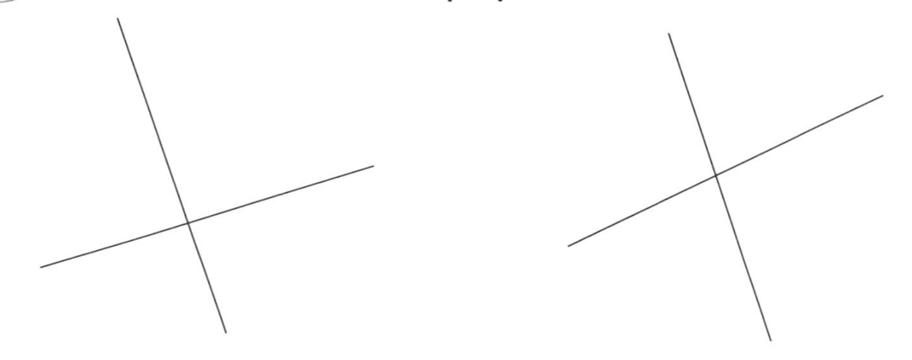

........................ ........................

**2** Marque les angles droits en rouge sur les figures.

**3** Trace la perpendiculaire à la droite qui passe par le point A.

# Exercices droites perpendiculaires

**1** Les deux droites sont-elles perpendiculaires ?


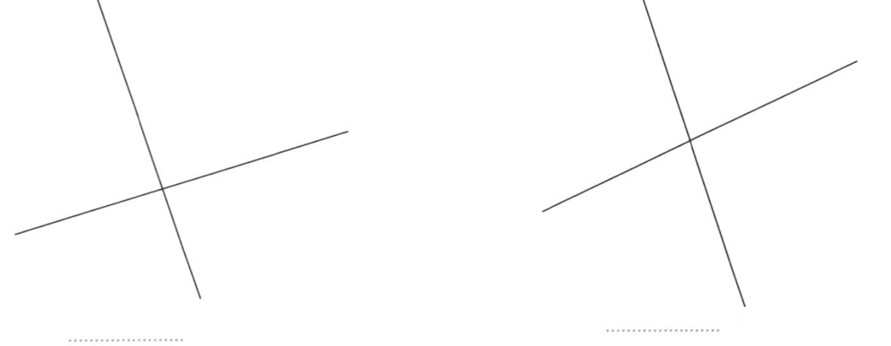


........................ ........................

**2** Marque les angles droits en rouge sur les figures.

**3** Trace la perpendiculaire à la droite qui passe par le point A.

# Exercices droites perpendiculaires

**1** Coche la bonne réponse dans le tableau.

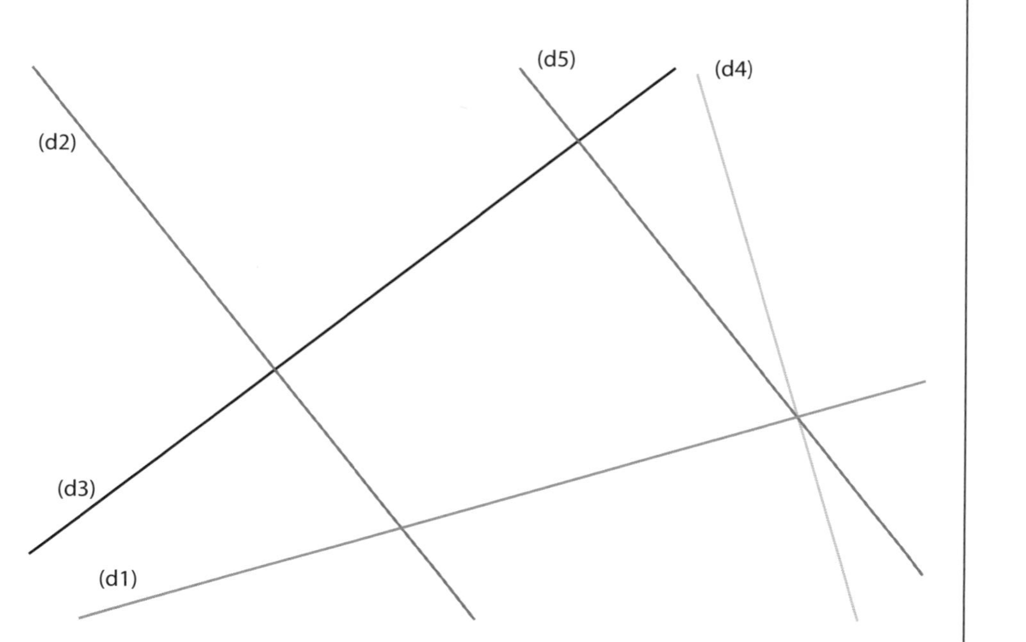


| | Vrai | Faux |
|---|---|---|
| (d1) est perpendiculaire à (d4). | ☐ | ☐ |
| (d1) est perpendiculaire à (d2). | ☐ | ☐ |
| (d2) est perpendiculaire à (d4). | ☐ | ☐ |
| (d2) est perpendiculaire à (d3). | ☐ | ☐ |
| (d3) est perpendiculaire à (d5). | ☐ | ☐ |
| Il y a une droite perpendiculaire à (d5). | ☐ | ☐ |

**2** Trace une droite perpendiculaire à cette droite.

**3** Trace la perpendiculaire cette droite qui passe par le point A.

× A

# Tangram CM1

A

B

C

D

E



# Tangram CM2

A

B

D

C

E

D

# DEVOIRS Fractions CM1

**DEVOIR 1** Écris les fractions en chiffres, puis en lettres, comme dans l'exemple.

| | | |
|---|---|---|
| | $\frac{1}{3}$ | **un tiers** |
| | | |
| | | |

**DEVOIR 2** Écris les fractions en chiffres, puis en lettres.

| | | |
|---|---|---|
| | | |
| | | |



# DEVOIRS Fractions CM2

**DEVOIR 1**

**1** Place les fractions suivantes sur la droite graduée :

$\frac{1}{4}$ ; $\frac{3}{2}$ ; $\frac{13}{4}$

0 1 2 3 4

**2** Complète.

$\frac{7}{4} = 1 + \frac{\dots}{4}$ $\frac{3}{2} = 1 + \frac{\dots}{\dots}$ $\frac{13}{4} = \dots + \frac{\dots}{\dots}$

**DEVOIR 2**

**1** Place les fractions suivantes sur la droite graduée :

$\frac{11}{6}$ ; $\frac{5}{2}$ ; $\frac{13}{6}$

0 1 2 3

**2** Complète.

$\frac{11}{6} = 1 + \frac{\dots}{6}$ $\frac{5}{2} = \dots + \frac{\dots}{\dots}$ $\frac{13}{6} = \dots + \frac{\dots}{\dots}$

# *Rituel* La fraction du jour (2) CM1

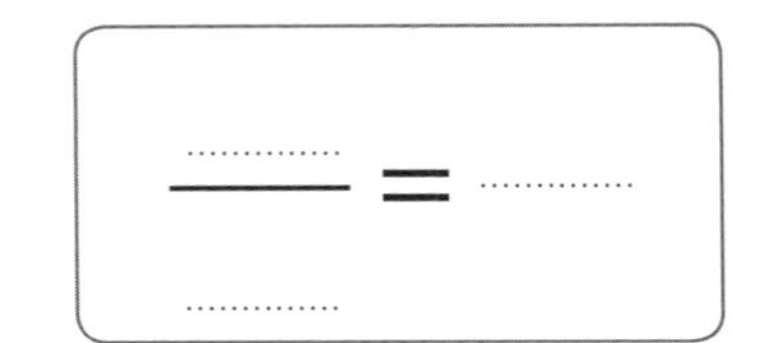

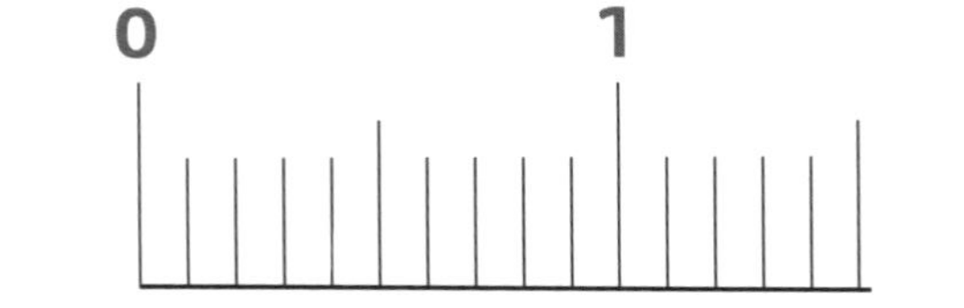


# *Rituel* Le nombre décimal du jour (1) CM2

1 Écris le nombre dans le tableau.

| PARTIE ENTIÈRE | | | | PARTIE DÉCIMALE | | |
|---|---|---|---|---|---|---|
| Mille | Centaine | Dizaine | Unité | Dixième | Centième | Millième |
| | | | | | | |

2 • **Nombre** de dixièmes : .................. • **Chiffre** des centièmes : ..................

3 Écriture fractionnaire du nombre décimal : $\frac{\ldots\ldots}{\ldots\ldots}$

# *Rituel* La fraction du jour (2) CM1

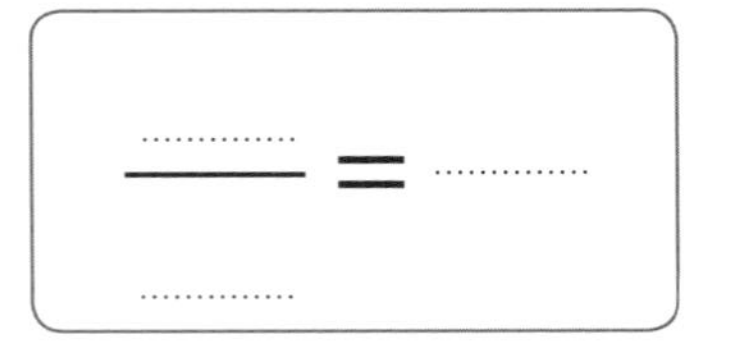

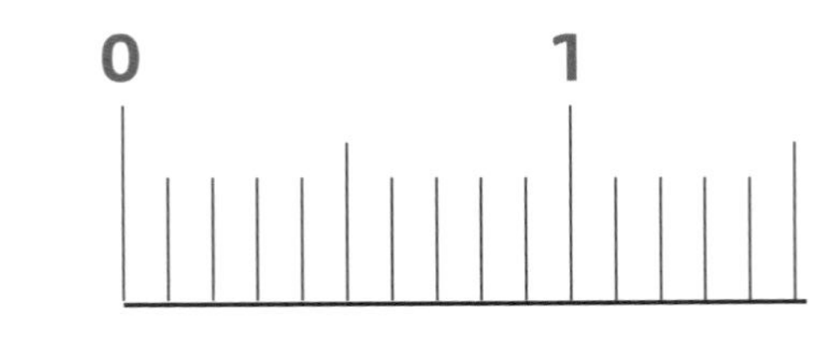


# *Rituel* Le nombre décimal du jour (1) CM2

1 Écris le nombre dans le tableau.

| PARTIE ENTIÈRE | | | | PARTIE DÉCIMALE | | |
|---|---|---|---|---|---|---|
| Mille | Centaine | Dizaine | Unité | Dixième | Centième | Millième |
| | | | | | | |

2 • **Nombre** de dixièmes : .................. • **Chiffre** des centièmes : ..................

3 Écriture fractionnaire du nombre décimal : $\frac{\ldots\ldots}{\ldots\ldots}$

# Illusion d'optique

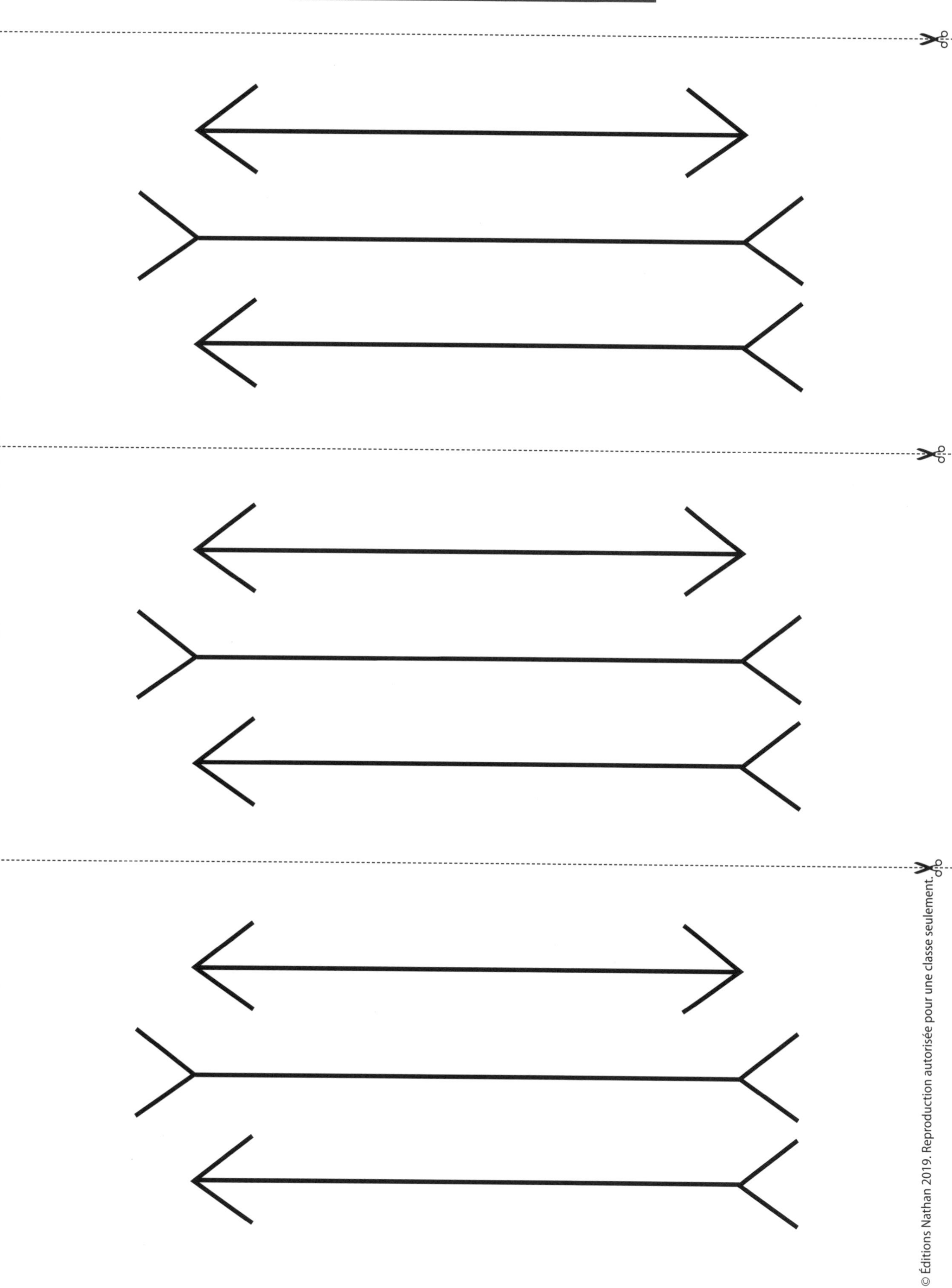

# Illusion d'optique

# *Rituel* L'intrus (1)

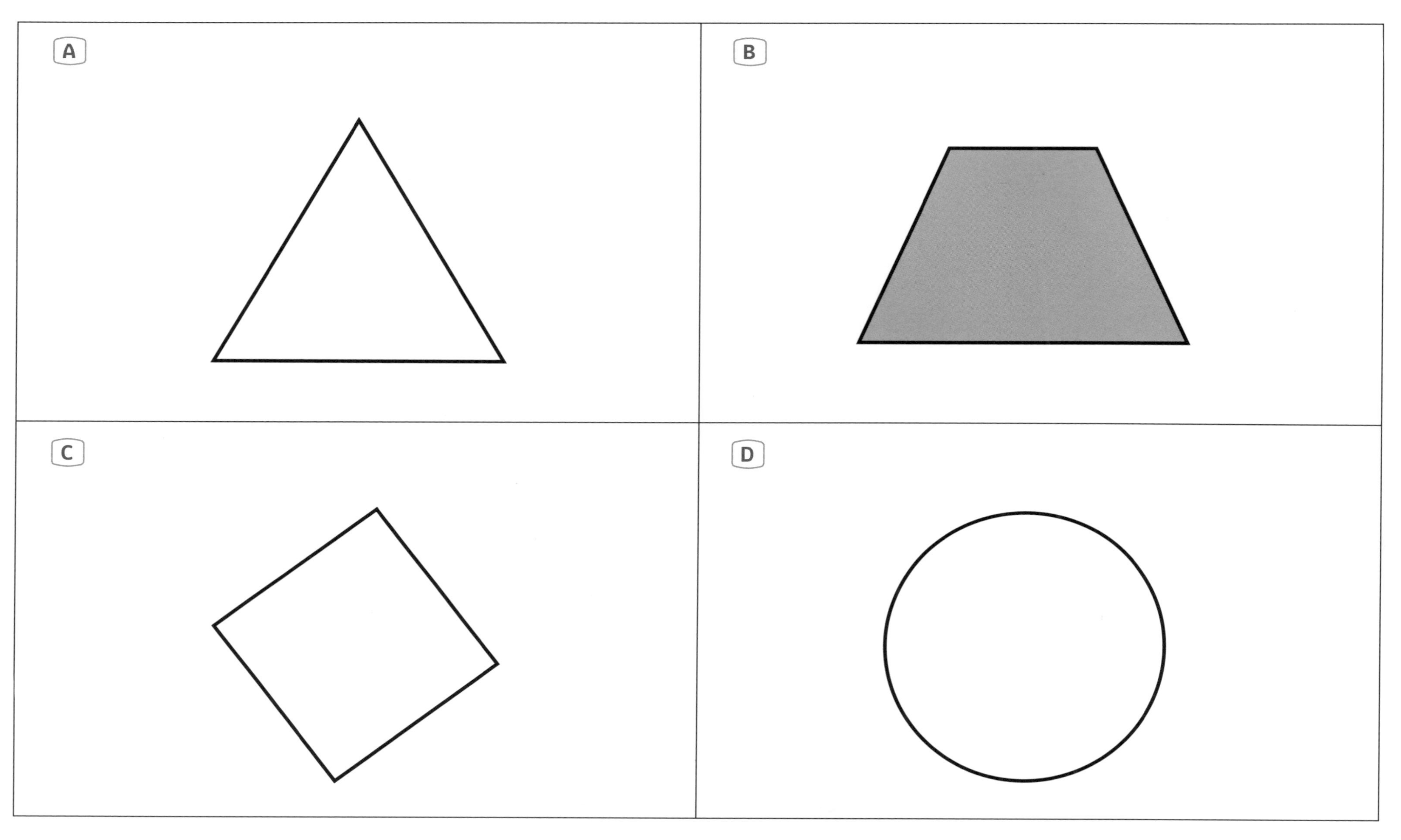

# *Rituel* L’intrus (2)

| A | B |
| --- | --- |
| C | D |

# Chronomath 6

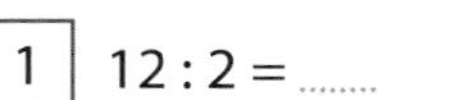

1 12 : 2 = .......

2 14 : 2 = .......

3 12 : 3 = .......

4 10 : 5 = .......

5 25 : 5 = .......

6 24 : 4 = .......

7 35 : 5 = .......

8 32 : 4 = .......

9 36 : 6 = .......

10 35 : 7 = .......

11 475 – 200 = .......

12 5 900 – 200 = .......

13 7 850 – 200 = .......

14 5 708 – 200 = .......

15 6 695 – 200 = .......

16 5 618 – 500 = .......

17 21 599 – 500 = .......

18 35 820 – 500 = .......

19 55 550 – 500 = .......

20 99 500 – 500 = .......

21 87 + 9 = .......

22 252 + 9 = .......

23 343 + 99 = .......

24 1 549 – 9 = .......

25 2 655 – 9 = .......

26 5 875 – 99 = .......

27 7 826 + 99 = .......

28 5 605 + 99 = .......

29 8 450 – 99 = .......

30 17 300 – 99 = .......

**Score :** .......




# Chronomath 6

1 12 : 2 = .......

2 14 : 2 = .......

3 12 : 3 = .......

4 10 : 5 = .......

5 25 : 5 = .......

6 24 : 4 = .......

7 35 : 5 = .......

8 32 : 4 = .......

9 36 : 6 = .......

10 35 : 7 = .......

11 475 – 200 = .......

12 5 900 – 200 = .......

13 7 850 – 200 = .......

14 5 708 – 200 = .......

15 6 695 – 200 = .......

16 5 618 – 500 = .......

17 21 599 – 500 = .......

18 35 820 – 500 = .......

19 55 550 – 500 = .......

20 99 500 – 500 = .......

21 87 + 9 = .......

22 252 + 9 = .......

23 343 + 99 = .......

24 1 549 – 9 = .......

25 2 655 – 9 = .......

26 5 875 – 99 = .......

27 7 826 + 99 = .......

28 5 605 + 99 = .......

29 8 450 – 99 = .......

30 17 300 – 99 = .......

**Score :** .......

# Chronomath 6 : réponses

1. 12 : 2 = **6**
2. 14 : 2 = **7**
3. 12 : 3 = **4**
4. 10 : 5 = **2**
5. 25 : 5 = **5**
6. 24 : 4 = **6**
7. 35 : 5 = **7**
8. 32 : 4 = **8**
9. 36 : 6 = **6**
10. 35 : 7 = **5**
11. 475 – 200 = **275**
12. 5 900 – 200 = **5 700**
13. 7 850 – 200 = **7 650**
14. 5 708 – 200 = **5 508**
15. 6 695 – 200 = **6 495**
16. 5 618 – 500 = **5 118**
17. 21 599 – 500 = **21 099**
18. 35 820 – 500 = **35 320**
19. 55 550 – 500 = **55 050**
20. 99 500 – 500 = **99 000**
21. 87 + 9 = **96**
22. 252 + 9 = **261**
23. 343 + 99 = **442**
24. 1 549 – 9 = **1 540**
25. 2 655 – 9 = **2 646**
26. 5 875 – 99 = **5 776**
27. 7 826 + 99 = **7 925**
28. 5 605 + 99 = **5 704**
29. 8 450 – 99 = **8 351**
30. 17 300 – 99 = **17 201**

# Chronomath 6

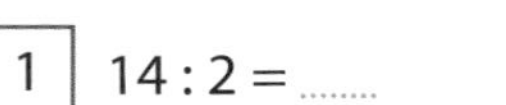


1. 14 : 2 = ……
2. 18 : 2 = ……
3. 12 : 3 = ……
4. 10 : 5 = ……
5. 20 : 5 = ……
6. 24 : 3 = ……
7. 50 : 5 = ……
8. 32 : 4 = ……
9. 36 : 9 = ……
10. 42 : 6 = ……
11. 5 950 – 500 = ……
12. 7 850 – 500 = ……
13. 5 708 – 500 = ……
14. 6 695 – 500 = ……
15. 5 518 – 500 = ……
16. 21 599 – 1 000 = ……
17. 35 800 – 2 000 = ……
18. 55 020 – 3 000 = ……
19. 99 300 – 4 000 = ……
20. 56 984 – 5 000 = ……
21. 1 631 + 9 = ……
22. 1 250 + 99 = ……
23. 3 333 + 99 = ……
24. 1 528 – 9 = ……
25. 2 150 – 99 = ……
26. 5 875 – 99 = ……
27. 7 804 + 999 = ……
28. 5 605 + 999 = ……
29. 8 320 – 999 = ……
30. 72 508 – 999 = ……

**Score :** ……



Chronomath 6

1. 14 : 2 = ……
2. 18 : 2 = ……
3. 12 : 3 = ……
4. 10 : 5 = ……
5. 20 : 5 = ……
6. 24 : 3 = ……
7. 50 : 5 = ……
8. 32 : 4 = ……
9. 36 : 9 = ……
10. 42 : 6 = ……
11. 5 950 – 500 = ……
12. 7 850 – 500 = ……
13. 5 708 – 500 = ……
14. 6 695 – 500 = ……
15. 5 518 – 500 = ……
16. 21 599 – 1 000 = ……
17. 35 800 – 2 000 = ……
18. 55 020 – 3 000 = ……
19. 99 300 – 4 000 = ……
20. 56 984 – 5 000 = ……
21. 1 631 + 9 = ……
22. 1 250 + 99 = ……
23. 3 333 + 99 = ……
24. 1 528 – 9 = ……
25. 2 150 – 99 = ……
26. 5 875 – 99 = ……
27. 7 804 + 999 = ……
28. 5 605 + 999 = ……
29. 8 320 – 999 = ……
30. 72 508 – 999 = ……

Score : ……

# Chronomath 6 : réponses

1 14 : 2 = **7**

2 18 : 2 = **9**

3 12 : 3 = **4**

4 10 : 5 = **2**

5 20 : 5 = **4**

6 24 : 3 = **8**

7 50 : 5 = **10**

8 32 : 4 = **8**

9 36 : 9 = **4**

10 42 : 6 = **7**

11 5 950 – 500 = **5 450**

12 7 850 – 500 = **7 350**

13 5 708 – 500 = **5 208**

14 6 695 – 500 = **6 195**

15 5 518 – 500 = **5 018**

16 21 599 – 1 000 = **20 599**

17 35 800 – 2 000 = **33 800**

18 55 020 – 3 000 = **52 020**

19 99 300 – 4 000 = **95 300**

20 56 984 – 5 000 = **51 984**

21 1 631 + 9 = **1 640**

22 1 250 + 99 = **1 349**

23 3 333 + 99 = **3 432**

24 1 528 – 9 = **1 519**

25 2 150 – 99 = **2 051**

26 5 875 – 99 = **5 776**

27 7 804 + 999 = **8 803**

28 5 605 + 999 = **6 604**

29 8 320 – 999 = **7 321**

30 72 508 – 999 = **71 509**

# Recherche sur les triangles

Cherche avec ton matériel de géométrie les éventuelles particularités de chaque triangle (longueurs des côtés, angles).

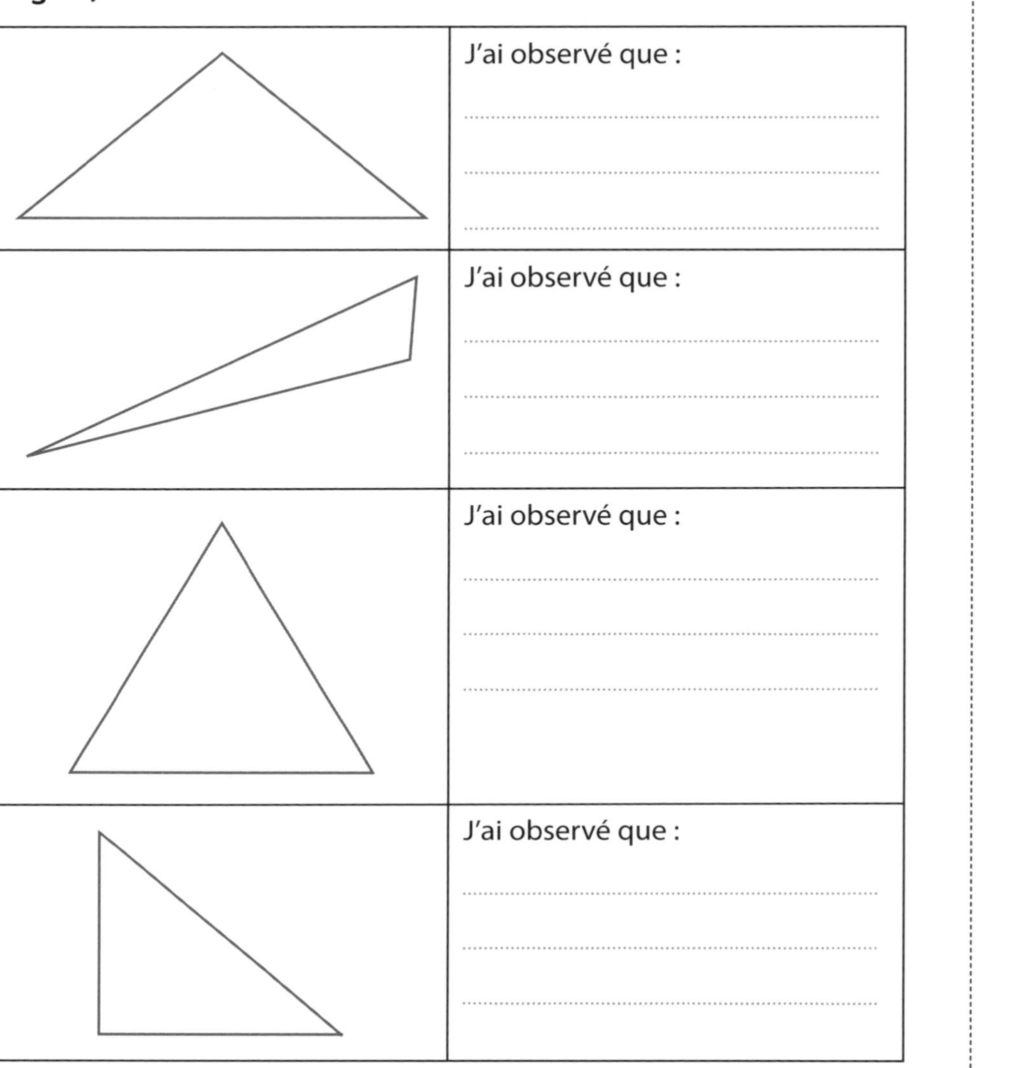


# Recherche sur les triangles

Cherche avec ton matériel de géométrie les éventuelles particularités de chaque triangle (longueurs des côtés, angles).

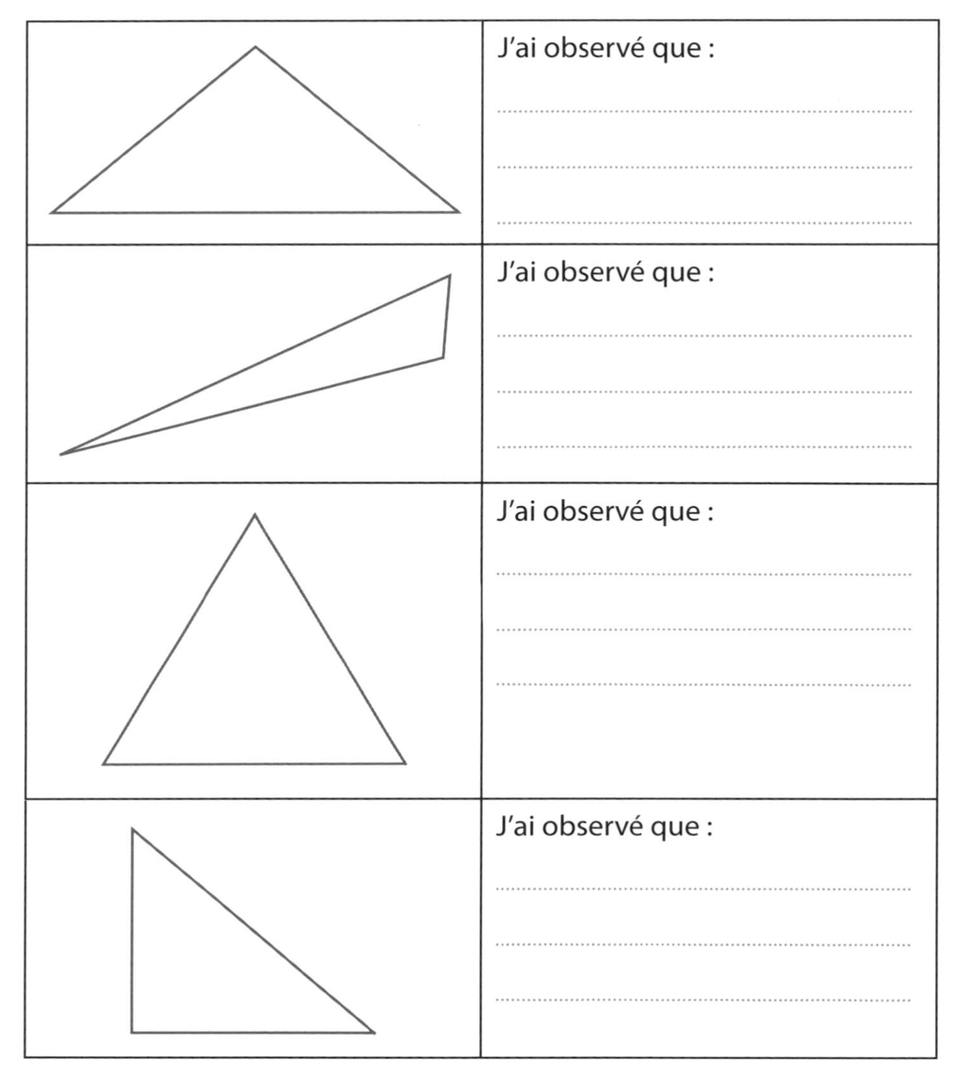

# Exercice triangles

Colorie en rouge les triangles équilatéraux, en orange les triangles isocèles, en bleu les triangles rectangles.

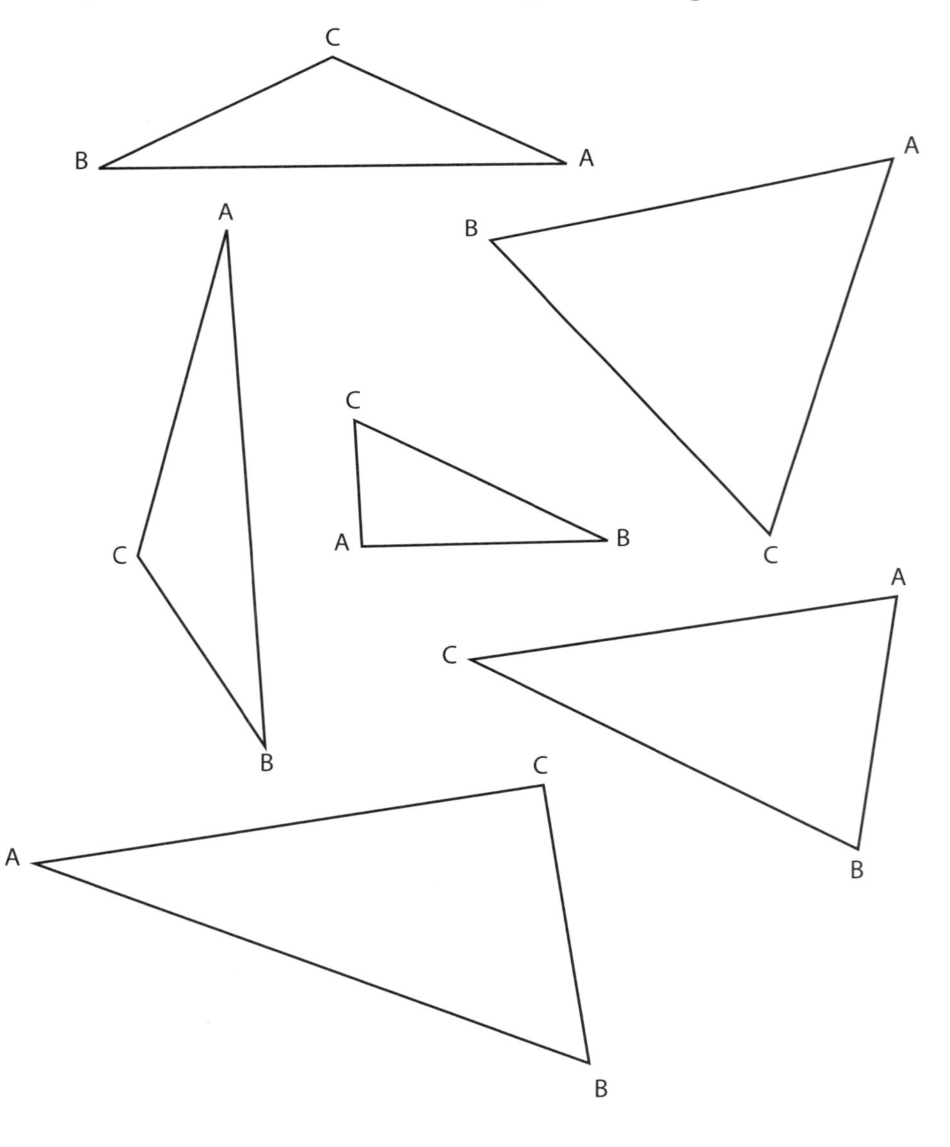



Exercice triangles

Colorie en rouge les triangles équilatéraux, en orange les triangles isocèles, en bleu les triangles rectangles.

# Exercices triangles

**EXERCICE 1**

**Colorie en rouge les triangles équilatéraux, en orange les triangles isocèles, en bleu les triangles rectangles.**

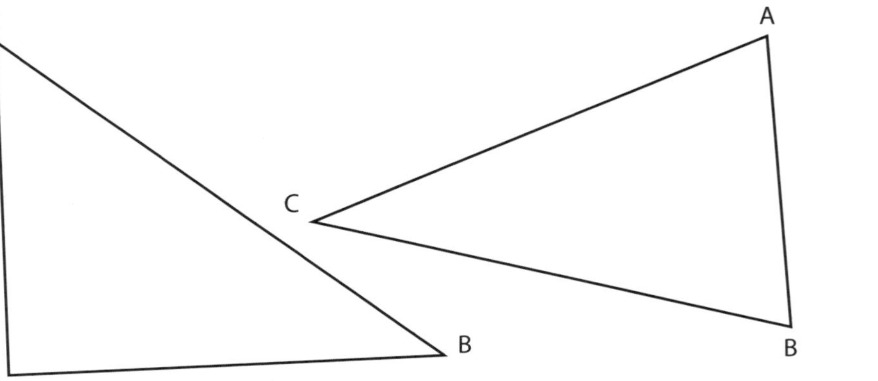
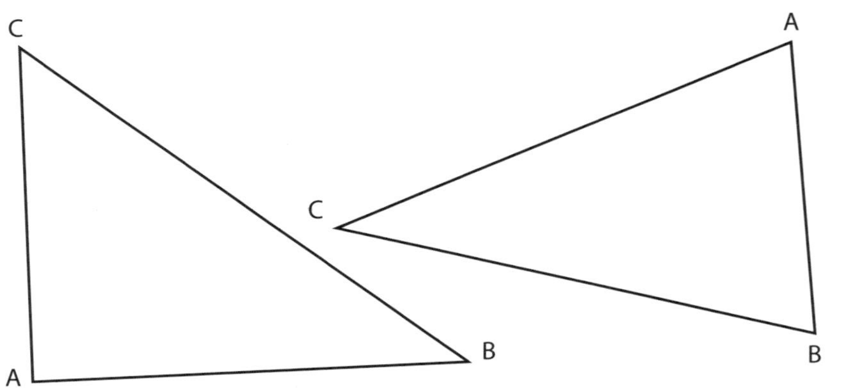

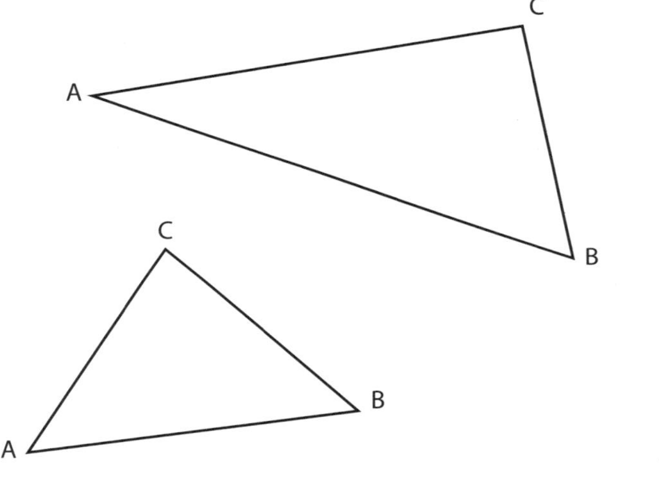


**EXERCICE 2**

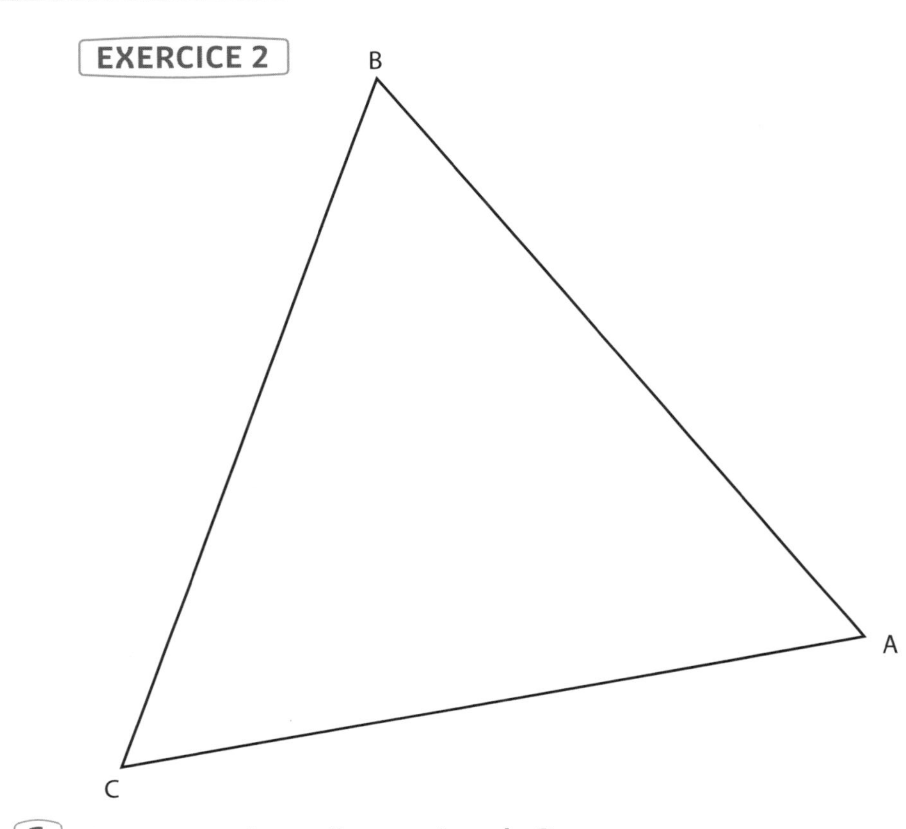


1 **Comment s'appelle ce triangle ?** ……………………

2 **Place les milieux de chaque côté.**

3 **Trace les segments qui rejoignent les milieux avec le sommet qui est en face. Ces trois segments se coupent au point O. Trace le cercle de centre O et de rayon OA. Que constates-tu ?**

……………………

# Proportionnalité CM1

**PROBLÈME 1**

M. et Mme Duparc font leurs courses. Ils veulent changer leur vaisselle.
Le lot de 4 assiettes coute 6 €.

**Combien vont-ils payer pour 12 assiettes ?**

..........

..........

**PROBLÈME 2**

La voiture de M. et Mme Baddou consomme 7 litres d'essence tous les 100 km.

**Combien va-t-elle consommer d'essence pour 300 km ?**

..........

..........

**PROBLÈME 3**

La maitresse commande des livres sur Internet pour la classe.
Quel que soit le nombre de livres, les frais de port sont gratuits.
Un livre coûte 6 €.

**Combien la maitresse va-t-elle payer si elle commande 10 livres ?**

..........

..........



# Proportionnalité CM2

**PROBLÈME 1**

M. et Mme Duparc font leurs courses. Ils veulent changer leur vaisselle.
Le lot de 4 assiettes coute 6,5 €.

**Combien vont-ils payer pour 16 assiettes ?**

..........

..........

**PROBLÈME 2**

La voiture de M. et Mme Baddou consomme 6,5 litres d'essence tous les 100 km.

**Combien va-t-elle consommer d'essence pour 400 km ?**

..........

..........

**PROBLÈME 3**

La maitresse commande des livres sur Internet pour la classe.
Quel que soit le nombre de livres, les frais de port sont gratuits.
Un livre coûte 4,5 €.

**Combien la maitresse va-t-elle payer si elle commande 20 livres ?**

..........

..........

# DEVOIRS Proportionnalité CM1

Voici le prix d'un manège à la foire :

| Nombre de tours | 1 | 2 | 5 | 10 |
|---|---|---|---|---|
| Prix en € | 3 | 6 | ............ | ............ |

**Combien vas-tu payer pour faire 5 tours ? 10 tours ?**

..................................................................................................

..................................................................................................

..................................................................................................

Voici le prix d'un manège à la foire :

| Nombre de tours | 1 | 2 | 5 | 10 |
|---|---|---|---|---|
| Prix en € | 3 | 6 | ............ | ............ |

**Combien vas-tu payer pour faire 5 tours ? 10 tours ?**

..................................................................................................

..................................................................................................

..................................................................................................

# DEVOIRS Proportionnalité CM2

Voici le prix d'un manège à la foire :

| Nombre de tours | 1 | 2 | 5 | 10 |
|---|---|---|---|---|
| Prix en € | 3,5 | 7 | ............ | ............ |

**Combien vas-tu payer pour faire 5 tours ? 10 tours ?**

..................................................................................................

..................................................................................................

..................................................................................................

Voici le prix d'un manège à la foire :

| Nombre de tours | 1 | 2 | 5 | 10 |
|---|---|---|---|---|
| Prix en € | 3,5 | 7 | ............ | ............ |

**Combien vas-tu payer pour faire 5 tours ? 10 tours ?**

..................................................................................................

..................................................................................................

..................................................................................................

# *Rituel* La fraction du jour (3) CM1

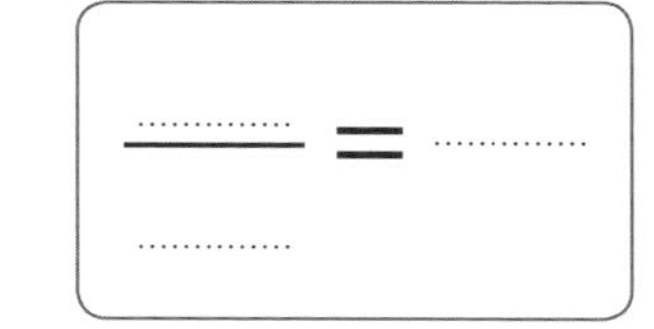

Place la fraction sur la droite graduée.

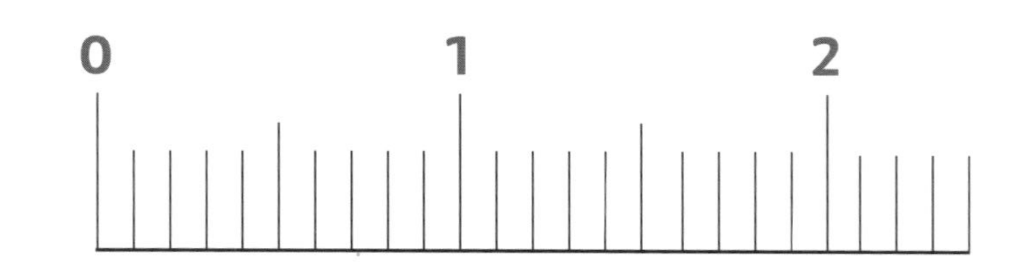


Complète avec < ou >.

...... ...... 1

# *Rituel* La fraction du jour (3) CM2

Représentation :

Place la fraction sur la droite graduée.

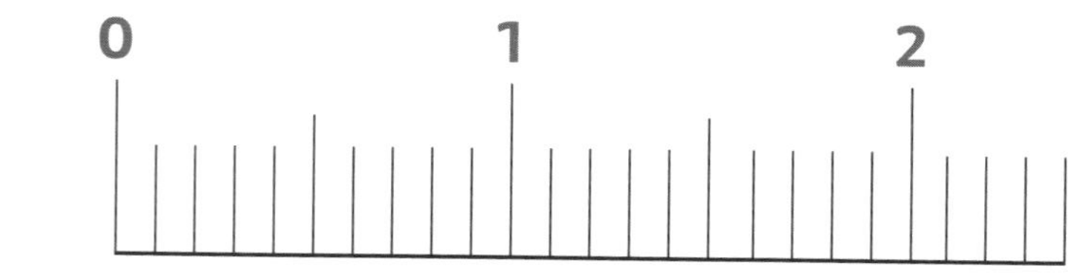


Écris la fraction puis celle qu'il faut pour trouver l'unité suivante.

...... + ...... = ......

# Exercices angles CM1

1 Marque en bleu l'angle de sommet A dans chacune des figures.

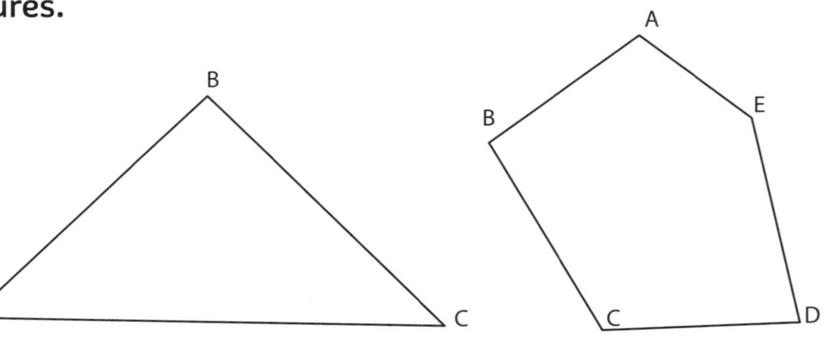


2 Dans chacune des figures, colorie :
- les angles aigus en bleu ;
- les angles droits en rouge ;
- les angles obtus en vert

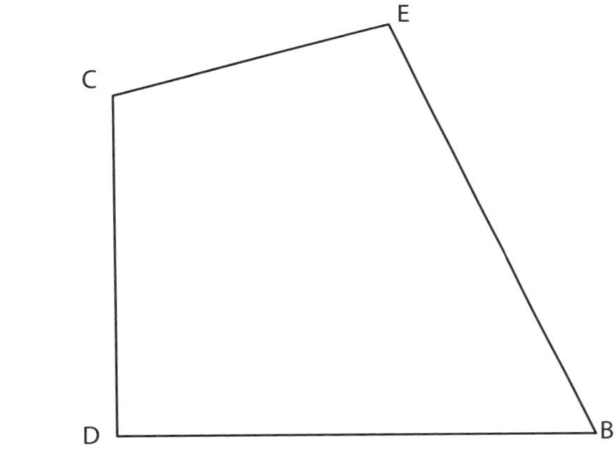




# Exercices angles CM2

1 Dans chacune des figures, trace :
- les angles aigus en bleu ;
- les angles droits en rouge ;
- les angles obtus en vert.

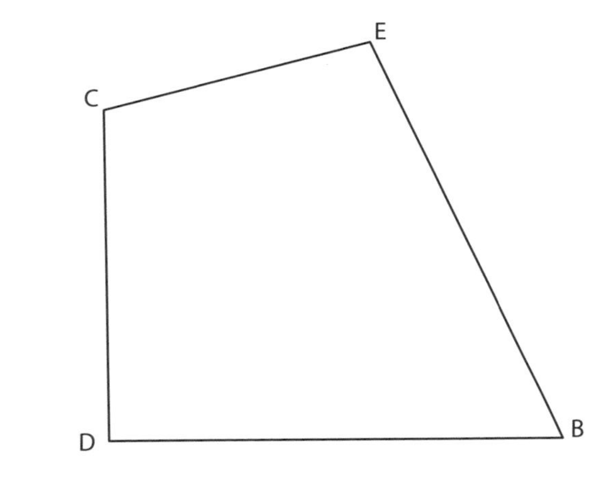


2 Trace un polygone à cinq côtés qui compte deux angles droits, deux angles obtus et un angle aigu.

# Exercice fractions décimales

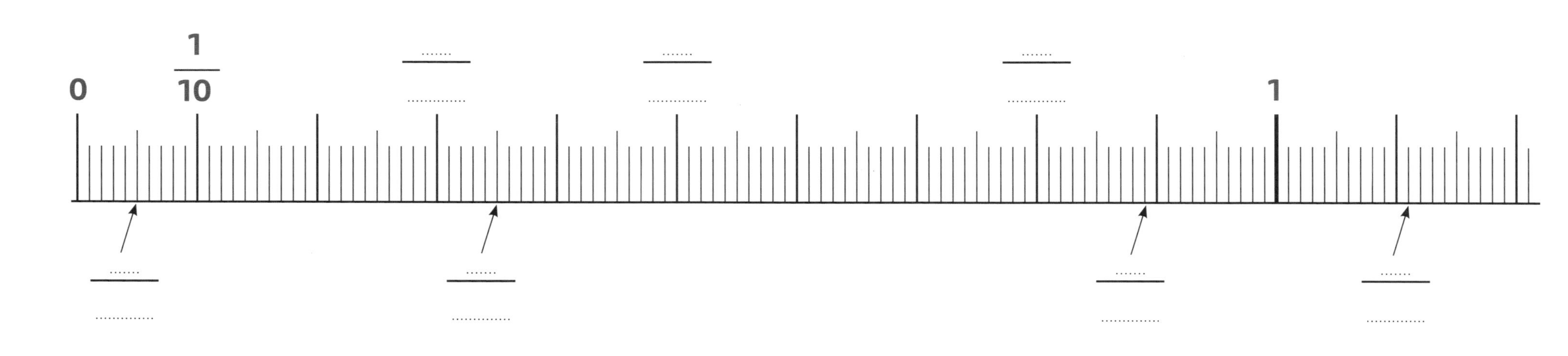


1. Complète les fractions manquantes au-dessus de la droite graduée.

2. En combien de parties est découpée toute la bande entre 0 et 1 ?

..........................................................................................

3. Donc, à quelle fraction correspond une petite graduation ?

..........................................................................................

4. Complète les fractions qui sont en dessous de la droite graduée.

# Problèmes proportionnalité

**PROBLÈME 1**

M. et Mme Zheng ont une voiture qui consomme 7,5 litres d'essence pour 100 km parcourus.
Combien vont-ils consommer d'essence pour parcourir 300 km ?
**Ce problème montre-t-il une situation de proportionnalité ? Explique ta réponse.**

**PROBLÈME 2**

Le paquet de 12 dosettes de café coute 4 €.
Le paquet de 24 dosettes de café coute 6 €.
Combien coute un paquet de 48 dosettes ?
**Ce problème montre-t-il une situation de proportionnalité ? Explique ta réponse.**

**PROBLÈME 3**

Le bébé de Paul et Léna pesait 5 kg lorsqu'il avait 1 mois.
À 6 mois, il pèse 12 kg.
**Est-ce une situation de proportionnalité ? Explique ta réponse.**



# Problèmes proportionnalité

**PROBLÈME 1**

M. et Mme Zheng ont une voiture qui consomme 7,5 litres d'essence pour 100 km parcourus.
Combien vont-ils consommer d'essence pour parcourir 300 km ?
**Ce problème montre-t-il une situation de proportionnalité ? Explique ta réponse.**

**PROBLÈME 2**

Le paquet de 12 dosettes de café coute 4 €.
Le paquet de 24 dosettes de café coute 6 €.
Combien coute un paquet de 48 dosettes ?
**Ce problème montre-t-il une situation de proportionnalité ? Explique ta réponse.**

**PROBLÈME 3**

Le bébé de Paul et Léna pesait 5 kg lorsqu'il avait 1 mois.
À 6 mois, il pèse 12 kg.
**Est-ce une situation de proportionnalité ? Explique ta réponse.**

# Livre des mesures

Ce livre traite des mesures en mathématiques.
**Pour mieux comprendre les mesures, cherche le sens des mots suivants.**

| Nom ou préfixe | Origine | Sens |
| --- | --- | --- |
| **mètre** | grec | |
| **gramme** | grec | |
| **litre** | grec | |
| **kilo-** | grec | |
| **chrono-** | grec | |

# Les longueurs

**1** Écris 2 367 m dans le tableau de conversion.

| kilomètre | hectomètre | décamètre | mètre | décimètre | centimètre | millimètre |
|---|---|---|---|---|---|---|
| km | hm | dam | m | dm | cm | mm |
| | | | | | | |

**2** Complète : • 1 m = .................. cm

• 1 km = .................................... mm • 1 m = ........................ mm

**3** Trouve différents instruments pour mesurer des longueurs.

..........................................................................................

..........................................................................................

**4** Dessine ou écris un objet qui se mesure avec chaque unité.

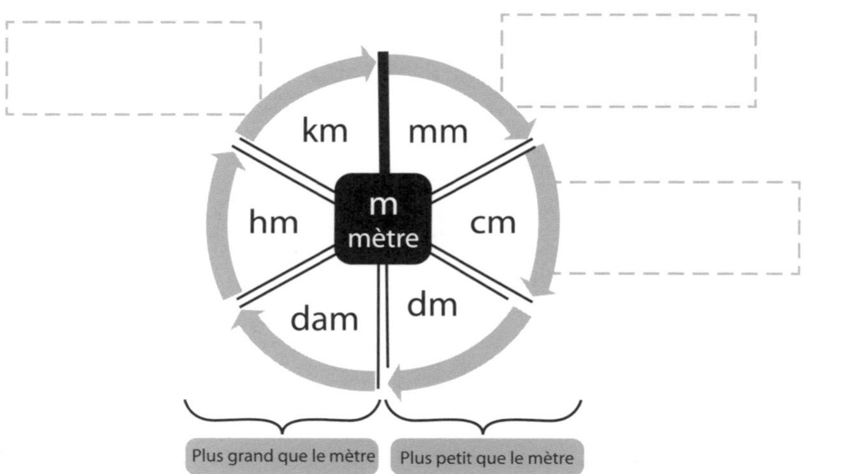


# Les masses

**1** Écris 1 235 000 mg dans le tableau de conversion.

| kilogramme | hectogramme | décagramme | gramme | décigramme | centigramme | milligramme |
|---|---|---|---|---|---|---|
| kg | hg | dag | g | dg | cg | mg |
| | | | | | | |

**2** Complète : • 1 g = .................. cg

• 1 kg = .................................... mg • 1 g = ........................ mg

**3** Trouve différents instruments pour mesurer des masses.

..........................................................................................

..........................................................................................

**4** Dessine ou écris un objet qui se mesure avec chaque unité.

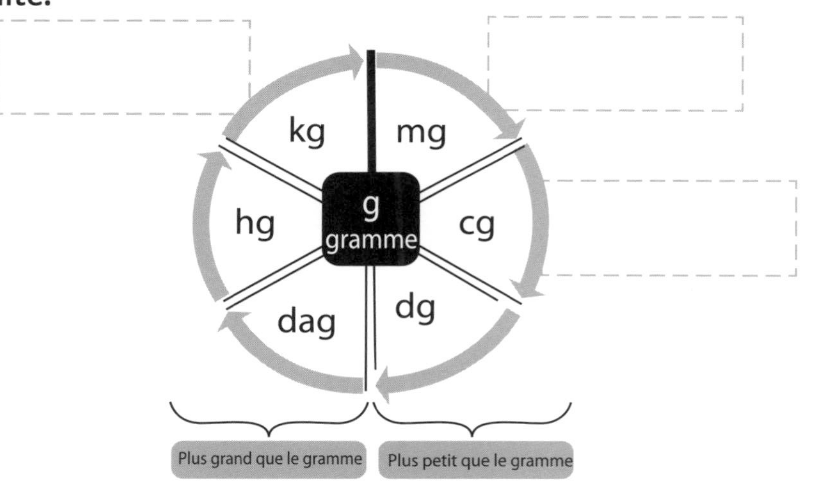

# Les contenances

**1** **Écris 95 000 cL dans le tableau de conversion.**

| hectolitre | décalitre | litre | décilitre | centilitre | millilitre |
|---|---|---|---|---|---|
| hL | daL | L | dL | cL | mL |
| | | | | | |

**2** **Complète :** • 1 L = .................... cL

• 1 dL = ............. cL • 1 L = ........................... mL

**3** **Trouve différents instruments pour mesurer des contenances.**

..........................................................................................

..........................................................................................

..........................................................................................

..........................................................................................

..........................................................................................

**4** **Utilise le matériel de ton choix pour compléter.**

- Une cuillère à soupe d'eau contient environ ............. mL.
- Un verre contient environ ............. cL.
- Une bouteille d'eau contient environ ............. verres d'eau.
- Une cuillère à soupe contient ............. cuillères à café environ.



# Les prix

**1** **Colle ou dessine toutes les pièces et billets de notre monnaie.**

# Les prix (suite)

**2 Trouve des objets qui ont environ la valeur indiquée.**

- 1 € : ............

- 10 € : ............

- 100 € : ............

- 1 000 € : ............

- 10 000 € : ............

- 200 000 € : ............



# Le temps

**1 Complète.**

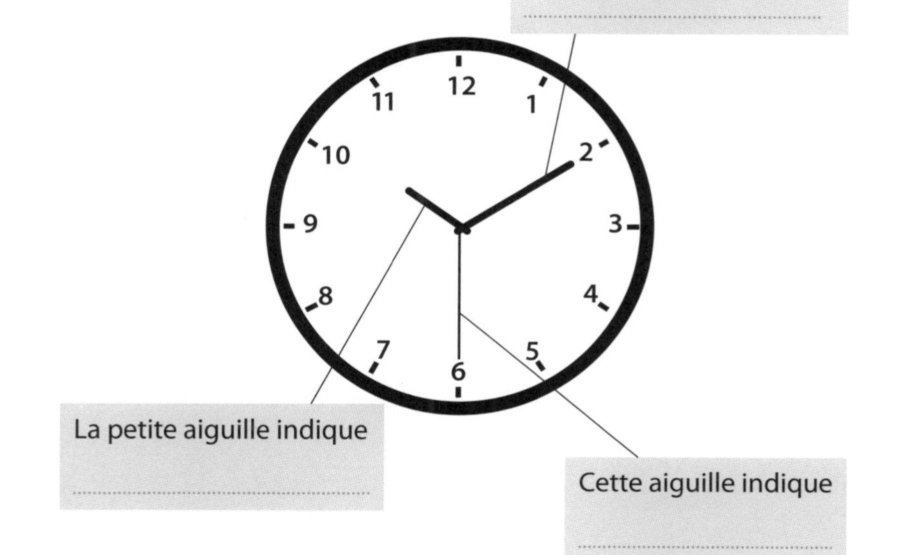


**2 Complète.**

- Une **année** c'est ............ jours (parfois ............ ).
- L'année est partagée en ............ **mois** ou en ............ **semaines.**
- Chaque mois compte ............ ou ............ jours (sauf le mois de ............ ).
- Une **semaine** compte toujours ...... jours.
- Une journée, c'est ............ **heures.**
- Une heure, c'est ............ **minutes.**
- Une minute, c'est ............ **secondes.**

# Livre des mesures

Ce livre traite des mesures en mathématiques.
**Pour mieux comprendre les mesures, cherche le sens des préfixes suivants.**

| Préfixe | Origine | Sens |
|---|---|---|
| **hecto-** | grec | |
| **déca-** | grec | |
| **déci-** | latin | |
| **centi-** | latin | |
| **milli-** | latin | |

# Les longueurs

**1** Écris 12,75 m dans le tableau de conversion.

| kilomètre | hectomètre | décamètre | mètre | décimètre | centimètre | millimètre |
|---|---|---|---|---|---|---|
| km | hm | dam | m | dm | cm | mm |
| | | | | | | |

**2** Complète : • 1 m = ........ cm

• 1,5 km = ................ mm • 1,05 m = ........... mm

**3** Raconte d'où vient le mètre (qui l'a inventé ?).

..............................................................

..............................................................

..............................................................

..............................................................

..............................................................

..............................................................

..............................................................

**4** Trouve une autre unité de mesure de longueur utilisée à l'étranger.

..............................................................

..............................................................



# Les masses

**1** Écris 90,05 g dans le tableau de conversion.

| kilogramme | hectogramme | décagramme | gramme | décigramme | centigramme | milligramme |
|---|---|---|---|---|---|---|
| kg | hg | dag | g | dg | cg | mg |
| | | | | | | |

**2** Complète :

1 g = ........ cg

0,1 kg = .............. mg

1,5 g = ...... dg

**3** Avec quel instrument peut-on peser quelque chose?

..............................................................

..............................................................

..............................................................

**4** Cherche d'autres unités que le gramme (et que celles du tableau de conversion) pour peser.

..............................................................

..............................................................

..............................................................

..............................................................

# Les contenances

**1** **Écris 0,75 hL dans le tableau de conversion.**

| **hectolitre** | **décalitre** | **litre** | **décilitre** | **centilitre** | **millilitre** |
|---|---|---|---|---|---|
| **hL** | **daL** | **L** | **dL** | **cL** | **mL** |
| | | | | | |

**2** **Complète :** • 0,1 L = ............ cL

• 0,01 dL = ............ cL • 1,5 L = ...................... mL

**3** **Complète en faisant une recherche.**

- Une baignoire remplie d'eau contient environ ................ litres.
- Une douche correspond à environ ................ litres d'eau.
- Un verre d'eau contient environ ................ litres d'eau.

**4** **Dessine ou écris un objet qui se mesure avec chaque unité.**

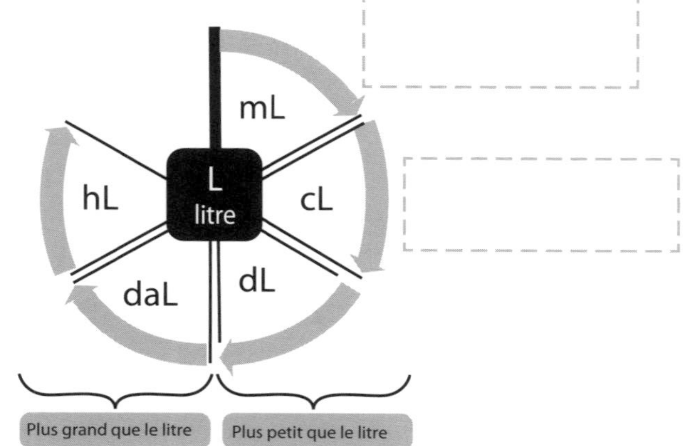


# Le temps

**1** **Lis et détermine si c'est vrai.**

Dans un jeu de 52 cartes, il y a 4 couleurs pour les 4 saisons de l'année, 12 figures pour les 12 mois, 52 cartes pour les **52 semaines** et la somme de tous les points du jeu plus le joker est de 365, pour les **365 jours de l'année** !

**2** **Colle, dessine ou écris des évènements qui ont environ la durée donnée.**

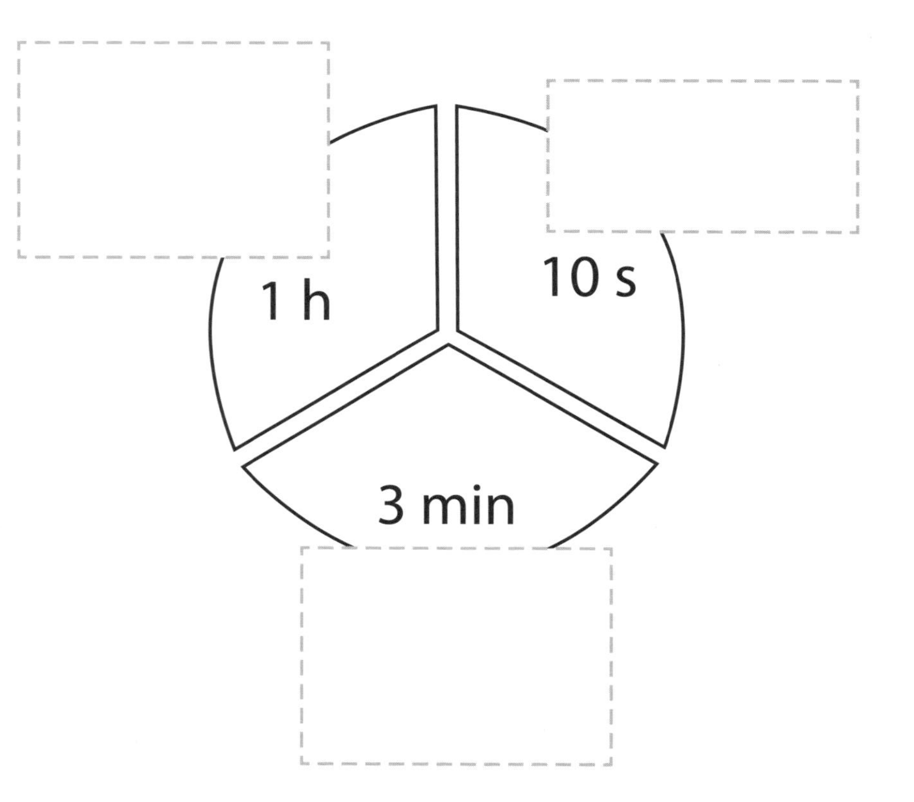

# La température

**1 Complète le texte.**

La température mesure si l'air, un objet, une personne ou un animal sont chauds ou froids.

Pour mesurer la température, on utilise un

............................................................................................................

Il existe des thermomètres électriques ou des thermomètres en verre. Ceux qui sont en verre sont composés d'un réservoir qui contient un liquide prolongé par un tube fin dans lequel le liquide peut monter. Ce tube est posé contre une graduation qui indique la mesure. Plus la température augmente, plus le liquide monte dans le tube.

La température se mesure en ..................................................

Pour « quarante degrés », par exemple, on écrit : 40 °C.

Il existe des températures plus froides que 0 °C. On dit qu'elles sont négatives. On écrit alors, par exemple : – 15 °C.

# La température (suite)

**2 Complète les mesures.**

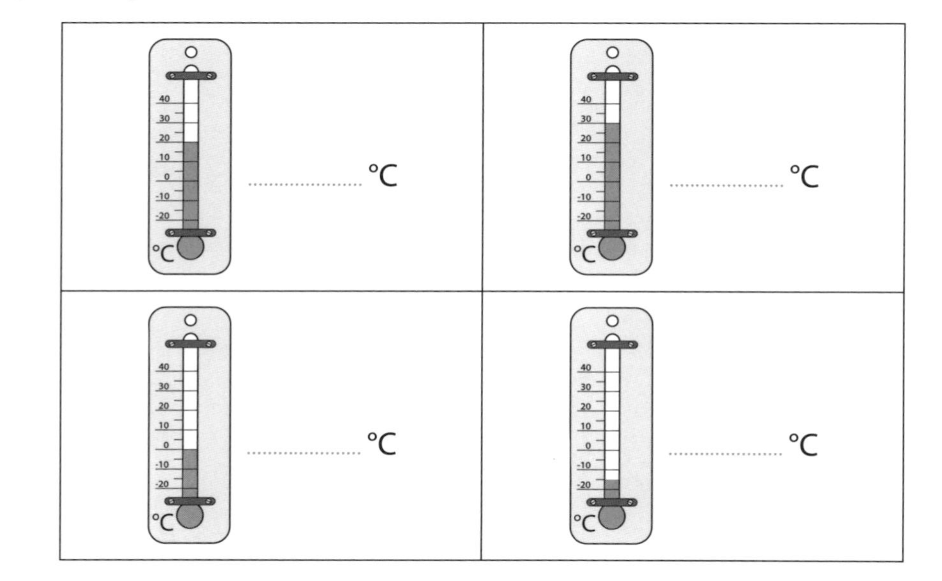


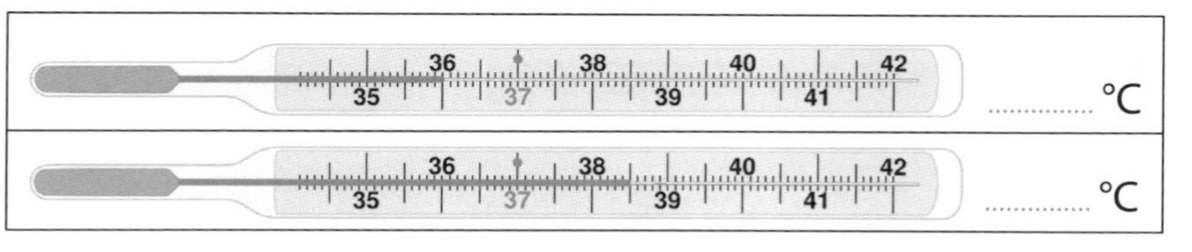


**3 Complète.**

- La température d'un être humain en bonne santé est de .............................
- L'eau bout à .............................
- La température à la surface du Soleil est d'environ .............................

# Plans de maisons

# Problème aires CM1

**Compte le nombre de carreaux de carrelage qu'il faut pour chaque pièce.**

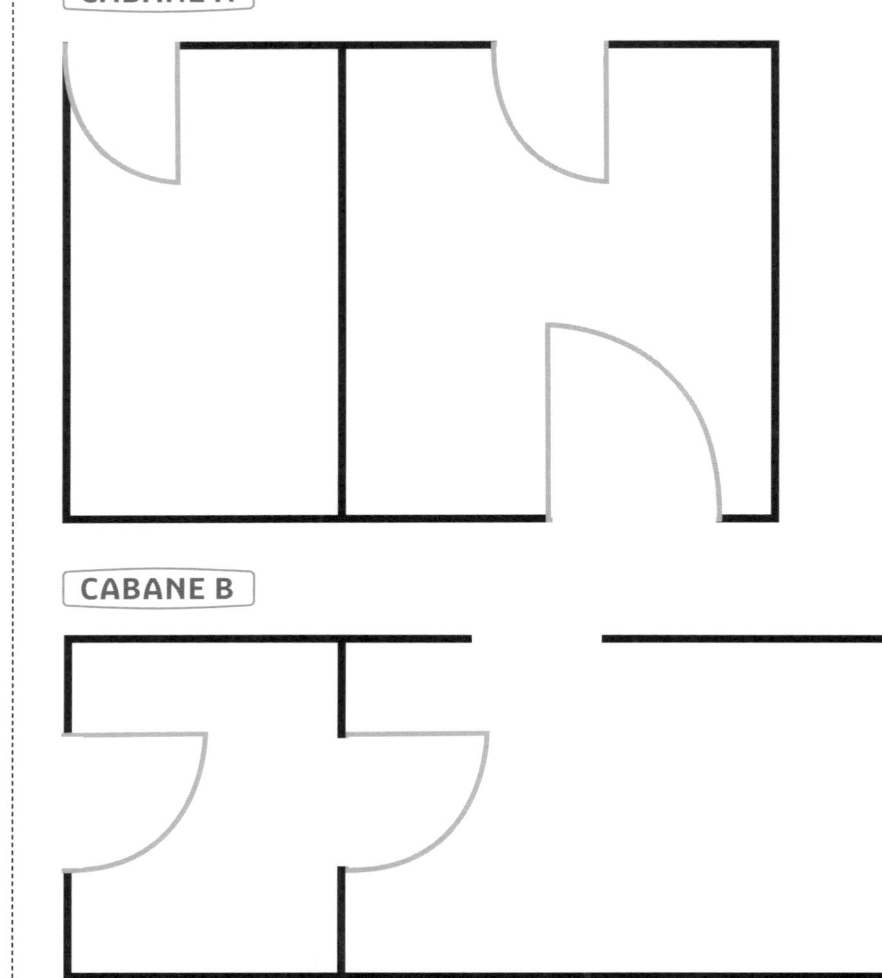

# Problème aires CM2

Voici le plan de deux cabanes.

**Trouve un moyen pour prouver laquelle des deux cabanes est la plus grande.**

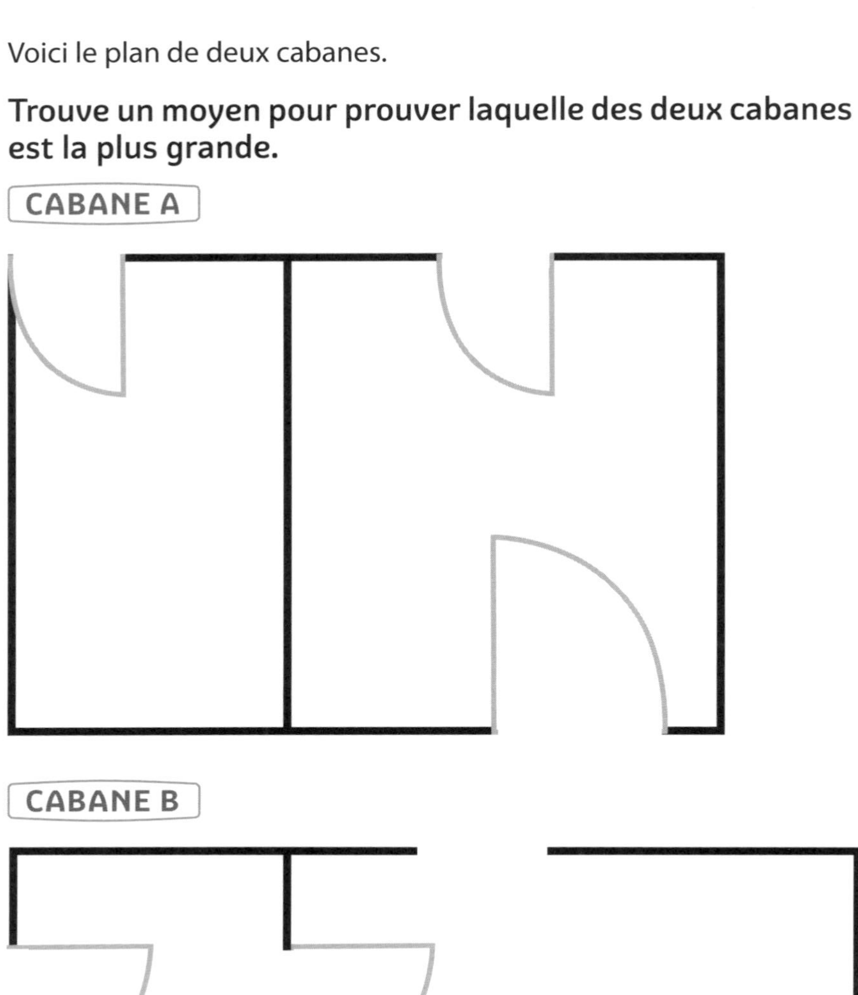

# Comparaison de fractions

**1** **Colorie comme indiqué.**

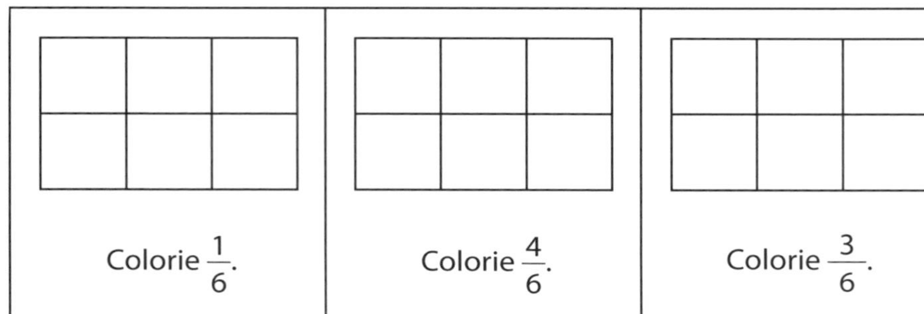

Colorie $\frac{1}{6}$. — Colorie $\frac{4}{6}$. — Colorie $\frac{3}{6}$.

Colorie $\frac{5}{6}$. — u Colorie $\frac{9}{6}$. — u Colorie $\frac{7}{6}$.

**2** **Découpe et colle les surfaces coloriées dans ton cahier, de la plus petite à la plus grande.**


# Comparaison de fractions

**1** **Colorie comme indiqué.**


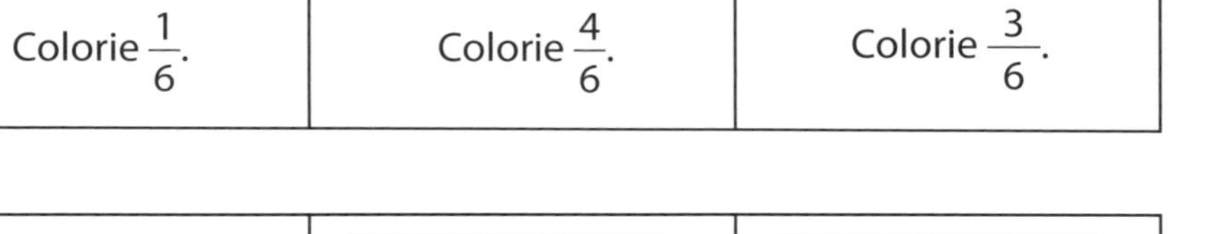


Colorie $\frac{1}{6}$. — Colorie $\frac{4}{6}$. — Colorie $\frac{3}{6}$.

Colorie $\frac{5}{6}$. — u Colorie $\frac{9}{6}$. — Colorie $\frac{7}{6}$.

**2** **Découpe et colle les surfaces coloriées dans ton cahier, de la plus petite à la plus grande.**

# Fractions et Legos

**Complète.**
Si on prend la brique ci-contre comme unité de référence alors :

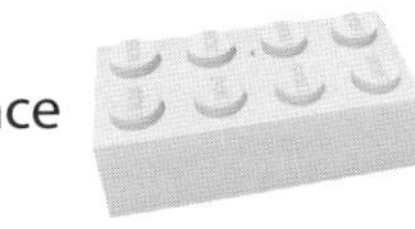

 = $\frac{\ldots}{\ldots}$

 = $\frac{\ldots}{\ldots}$

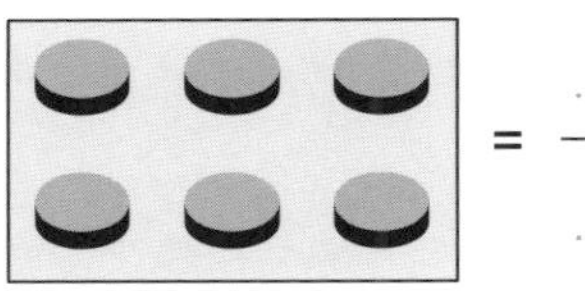
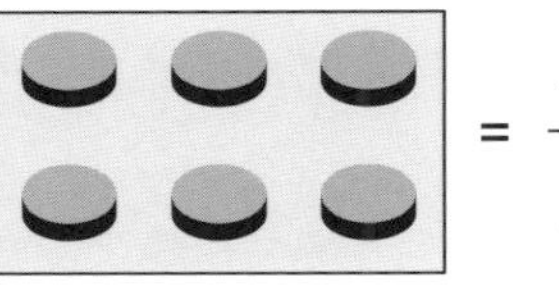 = $\frac{\ldots}{\ldots}$

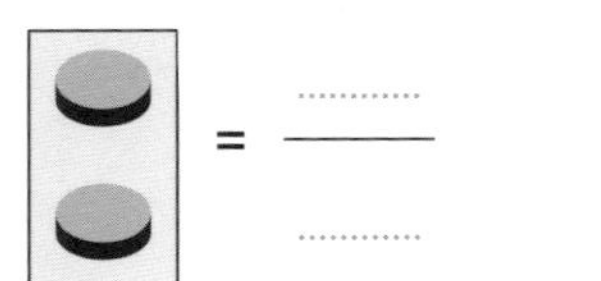
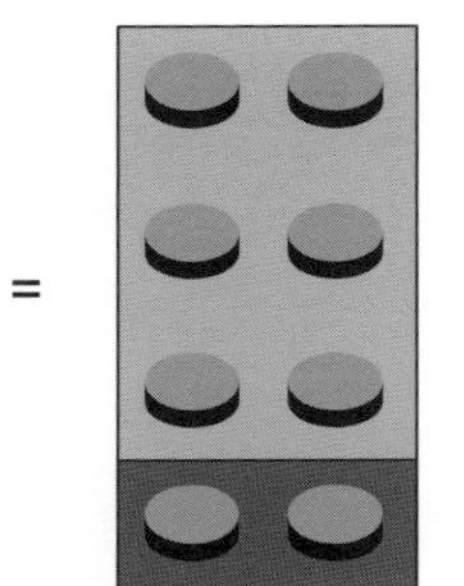

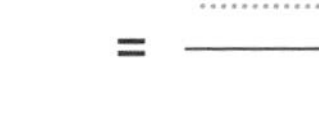

1 = $\frac{\ldots}{\ldots}$ + $\frac{\ldots}{\ldots}$ = ……………… = ………………


# Fractions et Legos

**Complète.**
Si on prend la brique ci-contre comme unité de référence alors :

= $\frac{\ldots}{\ldots}$ = $\frac{\ldots}{\ldots}$ = $\frac{\ldots}{\ldots}$

1 = $\frac{\ldots}{\ldots}$ + $\frac{\ldots}{\ldots}$ = ……………… = ………………


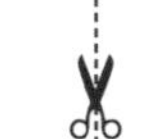

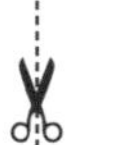

# Plan de ville

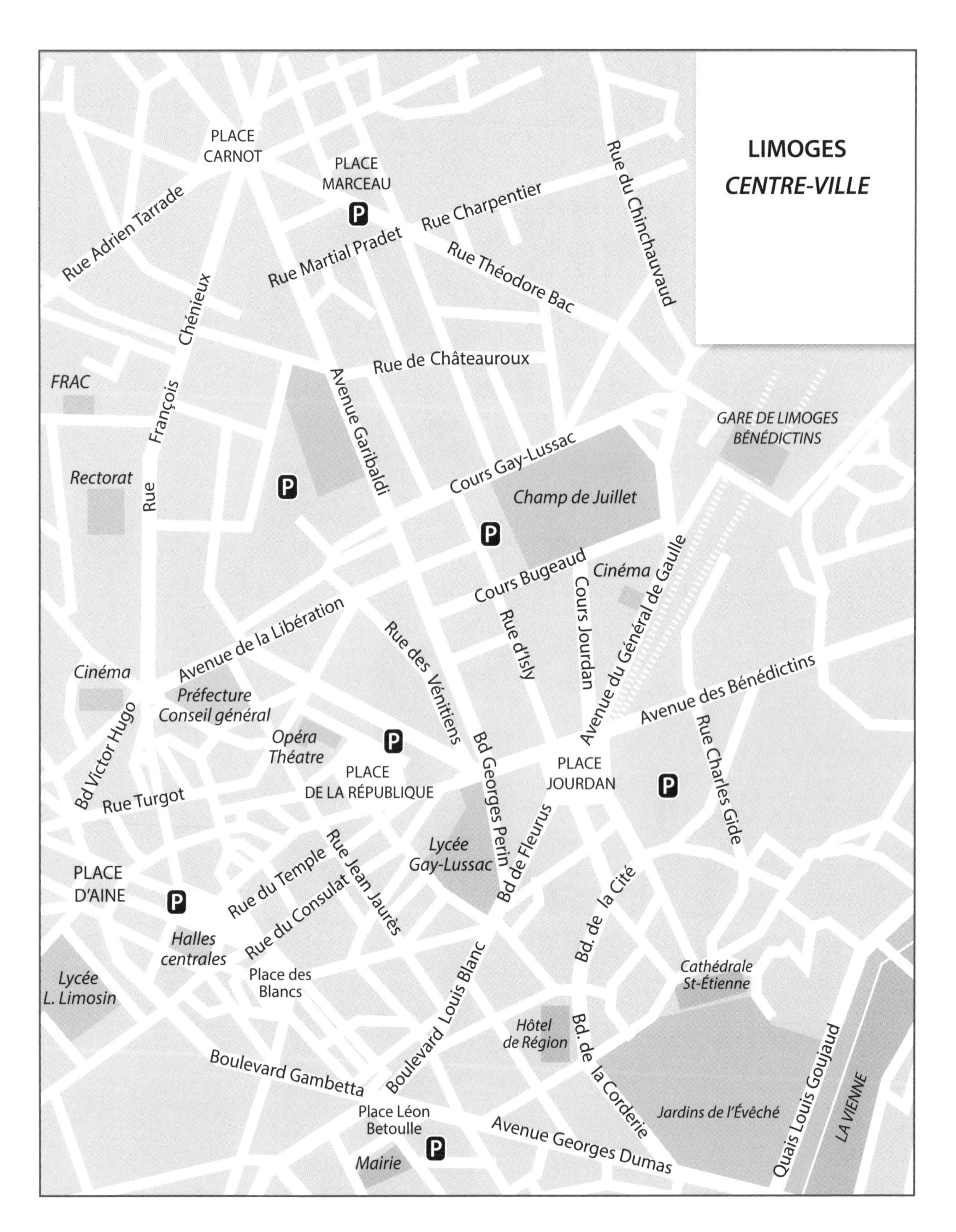

LIMOGES
CENTRE-VILLE
PLACE CARNOT
PLACE MARCEAU
Rue Adrien Tarrade
Rue Charpentier
Rue Martial Pradet
Rue Théodore Bac
Rue du Chinchauvaud
Rue François Chénieux
Rue de Châteauroux
FRAC
Avenue Garibaldi
GARE DE LIMOGES BÉNÉDICTINS
Rectorat
Cours Gay-Lussac
Champ de Juillet
Cours Bugeaud
Cinéma
Cours Jourdan
Rue d'Isly
Avenue du Général de Gaulle
Avenue de la Libération
Rue des Vénitiens
Cinéma
Préfecture
Conseil général
Avenue des Bénédictins
Opéra
Théatre
Bd Georges Perin
PLACE JOURDAN
Rue Charles Gide
Bd Victor Hugo
Rue Turgot
PLACE DE LA RÉPUBLIQUE
Lycée Gay-Lussac
Bd de Fleurus
PLACE D'AINE
Rue du Temple
Rue Jean Jaurès
Rue du Consulat
Bd. de la Cité
Halles centrales
Place des Blancs
Lycée L. Limosin
Boulevard Louis Blanc
Cathédrale St-Étienne
Hôtel de Région
Bd. de la Corderie
Boulevard Gambetta
Quais Louis Goujaud
LA VIENNE
Jardins de l'Évêché
Place Léon Betoulle
Avenue Georges Dumas
Mairie

# DEVOIRS Tableau

Colorie les cases demandées.

| | A | B | C | D | E | F | G | H | I | J |
|---|---|---|---|---|---|---|---|---|---|---|
| 1 | | | | | | | | | | |
| 2 | | | | | | | | | | |
| 3 | | | | | | | | | | |
| 4 | | | | | | | | | | |
| 5 | | | | | | | | | | |
| 6 | | | | | | | | | | |
| 7 | | | | | | | | | | |
| 8 | | | | | | | | | | |

**ÉTAPE 1**

- en noir : (E ; 6) et (F ; 6).
- en gris : (D ; 7) – (G ; 7) – (D ; 1) – (E ; 1) – (F ; 1) – (G ; 1) – (C ; 6) et (H ; 6).

**ÉTAPE 2**

- en bleu : (D ; 3) et (G ; 3).
- en gris : (C ; 2) – (H ;2) – (B ; 3) – (B ; 4) – (B ; 5) – (I ; 3) – (I ; 4) – (I ; 5) – (E ; 8) et (F ; 8).




# DEVOIRS Tableau

Colorie les cases demandées.

| | A | B | C | D | E | F | G | H | I | J |
|---|---|---|---|---|---|---|---|---|---|---|
| 1 | | | | | | | | | | |
| 2 | | | | | | | | | | |
| 3 | | | | | | | | | | |
| 4 | | | | | | | | | | |
| 5 | | | | | | | | | | |
| 6 | | | | | | | | | | |
| 7 | | | | | | | | | | |
| 8 | | | | | | | | | | |

**ÉTAPE 1**

- en noir : (E ; 6) et (F ; 6).
- en gris : (D ; 7) – (G ; 7) – (D ; 1) – (E ; 1) – (F ; 1) – (G ; 1) – (C ; 6) et (H ; 6).

**ÉTAPE 2**

- en bleu : (D ; 3) et (G ; 3).
- en gris : (C ; 2) – (H ;2) – (B ; 3) – (B ; 4) – (B ; 5) – (I ; 3) – (I ; 4) – (I ; 5) – (E ; 8) et (F ; 8).

# *Rituel* Le nombre du jour (3)

1 Écris le nombre dans le tableau.

| millions | | | mille | | | unités | | |
|---|---|---|---|---|---|---|---|---|
| C | D | U | C | D | U | C | D | U |
| | | | | | | | | |

2 Donne le nombre de milliers : ..........

3 Encadre le nombre à la dizaine près.

.......... < .......... < ..........

# *Rituel* Le nombre du jour (3)

1 Écris le nombre dans le tableau.

| millions | | | mille | | | unités | | |
|---|---|---|---|---|---|---|---|---|
| C | D | U | C | D | U | C | D | U |
| | | | | | | | | |

2 Donne le nombre de dizaines de mille : ..........

3 Encadre le nombre à l'unité de mille près.

.......... < .......... < ..........

# *Rituel* Le nombre du jour (3)

1 Écris le nombre dans le tableau.

| millions | | | mille | | | unités | | |
|---|---|---|---|---|---|---|---|---|
| C | D | U | C | D | U | C | D | U |
| | | | | | | | | |

2 Donne le nombre de dizaines de mille : ..........

3 Encadre le nombre à la centaine près.

.......... < .......... < ..........

# *Rituel* Le nombre du jour (3)

1 Écris le nombre dans le tableau.

| millions | | | mille | | | unités | | |
|---|---|---|---|---|---|---|---|---|
| C | D | U | C | D | U | C | D | U |
| | | | | | | | | |

2 Donne le nombre de dizaines : ..........

3 Encadre le nombre à l'unité de mille près.

.......... < .......... < ..........

# *Rituel* Le nombre du jour (3)

1 Écris le nombre dans le tableau.

| milliards | | | millions | | | mille | | | unités | | |
|---|---|---|---|---|---|---|---|---|---|---|---|
| C | D | U | C | D | U | C | D | U | C | D | U |
| | | | | | | | | | | | |

2 Donne le <u>nombre de</u> milliers : ……………………

3 Arrondis ce nombre à la centaine près.

……………………

# *Rituel* Le nombre du jour (3)

1 Écris le nombre dans le tableau.

| millions | | | mille | | | unités | | |
|---|---|---|---|---|---|---|---|---|
| C | D | U | C | D | U | C | D | U |
| | | | | | | | | |

2 Donne le <u>nombre de</u> centaines de mille : ……………………

3 Arrondis ce nombre au millier près.

……………………

# *Rituel* Le nombre du jour (3)

1 Écris le nombre dans le tableau.

| millions | | | mille | | | unités | | |
|---|---|---|---|---|---|---|---|---|
| C | D | U | C | D | U | C | D | U |
| | | | | | | | | |

2 Donne le <u>nombre de</u> dizaines de mille : ……………………

3 Arrondis ce nombre à la centaine près.

……………………

# *Rituel* Le nombre du jour (3)

1 Écris le nombre dans le tableau.

| millions | | | mille | | | unités | | |
|---|---|---|---|---|---|---|---|---|
| C | D | U | C | D | U | C | D | U |
| | | | | | | | | |

2 Donne le <u>nombre de</u> millions : ……………………

3 Arrondis ce nombre au millier près.

……………………

# Tickets de caisse

**1** SUPERMARCHÉ

| Qté | Désignation | Total |
|---|---|---|
| 1 | Paquet de pâtes | 1,20 € |
| 1 | Sauce bolognaise | 3,50 € |

**TOTAL** ..............

MERCI DE VOTRE VISITE ET À BIENTÔT

**2** SUPERMARCHÉ

| Qté | Désignation | Total |
|---|---|---|
| 1 | Lot de steaks hachés | 3,25 € |
| 1 | Pot de moutarde | 1,10 € |

**TOTAL** ..............

MERCI DE VOTRE VISITE ET À BIENTÔT

**3** SUPERMARCHÉ

| Qté | Désignation | Total |
|---|---|---|
| 1 | Pull hiver | 19,25 € |
| 1 | Sauce bolognaise | 3,50 € |

**TOTAL** ..............

MERCI DE VOTRE VISITE ET À BIENTÔT

**4** SUPERMARCHÉ

| Qté | Désignation | Total |
|---|---|---|
| 1 | Paquet de riz | 0,65 € |
| 1 | Sauce au curry | 2,05 € |

**TOTAL** ..............

MERCI DE VOTRE VISITE ET À BIENTÔT

**5** SUPERMARCHÉ

| Qté | Désignation | Total |
|---|---|---|
| 1 | Dictionnaire | 19,95 € |
| 1 | Livre « Le zoo » | 5,50 € |

**TOTAL** ..............

MERCI DE VOTRE VISITE ET À BIENTÔT

**6** SUPERMARCHÉ

| Qté | Désignation | Total |
|---|---|---|
| 1 | Paquet de cookies | 2,55 € |
| 1 | Paquet de bonbons | 0,50 € |
| 1 | kilo de sucre | 2,05 € |

**TOTAL** ..............

MERCI DE VOTRE VISITE ET À BIENTÔT

# Fractions et Legos

Si on prend la brique ci-contre comme unité de référence, alors :

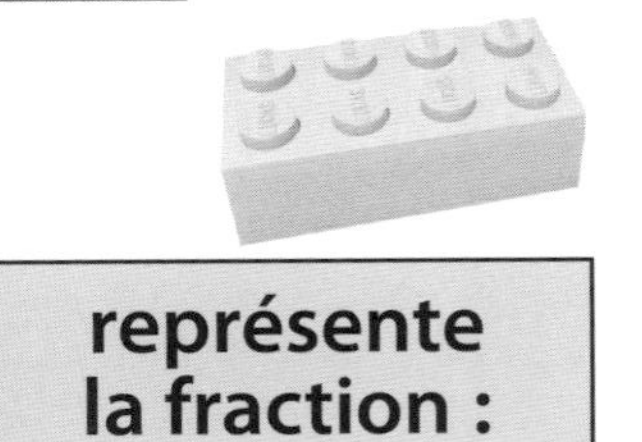

| La brique | représente la fraction : |
| --- | --- |
| | $\frac{\dots}{\dots}$ |
| | $\frac{\dots}{\dots}$ |
| | $\frac{\dots}{\dots}$ |
| | $\frac{\dots}{\dots}$ |
| | $\frac{\dots}{\dots}$ |



# Fractions et Legos : compléments

Regarde ce que des élèves ont fait :

$\frac{5}{8}$ $\frac{2}{3}$

À ton tour ! Inventes-en quatre du même type.

| | |
| --- | --- |
| | |
| | |

# Modèles cubes

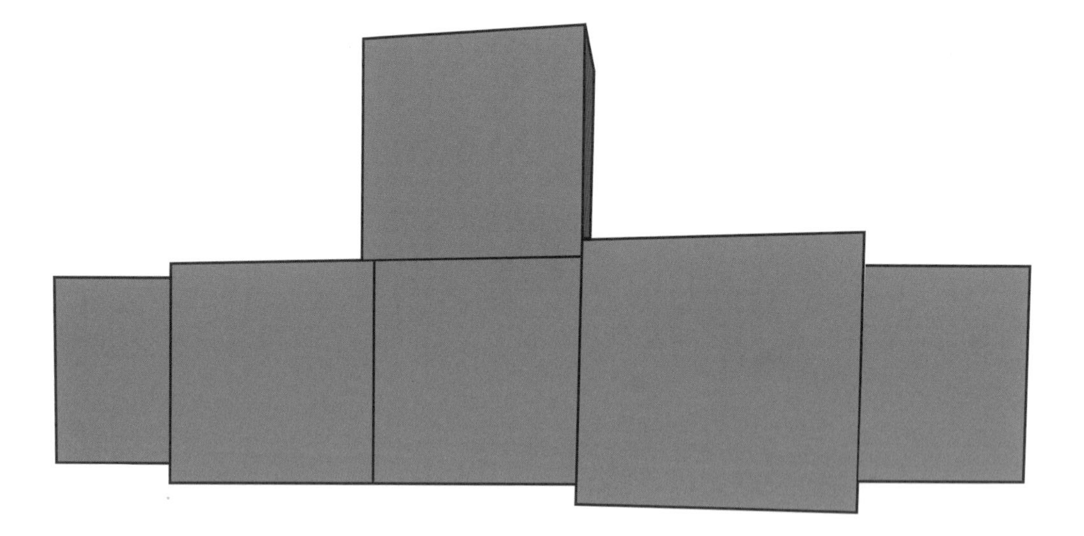

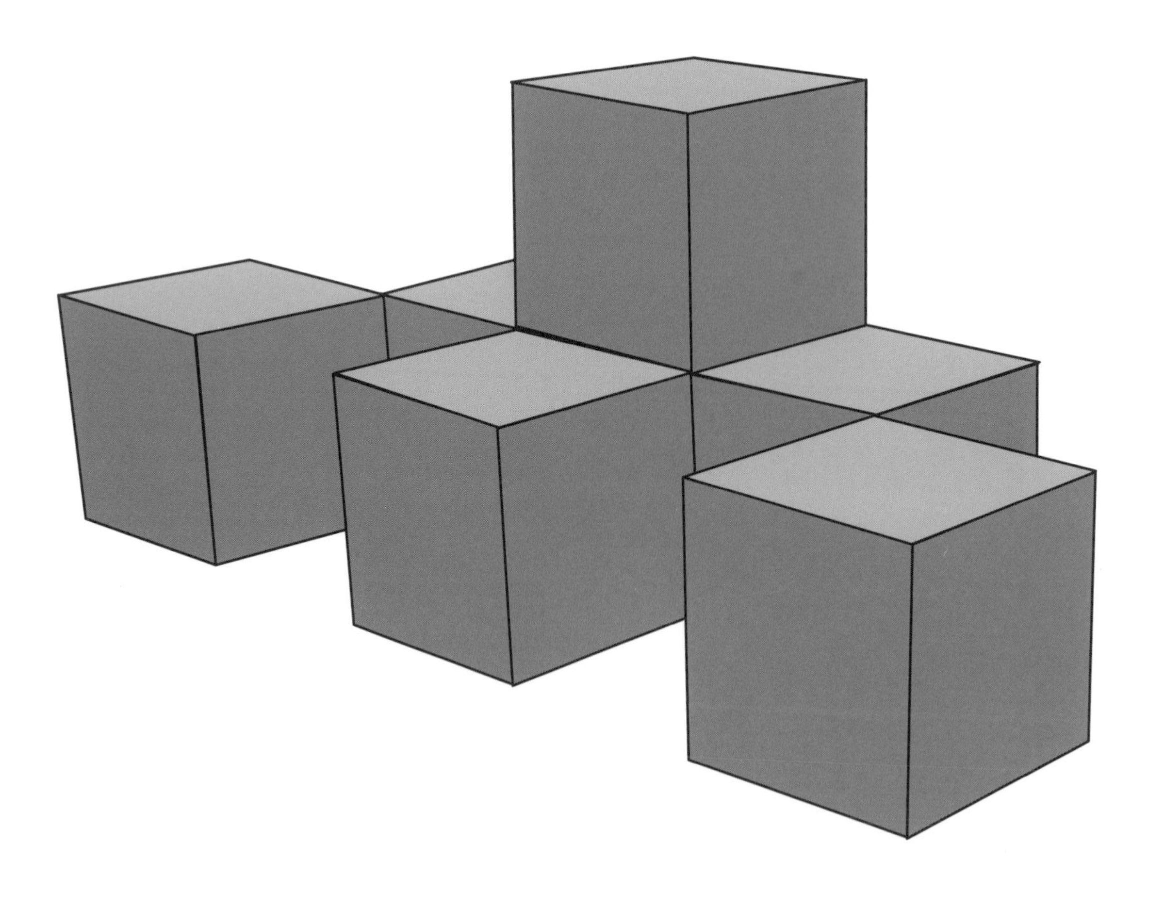

# Métro de Toulouse

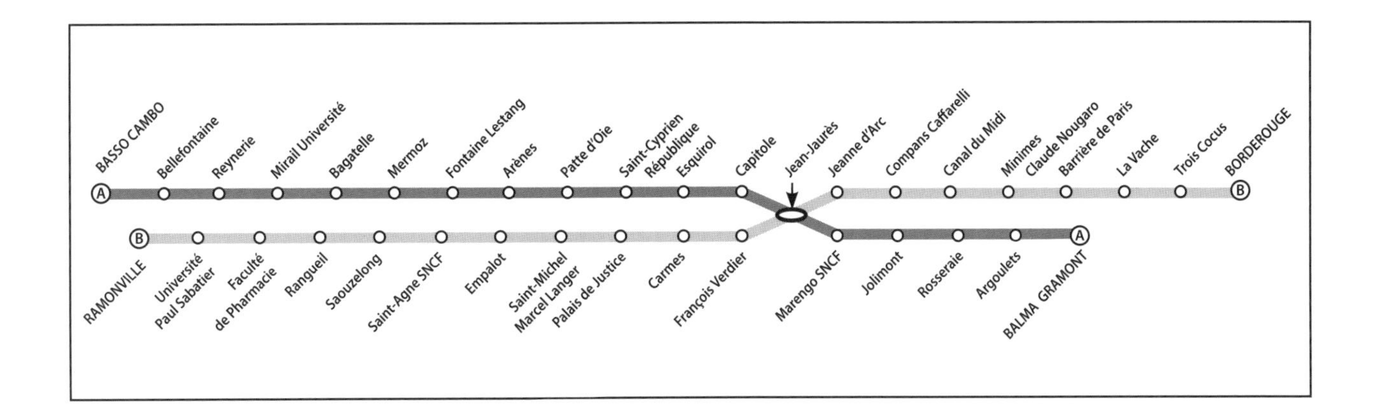


**1** Quelle ligne de métro t'emmène de « Bellefontaine » à « Jolimont » ?

..........................................................................................................................

**2** Comment dois-tu faire pour aller de « Borderouge » à « Mermoz » ?

..........................................................................................................................


# Métro de Toulouse


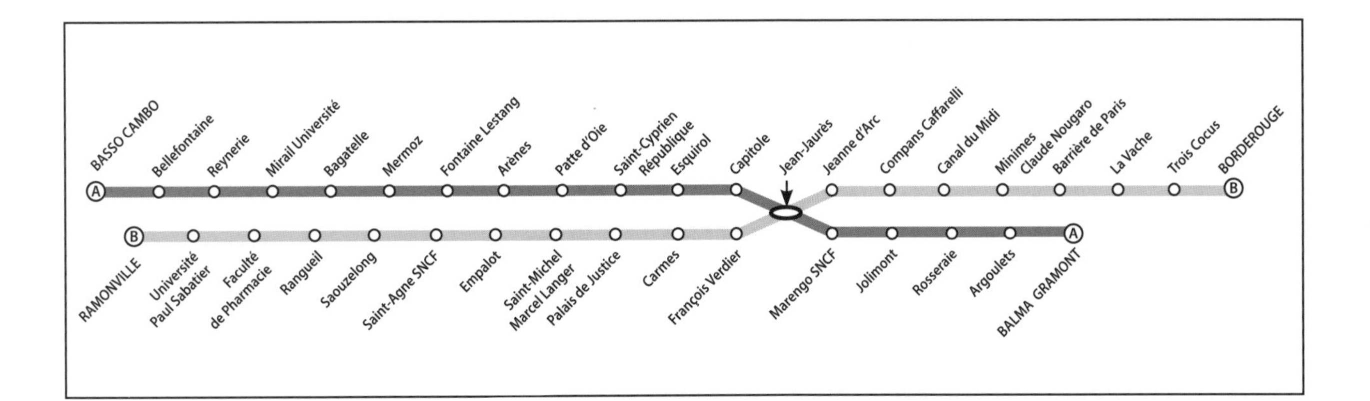


**1** Quelle ligne de métro t'emmène de « Bellefontaine » à « Jolimont » ?

..........................................................................................................................

**2** Comment dois-tu faire pour aller de « Borderouge » à « Mermoz » ?

..........................................................................................................................

# Métro de Montréal

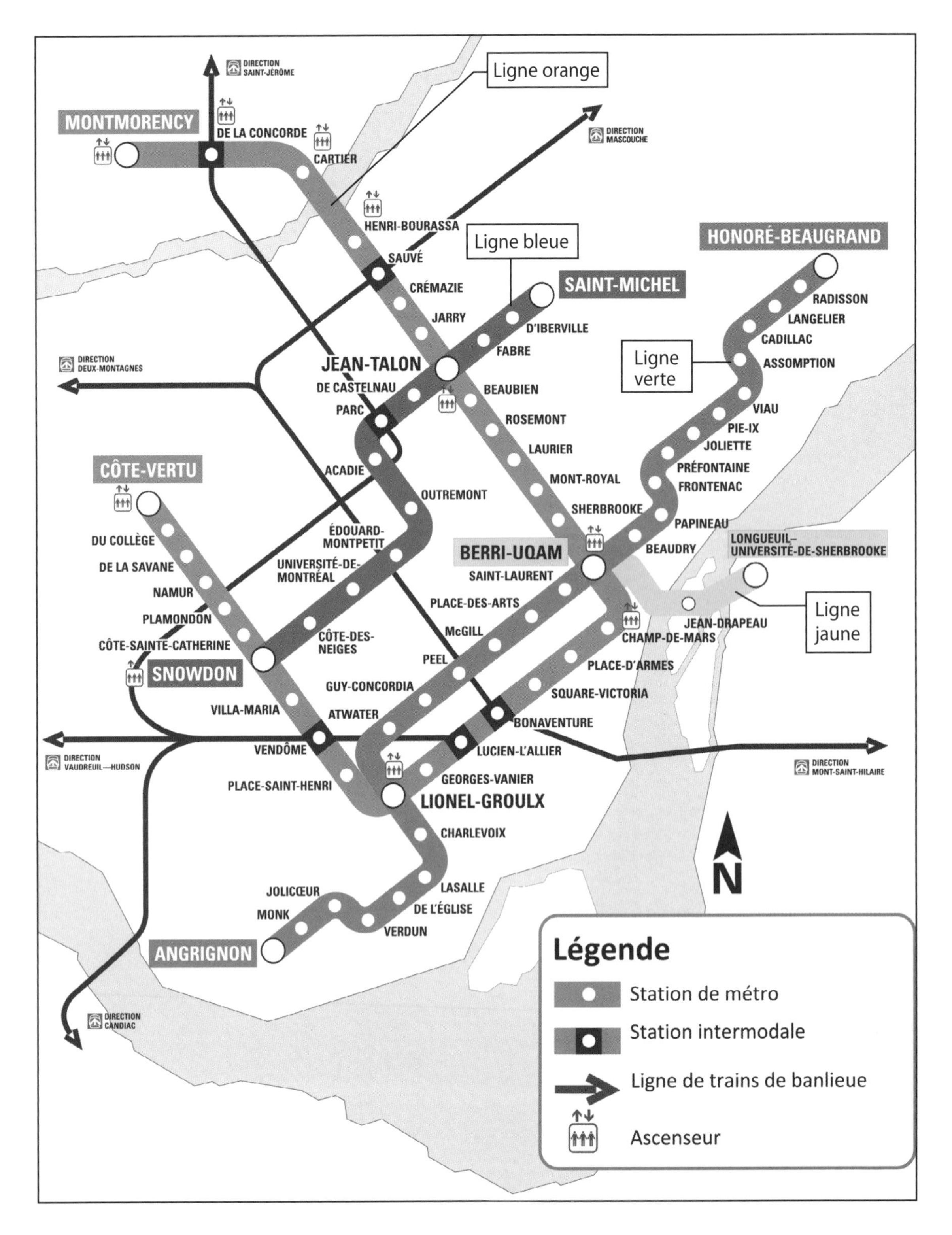


**1** Quelle est la ligne de métro qui t'emmène de « Cartier » à « Vendôme » ?

..............................................................................................................

**2** Comment dois-tu faire pour aller de « Radisson » à « Rosemont » ?

..............................................................................................................

..............................................................................................................

# Chronomath 7

5 min

1. 8 + 9 = ..............
2. 7 + 8 = ..............
3. 9 + 6 = ..............
4. 7 + 9 = ..............
5. 9 + 9 = ..............
6. 8 + 8 = ..............
7. 7 + 7 = ..............
8. 17 + 8 = ..............
9. 18 + 9 = ..............
10. 18 + 19 = ..............
11. 12 × 2 = ..............
12. 15 × 2 = ..............
13. 30 × 2 = ..............
14. 25 × 2 = ..............
15. 60 × 2 = ..............
16. 70 × 2 = ..............
17. 90 × 2 = ..............
18. 100 × 2 = ..............
19. 150 × 2 = ..............
20. 250 × 2 = ..............
21. 22 : 2 = ..............
22. 32 : 2 = ..............
23. 16 : 2 = ..............
24. 30 : 2 = ..............
25. 44 : 2 = ..............
26. 60 : 2 = ..............
27. 70 : 2 = ..............
28. 86 : 2 = ..............
29. 120 : 2 = ..............
30. 90 : 2 = ..............

**Score :** ..........




# Chronomath 7

5 min

1. 8 + 9 = ..............
2. 7 + 8 = ..............
3. 9 + 6 = ..............
4. 7 + 9 = ..............
5. 9 + 9 = ..............
6. 8 + 8 = ..............
7. 7 + 7 = ..............
8. 17 + 8 = ..............
9. 18 + 9 = ..............
10. 18 + 19 = ..............
11. 12 × 2 = ..............
12. 15 × 2 = ..............
13. 30 × 2 = ..............
14. 25 × 2 = ..............
15. 60 × 2 = ..............
16. 70 × 2 = ..............
17. 90 × 2 = ..............
18. 100 × 2 = ..............
19. 150 × 2 = ..............
20. 250 × 2 = ..............
21. 22 : 2 = ..............
22. 32 : 2 = ..............
23. 16 : 2 = ..............
24. 30 : 2 = ..............
25. 44 : 2 = ..............
26. 60 : 2 = ..............
27. 70 : 2 = ..............
28. 86 : 2 = ..............
29. 120 : 2 = ..............
30. 90 : 2 = ..............

**Score :** ..........

# Chronomath 7 : réponses

1. $8 + 9 =$ **17**
2. $7 + 8 =$ **15**
3. $9 + 6 =$ **15**
4. $7 + 9 =$ **16**
5. $9 + 9 =$ **18**
6. $8 + 8 =$ **16**
7. $7 + 7 =$ **14**
8. $17 + 8 =$ **25**
9. $18 + 9 =$ **27**
10. $18 + 19 =$ **37**
11. $12 \times 2 =$ **24**
12. $15 \times 2 =$ **30**
13. $30 \times 2 =$ **60**
14. $25 \times 2 =$ **50**
15. $60 \times 2 =$ **120**
16. $70 \times 2 =$ **140**
17. $90 \times 2 =$ **180**
18. $100 \times 2 =$ **200**
19. $150 \times 2 =$ **300**
20. $250 \times 2 =$ **500**
21. $22 : 2 =$ **11**
22. $32 : 2 =$ **16**
23. $16 : 2 =$ **8**
24. $30 : 2 =$ **15**
25. $44 : 2 =$ **22**
26. $60 : 2 =$ **30**
27. $70 : 2 =$ **35**
28. $86 : 2 =$ **43**
29. $120 : 2 =$ **60**
30. $90 : 2 =$ **45**

# Chronomath 7

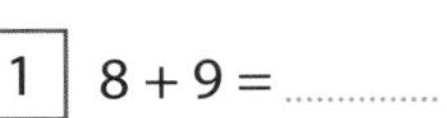

1. 8 + 9 = ..........
2. 7 + 8 = ..........
3. 9 + 6 = ..........
4. 7 + 19 = ..........
5. 19 + 9 = ..........
6. 8 + 18 = ..........
7. 7 + 17 = ..........
8. 17 + 8 = ..........
9. 18 + 9 = ..........
10. 18 + 19 = ..........
11. 15 × 2 = ..........
12. 25 × 2 = ..........
13. 35 × 2 = ..........
14. 45 × 2 = ..........
15. 70 × 2 = ..........
16. 80 × 2 = ..........
17. 90 × 2 = ..........
18. 110 × 2 = ..........
19. 160 × 2 = ..........
20. 350 × 2 = ..........
21. 28 : 2 = ..........
22. 42 : 2 = ..........
23. 46 : 2 = ..........
24. 50 : 2 = ..........
25. 64 : 2 = ..........
26. 70 : 2 = ..........
27. 90 : 2 = ..........
28. 100 : 2 = ..........
29. 130 : 2 = ..........
30. 150 : 2 = ..........

Score : ..........



# Chronomath 7

1. 8 + 9 = ..........
2. 7 + 8 = ..........
3. 9 + 6 = ..........
4. 7 + 19 = ..........
5. 19 + 9 = ..........
6. 8 + 18 = ..........
7. 7 + 17 = ..........
8. 17 + 8 = ..........
9. 18 + 9 = ..........
10. 18 + 19 = ..........
11. 15 × 2 = ..........
12. 25 × 2 = ..........
13. 35 × 2 = ..........
14. 45 × 2 = ..........
15. 70 × 2 = ..........
16. 80 × 2 = ..........
17. 90 × 2 = ..........
18. 110 × 2 = ..........
19. 160 × 2 = ..........
20. 350 × 2 = ..........
21. 28 : 2 = ..........
22. 42 : 2 = ..........
23. 46 : 2 = ..........
24. 50 : 2 = ..........
25. 64 : 2 = ..........
26. 70 : 2 = ..........
27. 90 : 2 = ..........
28. 100 : 2 = ..........
29. 130 : 2 = ..........
30. 150 : 2 = ..........

Score : ..........

# Chronomath 7 : réponses

1. $8 + 9 =$ **17**
2. $7 + 8 =$ **15**
3. $9 + 6 =$ **15**
4. $7 + 19 =$ **26**
5. $19 + 9 =$ **28**
6. $8 + 18 =$ **26**
7. $7 + 17 =$ **24**
8. $17 + 8 =$ **25**
9. $18 + 9 =$ **27**
10. $18 + 19 =$ **37**
11. $15 \times 2 =$ **30**
12. $25 \times 2 =$ **50**
13. $35 \times 2 =$ **70**
14. $45 \times 2 =$ **90**
15. $70 \times 2 =$ **140**
16. $80 \times 2 =$ **160**
17. $90 \times 2 =$ **180**
18. $110 \times 2 =$ **220**
19. $160 \times 2 =$ **320**
20. $350 \times 2 =$ **700**
21. $28 : 2 =$ **14**
22. $42 : 2 =$ **21**
23. $46 : 2 =$ **23**
24. $50 : 2 =$ **25**
25. $64 : 2 =$ **32**
26. $70 : 2 =$ **35**
27. $90 : 2 =$ **45**
28. $100 : 2 =$ **50**
29. $130 : 2 =$ **65**
30. $150 : 2 =$ **75**

# Tangram

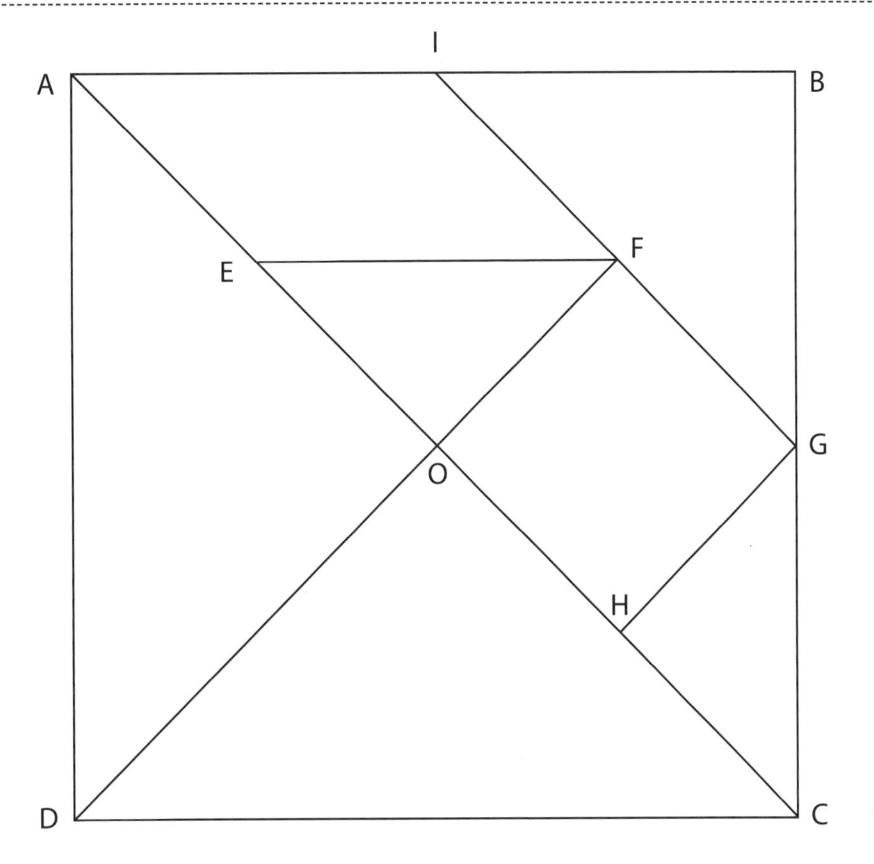


# Tangram

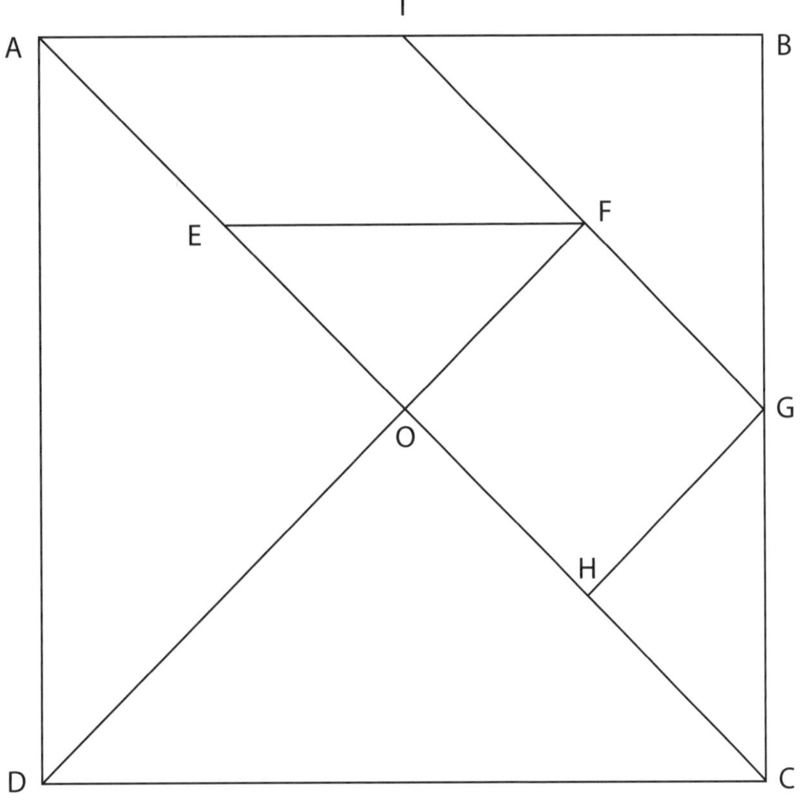

# Gabarit d'angle

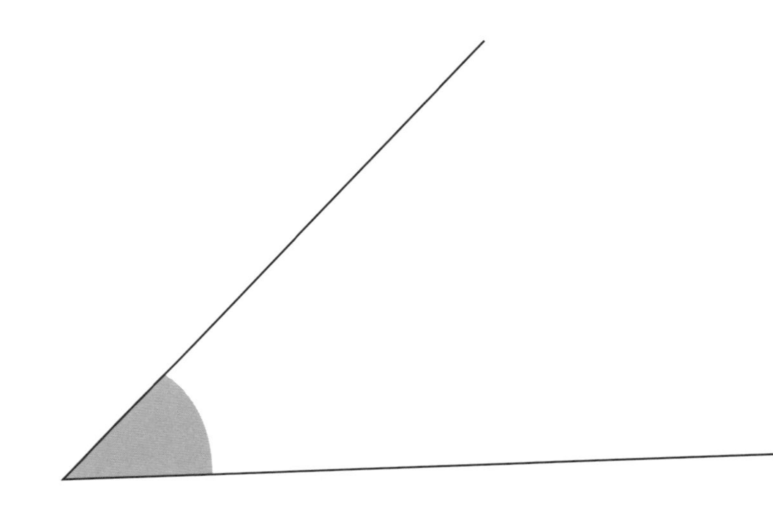

Tableau de comparaison :

| | Plus grand que le gabarit | Plus petit que le gabarit | Égal au gabarit |
|---|---|---|---|
| $\widehat{OAD}$ | | | |
| $\widehat{AEF}$ | | | |
| $\widehat{IFE}$ | | | |
| $\widehat{FOH}$ | | | |
| $\widehat{ODC}$ | | | |

Gabarit d'angle

Tableau de comparaison :

| | Plus grand que le gabarit | Plus petit que le gabarit | Égal au gabarit |
|---|---|---|---|
| $\widehat{OAD}$ | | | |
| $\widehat{AEF}$ | | | |
| $\widehat{IFE}$ | | | |
| $\widehat{FOH}$ | | | |
| $\widehat{ODC}$ | | | |

# DEVOIRS Mesures CM1

## DEVOIRS 1

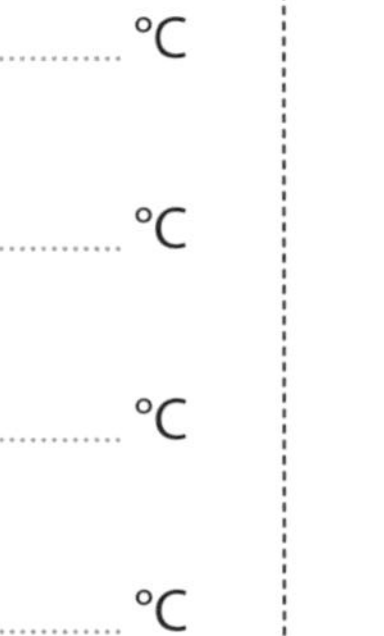

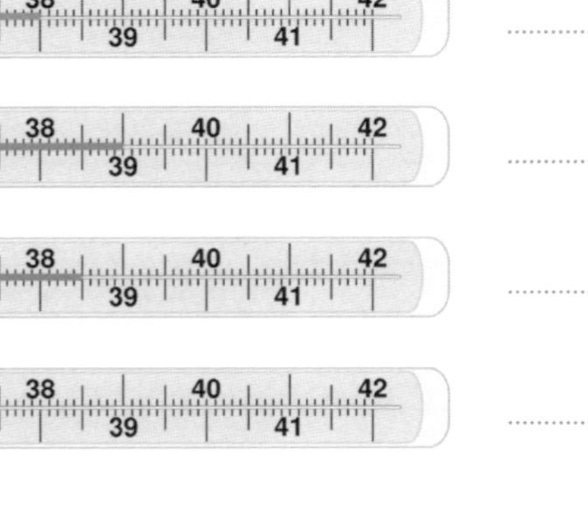

.................. °C

.................. °C

.................. °C

.................. °C

## DEVOIRS 2

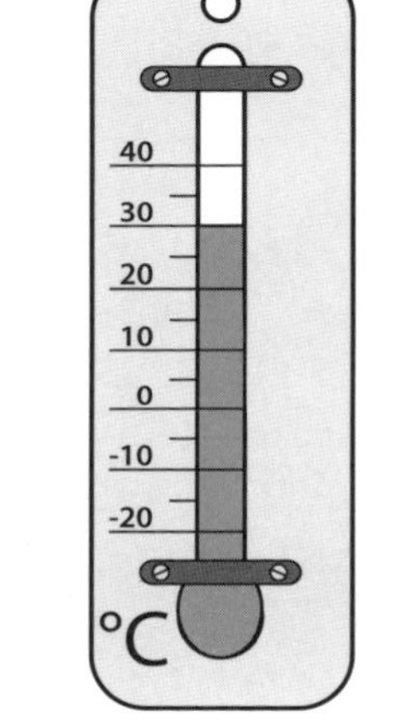
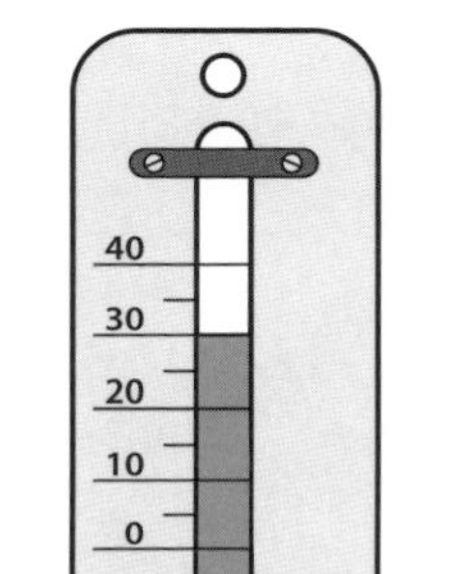
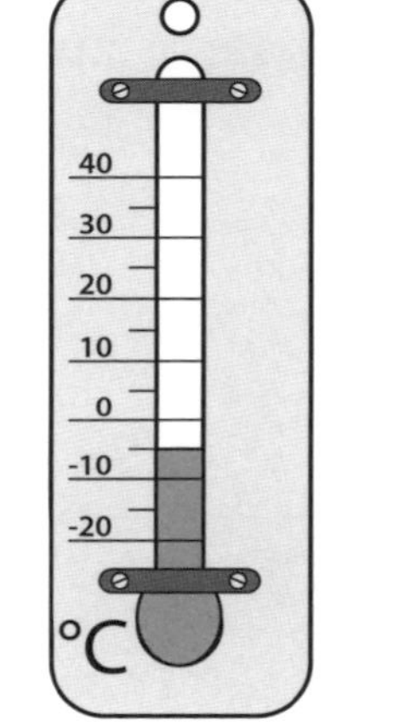
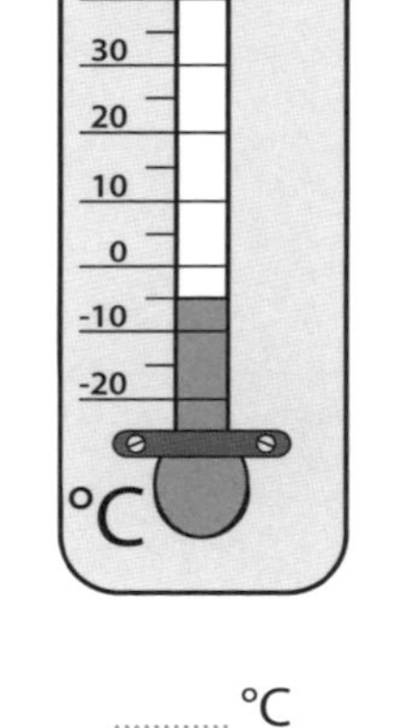
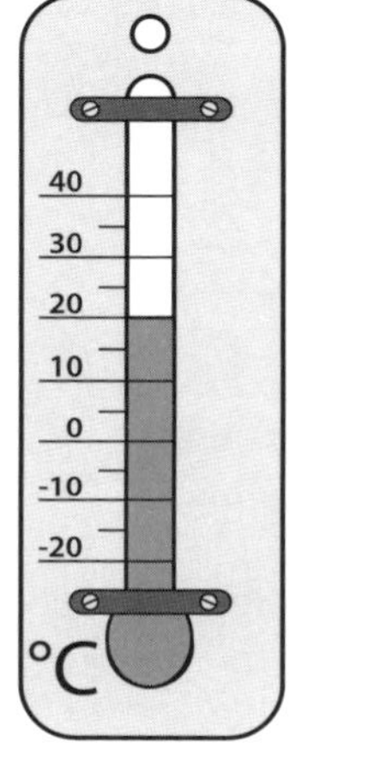
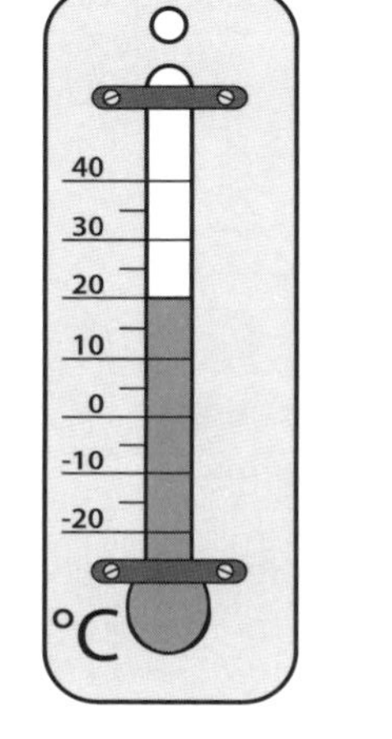

.......... °C

.......... °C

.......... °C



# DEVOIRS Mesures CM2

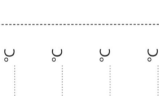

## DEVOIRS 1

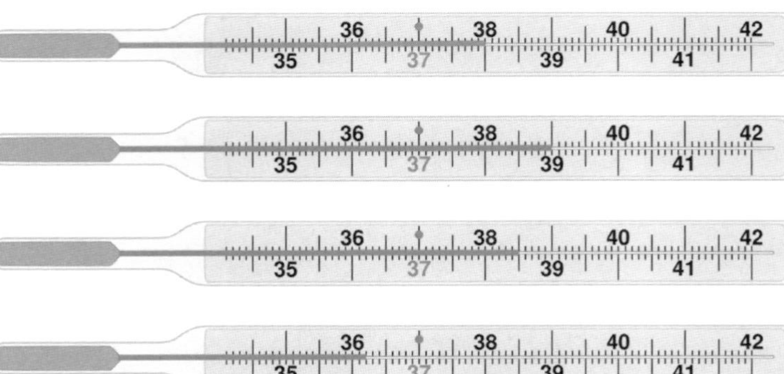
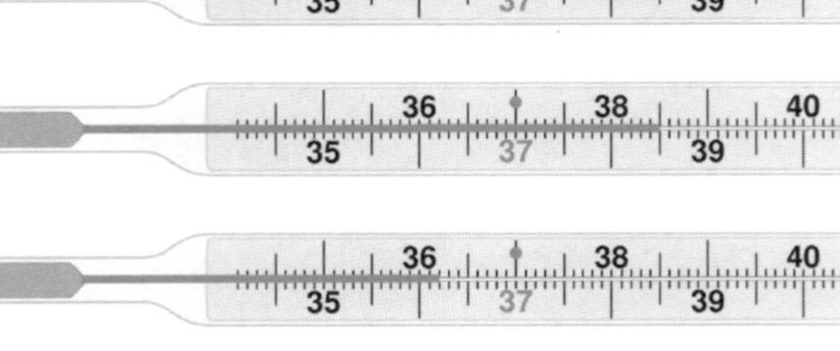

.................. °C

.................. °C

.................. °C

.................. °C

## DEVOIRS 2

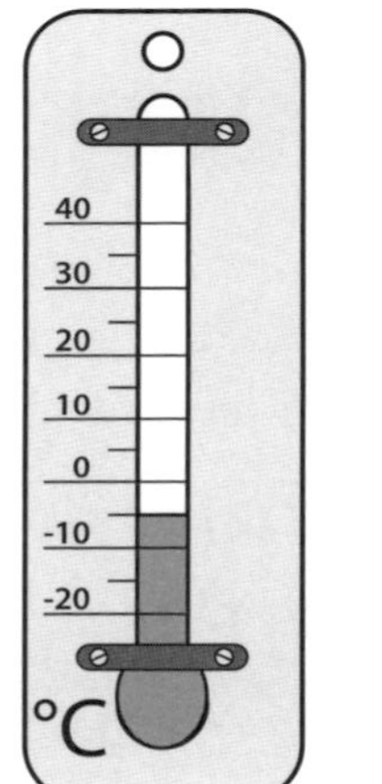
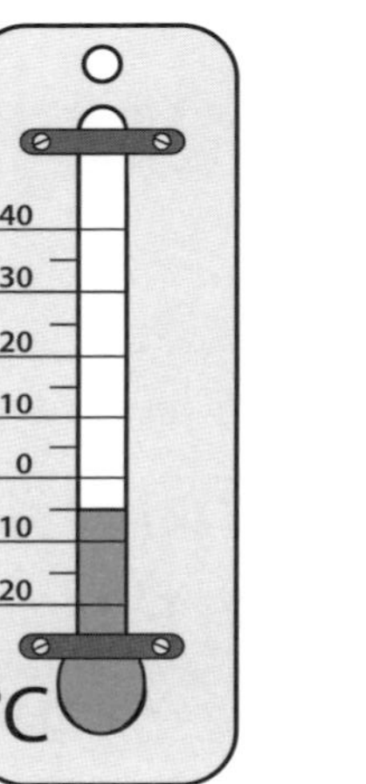

.......... °C

.......... °C

.......... °C

# Exercices multiples CM1

EXERCICE 1

1 **Colorie tous les multiples de 2 parmi les nombres suivants.**

| 1 | 2 | 3 | 4 | 5 | 6 | 7 | 8 | 9 | 10 |
|---|---|---|---|---|---|---|---|---|---|
| 11 | 12 | 13 | 14 | 15 | 16 | 17 | 18 | 19 | 20 |
| 21 | 22 | 23 | 24 | 25 | 26 | 27 | 28 | 29 | 30 |

2 **Regarde tous les multiples que tu as coloriés. Que remarques-tu de particulier ?**

..........

EXERCICE 2

1 **Colorie tous les multiples de 5 parmi les nombres suivants.**

| 3 | 5 | 7 | 10 | 14 | 15 | 19 | 20 | 21 | 24 |
|---|---|---|---|---|---|---|---|---|---|
| 30 | 36 | 38 | 40 | 44 | 48 | 53 | 55 | 58 | 60 |
| 65 | 67 | 68 | 69 | 70 | 75 | 84 | 90 | 100 | 120 |

2 **Regarde tous les multiples que tu as coloriés. Que remarques-tu de particulier ?**

..........





# Exercice multiples CM2

1 Un bucheron a numéroté les arbres de 1 à 100. Il décide d'abattre des arbres. Afin de choisir quels arbres il doit abattre, il entoure le 1, puis il passe au nombre suivant. C'est 2 : il l'entoure et il barre tous les multiples de 2. Il l'a fait jusqu'à 58.

**Finis son travail sur le tableau ci-dessous.**

2 Il passe alors à 3 : il l'entoure et il barre tous les multiples de 3.

**Fais-le sur le tableau.**

3 Il passe au nombre après 3 qui n'est pas encore entouré ou barré : il l'entoure et il barre tous ses multiples, et ainsi de suite jusqu'à ce que tous les nombres soient barrés ou entourés.

**Fais-le sur le tableau.**

**Combien de nombres ont été entourés ?**

|  | (1) | (2) | 3 | ~~4~~ | 5 | ~~6~~ | 7 | ~~8~~ | 9 |
|---|---|---|---|---|---|---|---|---|---|
| ~~10~~ | 11 | ~~12~~ | 13 | ~~14~~ | 15 | ~~16~~ | 17 | ~~18~~ | 19 |
| ~~20~~ | 21 | ~~22~~ | 23 | ~~24~~ | 25 | ~~26~~ | 27 | ~~28~~ | 29 |
| ~~30~~ | 31 | ~~32~~ | 33 | ~~34~~ | 35 | ~~36~~ | 37 | ~~38~~ | 39 |
| ~~40~~ | 41 | ~~42~~ | 43 | ~~44~~ | 45 | ~~46~~ | 47 | ~~48~~ | 49 |
| ~~50~~ | 51 | ~~52~~ | 53 | ~~54~~ | 55 | ~~56~~ | 57 | ~~58~~ | 59 |
| 60 | 61 | 62 | 63 | 64 | 65 | 66 | 67 | 68 | 69 |
| 70 | 71 | 72 | 73 | 74 | 75 | 76 | 77 | 78 | 79 |
| 80 | 81 | 82 | 83 | 84 | 85 | 86 | 87 | 88 | 89 |
| 90 | 91 | 92 | 93 | 94 | 95 | 96 | 97 | 98 | 99 |

# Modèles cubes

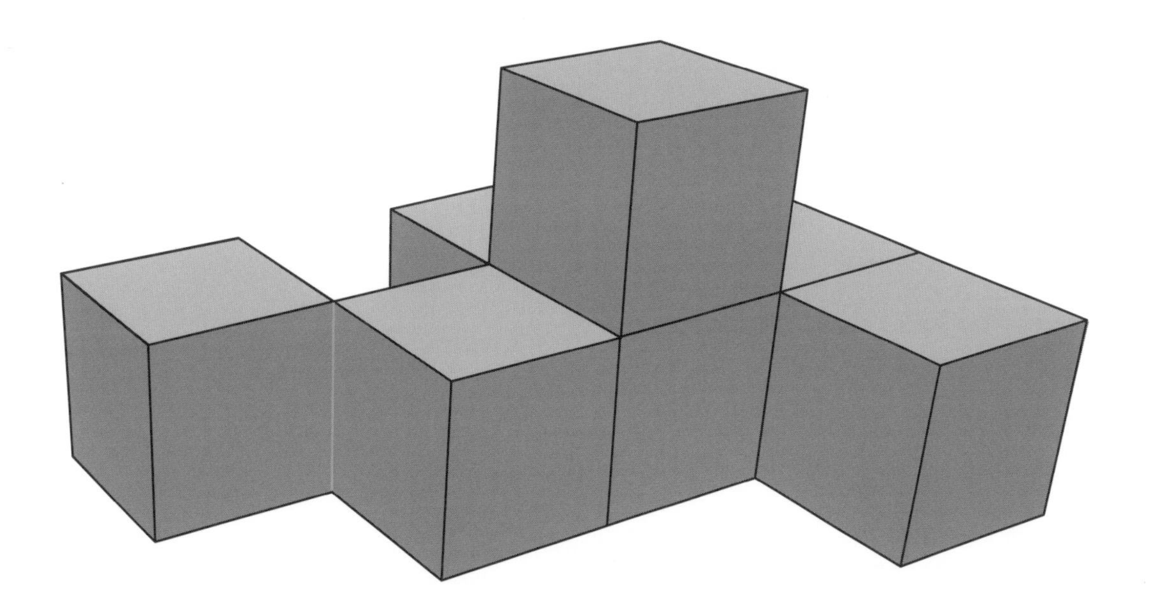

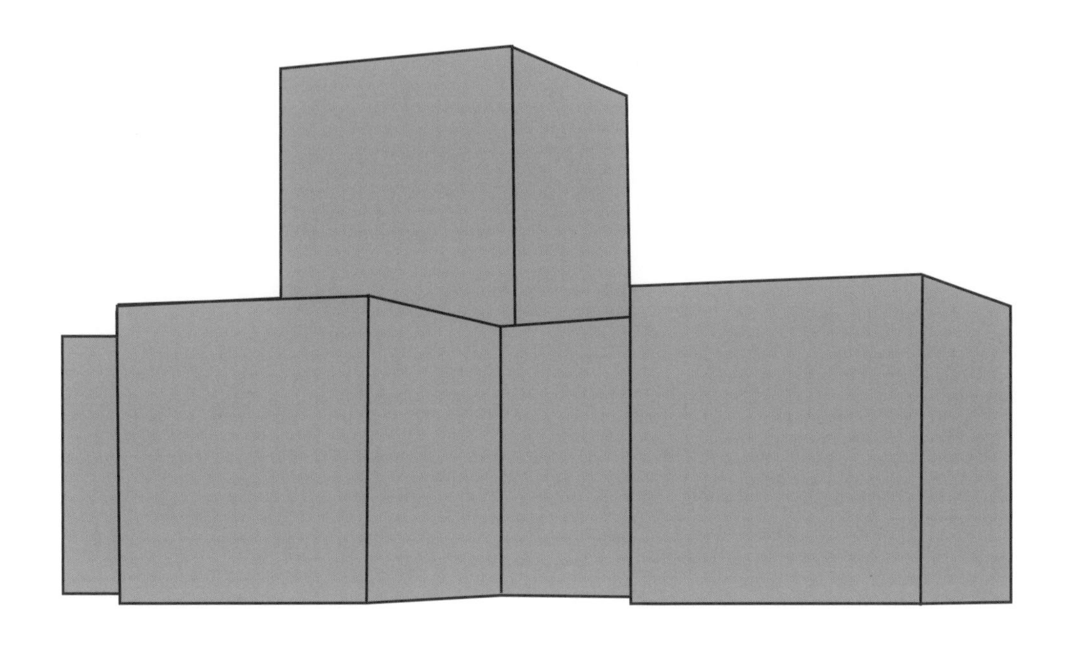

## QCM Calcul mental

**130 143 + 29 679 = ?**

**a)** 426 933

**b)** 42 693

**c)** 159 822

**d)** 169 822

# QCM Calcul mental

**130 143 + 29 679 = ?**

La bonne réponse est :

~~a) 426 933~~

~~b) 42 693~~

**c) 159 822**

~~d) 169 822~~

# QCM Calcul mental

## $3\,783 \times 103 = ?$

**a)** 3 896 499

**b)** 389 649

**c)** 39 876

**d)** 357 987

## QCM Calcul mental

**3 783 × 103 = ?**

La bonne réponse est :

~~a) 3 896 499~~

**b) 389 649**

~~c) 39 876~~

~~d) 357 987~~

# QCM Calcul mental

## $138 \times 52 = ?$

**a)** 13 952

**b)** 5 296

**c)** 136 975

**d)** 7 176

# QCM Calcul mental

## $138 \times 52 = ?$

La bonne réponse est :

~~a) 13 952~~

~~b) 5 296~~

~~c) 136 975~~

**d) 7 176**

# Programmes de construction

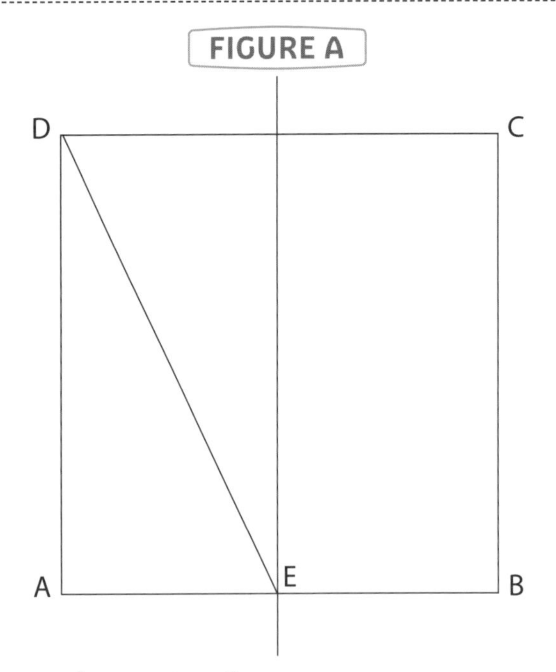


**Aide pour écrire le programme de construction :**
– expliquer comment tracer le carré.
– expliquer comment placer le point E (c'est le milieu de [AB]).
– expliquer qu'il faut tracer la perpendiculaire qui passe par E et le segment [ED].
*Tu peux mesurer sur la figure, utiliser ton équerre et ton compas.*

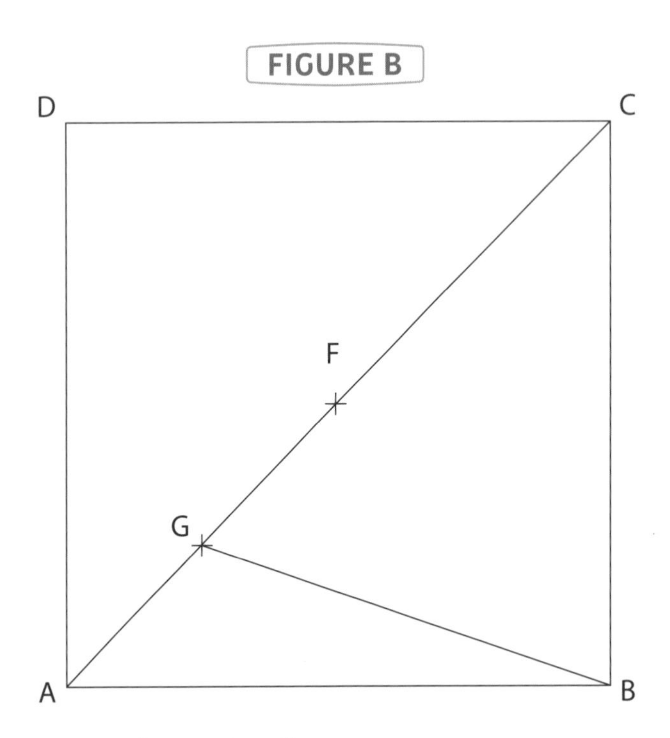


**Aide pour écrire le programme de construction :**
– expliquer comment tracer le carré.
– expliquer comment placer le point F (c'est le milieu de [AC]) et comment placer le point G (c'est le milieu de [AF]).
– expliquer comment tracer le segment qui reste.
*Tu peux mesurer sur la figure, utiliser ton équerre et ton compas.*

# DEVOIRS Cible

## DEVOIR 1

1
5
15
25

Trouve deux façons de faire 75.

## DEVOIR 3

1
5
15
25

Trouve deux façons de faire 45 avec 3 marques à chaque fois.

## DEVOIR 2

1
5
15
25

Trouve deux façons de faire 100.

## DEVOIR 4

1
5
15
25

Trouve deux façons de faire 60 avec 4 marques à chaque fois.

# DEVOIRS Cible

## DEVOIR 1

Écris le nombre désigné par la cible sous la forme d'une fraction décimale et d'un nombre décimal.

..........................................................

## DEVOIR 2

Écris le nombre désigné par la cible sous la forme d'une fraction décimale et d'un nombre décimal.

..........................................................

## DEVOIR 3

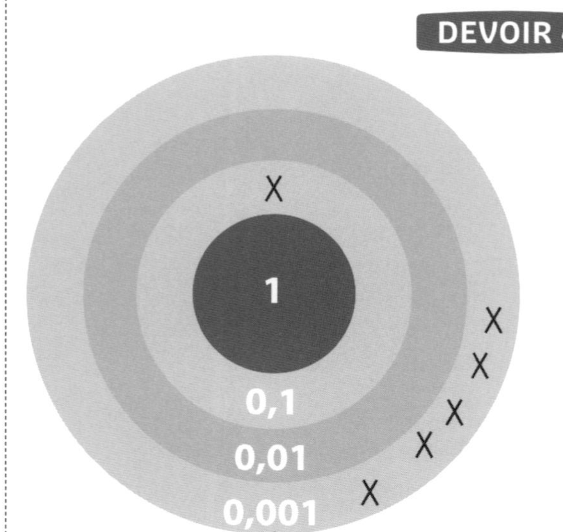


Écris le nombre désigné par la cible sous la forme d'une fraction décimale et d'un nombre décimal.

..........................................................

## DEVOIR 4

Écris le nombre désigné par la cible sous la forme d'une fraction décimale et d'un nombre décimal.

..........................................................

# Tangram

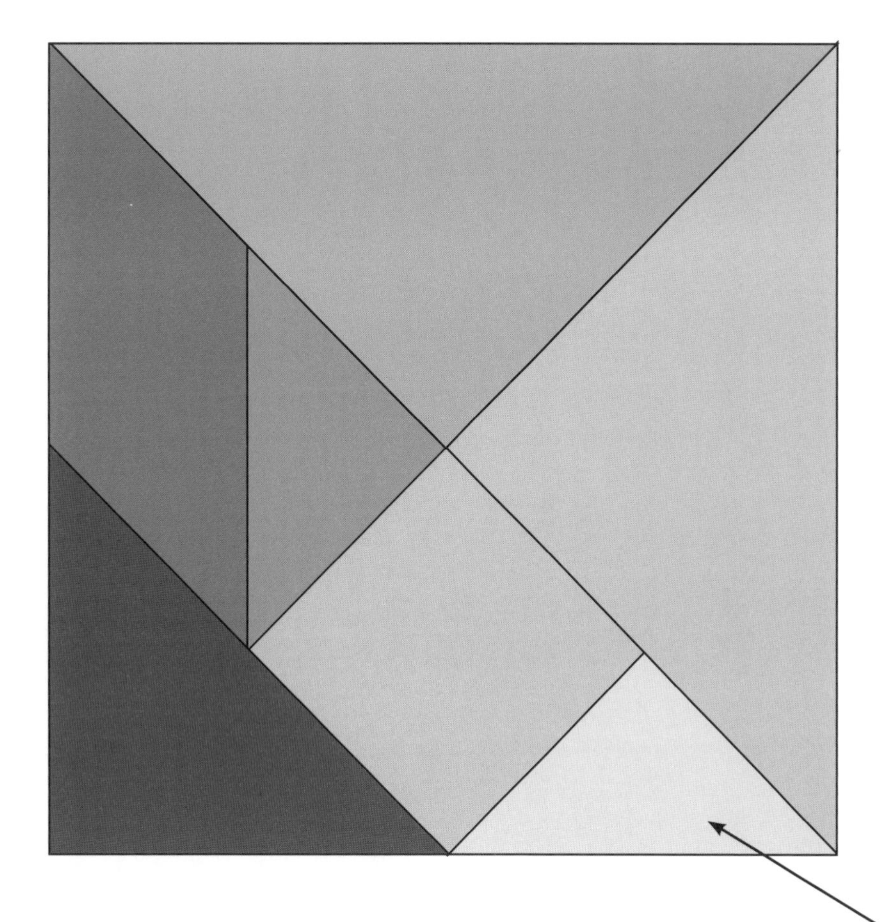

**1** **Dans chaque figure du tangram, cherche et écris combien de fois le petit triangle apparait.**

**2** **Combien faut-il de ce triangle pour recouvrir tout le tangram ?** ..............

**Complète :** Donc le tangram peut être séparé en .............. triangles égaux.

**3** **Associe une fraction à chaque partie du tangram, puis complète le tableau.**

| | |
|---|---|
| **Petit triangle** | $\frac{1}{\ldots}$ |
| **Carré** | $\frac{1}{\ldots}$ |
| **Grand triangle** | $\frac{1}{\ldots}$ |

# Chronomath 8

5 min

| | | |
|---|---|---|
| 1 $2 \times 2 =$ ........ | 11 $21 : 7 =$ ........ | 21 $1 + \frac{1}{10} =$ ........ |
| 2 $3 \times 3 =$ ........ | 12 $36 : 4 =$ ........ | 22 $1 + \frac{5}{10} =$ ........ |
| 3 $4 \times 4 =$ ........ | 13 $14 : 2 =$ ........ | 23 $1 + \frac{9}{10} =$ ........ |
| 4 $5 \times 5 =$ ........ | 14 $35 : 5 =$ ........ | 24 $2 + \frac{7}{10} =$ ........ |
| 5 $6 \times 6 =$ ........ | 15 $24 : 8 =$ ........ | 25 $3 + \frac{5}{10} =$ ........ |
| 6 $7 \times 6 =$ ........ | 16 $17 + 19 =$ ........ | 26 $5 + \frac{6}{10} =$ ........ |
| 7 $8 \times 6 =$ ........ | 17 $18 + 19 =$ ........ | 27 $7 + \frac{2}{10} =$ ........ |
| 8 $9 \times 5 =$ ........ | 18 $27 + 16 =$ ........ | 28 $15 + \frac{5}{10} =$ ........ |
| 9 $6 \times 9 =$ ........ | 19 $28 + 25 =$ ........ | 29 $1 + 0{,}6 =$ ........ |
| 10 $9 \times 9 =$ ........ | 20 $34 + 17 =$ ........ | 30 $2 + 0{,}8 =$ ........ |

**Score :** ........

# Chronomath 8

5 min

| | | |
|---|---|---|
| 1 $2 \times 2 =$ ........ | 11 $21 : 7 =$ ........ | 21 $1 + \frac{1}{10} =$ ........ |
| 2 $3 \times 3 =$ ........ | 12 $36 : 4 =$ ........ | 22 $1 + \frac{5}{10} =$ ........ |
| 3 $4 \times 4 =$ ........ | 13 $14 : 2 =$ ........ | 23 $1 + \frac{9}{10} =$ ........ |
| 4 $5 \times 5 =$ ........ | 14 $35 : 5 =$ ........ | 24 $2 + \frac{7}{10} =$ ........ |
| 5 $6 \times 6 =$ ........ | 15 $24 : 8 =$ ........ | 25 $3 + \frac{5}{10} =$ ........ |
| 6 $7 \times 6 =$ ........ | 16 $17 + 19 =$ ........ | 26 $5 + \frac{6}{10} =$ ........ |
| 7 $8 \times 6 =$ ........ | 17 $18 + 19 =$ ........ | 27 $7 + \frac{2}{10} =$ ........ |
| 8 $9 \times 5 =$ ........ | 18 $27 + 16 =$ ........ | 28 $15 + \frac{5}{10} =$ ........ |
| 9 $6 \times 9 =$ ........ | 19 $28 + 25 =$ ........ | 29 $1 + 0{,}6 =$ ........ |
| 10 $9 \times 9 =$ ........ | 20 $34 + 17 =$ ........ | 30 $2 + 0{,}8 =$ ........ |

**Score :** ........

# Chronomath 8 : réponses

1. $2 \times 2 = \mathbf{4}$
2. $3 \times 3 = \mathbf{9}$
3. $4 \times 4 = \mathbf{16}$
4. $5 \times 5 = \mathbf{25}$
5. $6 \times 6 = \mathbf{36}$
6. $7 \times 6 = \mathbf{42}$
7. $8 \times 6 = \mathbf{48}$
8. $9 \times 5 = \mathbf{45}$
9. $6 \times 9 = \mathbf{54}$
10. $9 \times 9 = \mathbf{81}$
11. $21 : 7 = \mathbf{3}$
12. $36 : 4 = \mathbf{9}$
13. $14 : 2 = \mathbf{7}$
14. $35 : 5 = \mathbf{7}$
15. $24 : 8 = \mathbf{3}$
16. $17 + 19 = \mathbf{36}$
17. $18 + 19 = \mathbf{37}$
18. $27 + 16 = \mathbf{43}$
19. $28 + 25 = \mathbf{53}$
20. $34 + 17 = \mathbf{51}$
21. $1 + \frac{1}{10} = \mathbf{1{,}1}$
22. $1 + \frac{5}{10} = \mathbf{1{,}5}$
23. $1 + \frac{9}{10} = \mathbf{1{,}9}$
24. $2 + \frac{7}{10} = \mathbf{2{,}7}$
25. $3 + \frac{5}{10} = \mathbf{3{,}5}$
26. $5 + \frac{6}{10} = \mathbf{5{,}6}$
27. $7 + \frac{2}{10} = \mathbf{7{,}2}$
28. $15 + \frac{5}{10} = \mathbf{15{,}5}$
29. $1 + 0{,}6 = \mathbf{1{,}6}$
30. $2 + 0{,}8 = \mathbf{2{,}8}$

# Chronomath 8

1. $7 \times 9 =$ ..........
2. $6 \times 7 =$ ..........
3. $7 \times 7 =$ ..........
4. $3 \times 2 \times 2 =$ ..........
5. $2 \times 5 \times 9 =$ ..........
6. $2 \times 6 \times 3 =$ ..........
7. $8 \times 2 \times 5 =$ ..........
8. $3 \times 3 \times 3 =$ ..........
9. $2 \times 9 \times 2 =$ ..........
10. $5 \times 5 \times 2 =$ ..........
11. $28 : 7 =$ ..........
12. $32 : 8 =$ ..........
13. $54 : 6 =$ ..........
14. $45 : 5 =$ ..........
15. $24 : 8 =$ ..........
16. $17 + 19 =$ ..........
17. $18 + 19 =$ ..........
18. $27 + 16 =$ ..........
19. $28 + 25 =$ ..........
20. $34 + 17 =$ ..........
21. $1 + 0{,}5 =$ ..........
22. $2 + 0{,}28 =$ ..........
23. $5 + 0{,}15 =$ ..........
24. $2{,}4 + 3{,}1 =$ ..........
25. $5{,}5 + 3{,}2 =$ ..........
26. $2{,}1 + 3{,}8 =$ ..........
27. $1{,}1 + 3{,}18 =$ ..........
28. $1{,}75 + 4{,}1 =$ ..........
29. $1{,}05 + 3{,}5 =$ ..........
30. $1{,}25 + 3{,}75 =$ ..........

**Score :** ..........



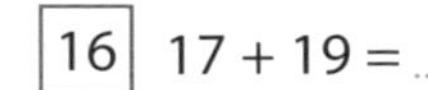


# Chronomath 8

1. $7 \times 9 =$ ..........
2. $6 \times 7 =$ ..........
3. $7 \times 7 =$ ..........
4. $3 \times 2 \times 2 =$ ..........
5. $2 \times 5 \times 9 =$ ..........
6. $2 \times 6 \times 3 =$ ..........
7. $8 \times 2 \times 5 =$ ..........
8. $3 \times 3 \times 3 =$ ..........
9. $2 \times 9 \times 2 =$ ..........
10. $5 \times 5 \times 2 =$ ..........
11. $28 : 7 =$ ..........
12. $32 : 8 =$ ..........
13. $54 : 6 =$ ..........
14. $45 : 5 =$ ..........
15. $24 : 8 =$ ..........
16. $17 + 19 =$ ..........
17. $18 + 19 =$ ..........
18. $27 + 16 =$ ..........
19. $28 + 25 =$ ..........
20. $34 + 17 =$ ..........
21. $1 + 0{,}5 =$ ..........
22. $2 + 0{,}28 =$ ..........
23. $5 + 0{,}15 =$ ..........
24. $2{,}4 + 3{,}1 =$ ..........
25. $5{,}5 + 3{,}2 =$ ..........
26. $2{,}1 + 3{,}8 =$ ..........
27. $1{,}1 + 3{,}18 =$ ..........
28. $1{,}75 + 4{,}1 =$ ..........
29. $1{,}05 + 3{,}5 =$ ..........
30. $1{,}25 + 3{,}75 =$ ..........

**Score :** ..........

# Chronomath 8 : réponses

1. $7 \times 9 =$ **63**
2. $6 \times 7 =$ **42**
3. $7 \times 7 =$ **49**
4. $3 \times 2 \times 2 =$ **12**
5. $2 \times 5 \times 9 =$ **90**
6. $2 \times 6 \times 3 =$ **36**
7. $8 \times 2 \times 5 =$ **80**
8. $3 \times 3 \times 3 =$ **27**
9. $2 \times 9 \times 2 =$ **36**
10. $5 \times 5 \times 2 =$ **50**
11. $28 : 7 =$ **4**
12. $32 : 8 =$ **4**
13. $54 : 6 =$ **9**
14. $45 : 5 =$ **9**
15. $24 : 8 =$ **7**
16. $17 + 19 =$ **36**
17. $18 + 19 =$ **37**
18. $27 + 16 =$ **43**
19. $28 + 25 =$ **53**
20. $34 + 17 =$ **51**
21. $1 + 0{,}5 =$ **1,5**
22. $2 + 0{,}28 =$ **2,28**
23. $5 + 0{,}15 =$ **5,15**
24. $2{,}4 + 3{,}1 =$ **5,5**
25. $5{,}5 + 3{,}2 =$ **8,7**
26. $2{,}1 + 3{,}8 =$ **5,9**
27. $1{,}1 + 3{,}18 =$ **4,28**
28. $1{,}75 + 4{,}1 =$ **5,85**
29. $1{,}05 + 3{,}5 =$ **4,55**
30. $1{,}25 + 3{,}75 =$ **5**

## DEVOIRS 1 Tables de multiplication

**Révise tes tables pendant 5 minutes, puis tu as 5 minutes pour faire le plus de calculs possible.**

| | | |
|---|---|---|
| $2 \times 9 =$ ........ | $3 \times 9 =$ ........ | $5 \times$ .... $= 35$ |
| $9 \times 3 =$ ........ | $9 \times 5 =$ ........ | $6 \times$ .... $= 36$ |
| $2 \times 5 =$ ........ | $2 \times 8 =$ ........ | $7 \times$ .... $= 42$ |
| $4 \times 3 =$ ........ | $4 \times 4 =$ ........ | $7 \times$ .... $= 28$ |
| $1 \times 7 =$ ........ | $2 \times 7 =$ ........ | $6 \times$ .... $= 30$ |
| $8 \times 5 =$ ........ | $8 \times 8 =$ ........ | .... $\times$ .... $= 25$ |
| $4 \times 5 =$ ........ | $3 \times 5 =$ ........ | .... $\times$ .... $= 64$ |



## DEVOIRS 2 Nombres décimaux

**Souviens-toi :**

$$\frac{21}{10} = 2 + \frac{1}{10} = 2,1$$

**Complète.**

$\frac{25}{10} =$ ........................................

$\frac{13}{10} =$ ........................................

$\frac{18}{10} =$ ........................................

$1 + \frac{4}{10} =$ ........................................

$2 + \frac{9}{10} =$ ........................................

$3 + \frac{1}{10} =$ ........................................

## DEVOIRS 1 Tables de multiplication

**Révise tes tables pendant 5 minutes, puis tu as 5 minutes pour faire le plus de calculs possible.**

| | | |
|---|---|---|
| $3 \times 9 =$ ........ | $8 \times$ .... $= 16$ | $30 : 6 =$ .... |
| $9 \times 5 =$ ........ | $5 \times$ .... $= 35$ | $24 : 4 =$ .... |
| $2 \times 8 =$ ........ | $6 \times$ .... $= 36$ | $12 : 6 =$ .... |
| $4 \times 4 =$ ........ | .... $\times$ .... $= 32$ | $27 : 3 =$ .... |
| $2 \times 7 =$ ........ | $7 \times$ .... $= 42$ | $36 : 6 =$ .... |
| $8 \times 8 =$ ........ | $7 \times$ .... $= 28$ | $64 : 8 =$ .... |
| $3 \times 5 =$ ........ | $6 \times$ .... $= 30$ | $25 : 5 =$ .... |



## DEVOIRS 2 Nombres décimaux

**Écris sous la forme d'un nombre décimal.**

$\frac{25}{10} =$ ............

$\frac{130}{100} =$ ............

$\frac{180}{100} =$ ............

$1 + \frac{4}{100} =$ ............

$2 + \frac{19}{100} =$ ............

$3 + \frac{1}{10} + \frac{5}{100} =$ ............

# Solides à fabriquer

• Le cube

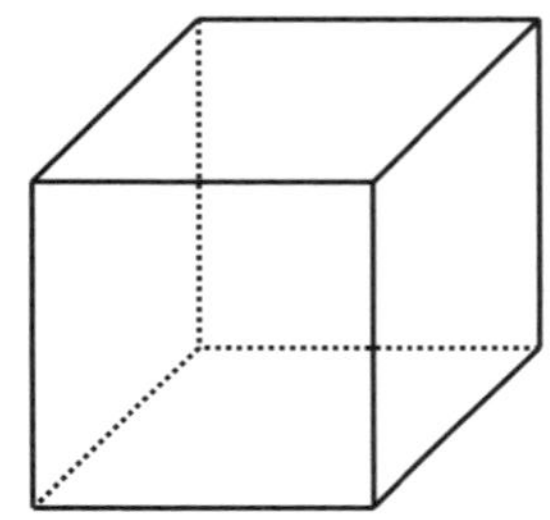

• Le pavé

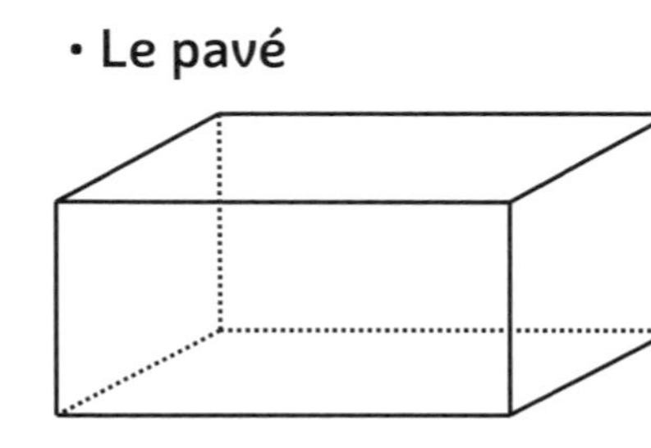

• Le tétraèdre

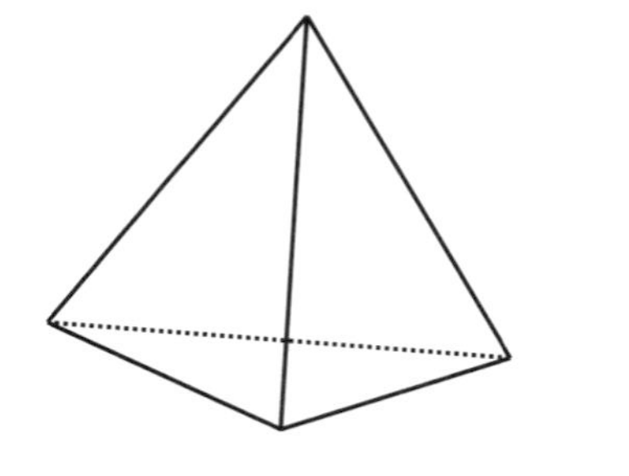

# Solides à fabriquer

• Le cube

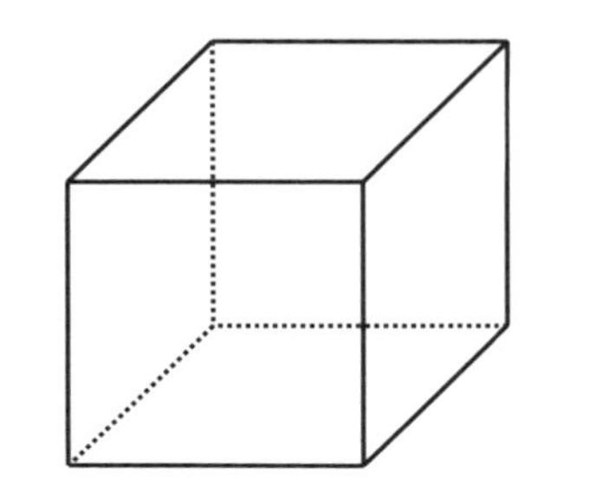

• Le pavé

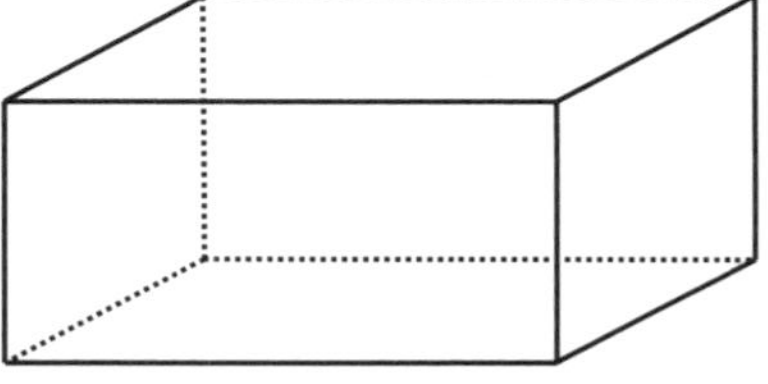

• Le tétraèdre

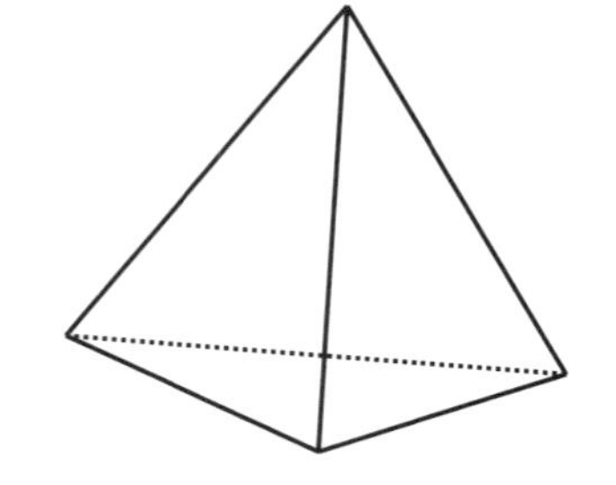

# Solides à fabriquer

• Le cube

• Le pavé

• La pyramide

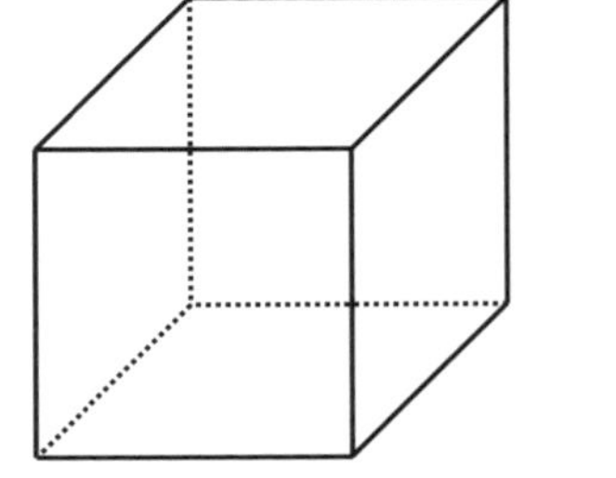

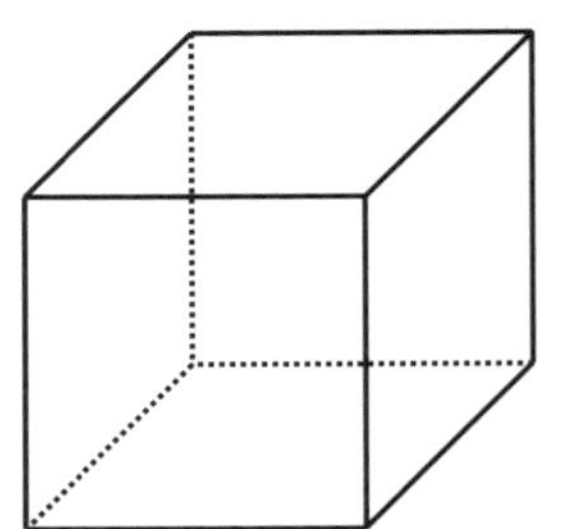



# Solides à fabriquer

• Le cube

• Le pavé

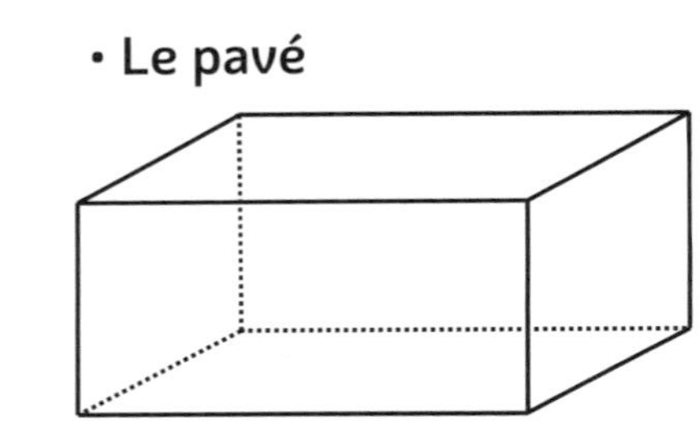

• La pyramide

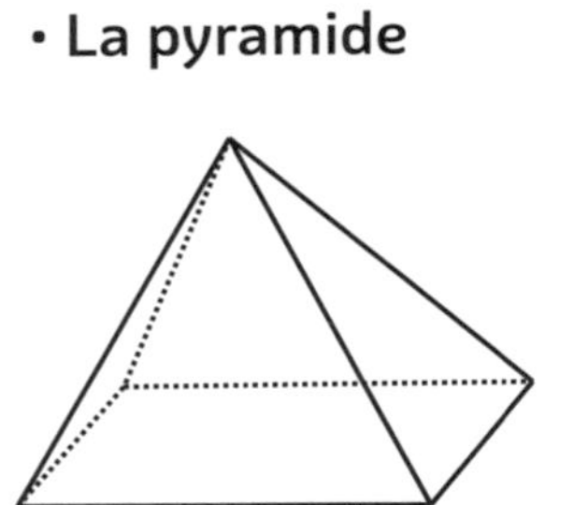

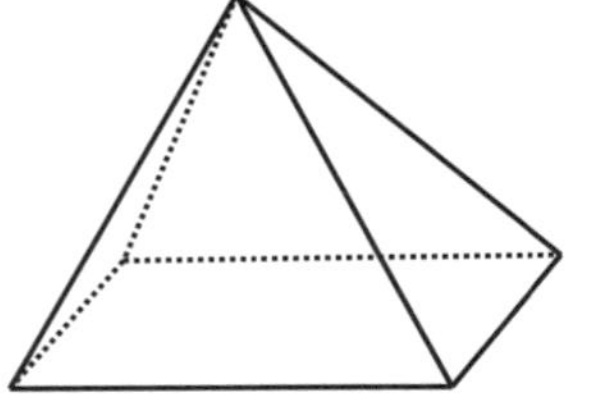

# Solides : cartes d'identité

**Carte d'identité de** ..................................

Nombre de sommets : ..............

Nombre d'arêtes : ..............

Nombre de faces : ..............

Les faces sont des : ..........................................

**Illustration :**

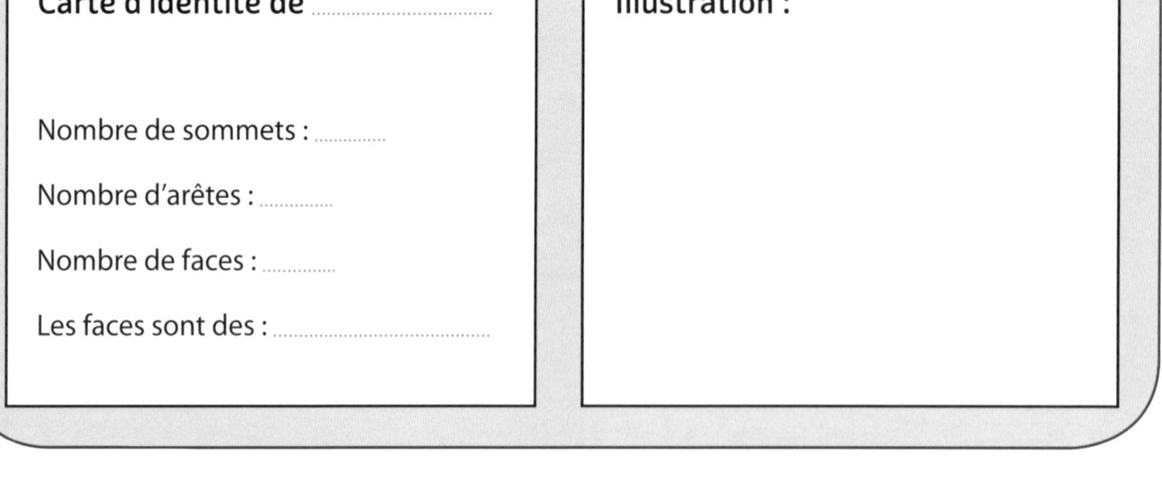

**Carte d'identité de** ..................................

Nombre de sommets : ..............

Nombre d'arêtes : ..............

Nombre de faces : ..............

Les faces sont des : ..........................................

**Illustration :**

**Carte d'identité de** ..................................

Nombre de sommets : ..............

Nombre d'arêtes : ..............

Nombre de faces : ..............

Les faces sont des : ..........................................

**Illustration :**

## *Rituel* Le nombre décimal du jour (1) CM1

1 Écris le nombre dans le tableau.

| PARTIE ENTIÈRE | | | | PARTIE DÉCIMALE | |
|---|---|---|---|---|---|
| Mille | Centaine | Dizaine | Unité | Dixième | Centième |
| | | | | | |

2 Donne les différentes écritures du nombre.

.......... , .......... = $\frac{..........}{..........}$

## *Rituel* Le nombre décimal du jour (2) CM2

1 Écris le nombre dans le tableau.

| PARTIE ENTIÈRE | | | | PARTIE DÉCIMALE | | |
|---|---|---|---|---|---|---|
| Mille | Centaine | Dizaine | Unité | Dixième | Centième | Millième |
| | | | | | | |

2 Donne les différentes écritures du nombre.

.......... , .......... = $\frac{..........}{..........}$

## *Rituel* Le nombre décimal du jour (1) CM1

1 Écris le nombre dans le tableau.

| PARTIE ENTIÈRE | | | | PARTIE DÉCIMALE | |
|---|---|---|---|---|---|
| Mille | Centaine | Dizaine | Unité | Dixième | Centième |
| | | | | | |

2 Donne les différentes écritures du nombre.

.......... , .......... = $\frac{..........}{..........}$

## *Rituel* Le nombre décimal du jour (2) CM2

1 Écris le nombre dans le tableau.

| PARTIE ENTIÈRE | | | | PARTIE DÉCIMALE | | |
|---|---|---|---|---|---|---|
| Mille | Centaine | Dizaine | Unité | Dixième | Centième | Millième |
| | | | | | | |

2 Donne les différentes écritures du nombre.

.......... , .......... = $\frac{..........}{..........}$

# Exercices pourcentages

## EXERCICE 1

1 Colorie 50 carreaux sur les 100 ci-contre, en remplissant ligne par ligne.

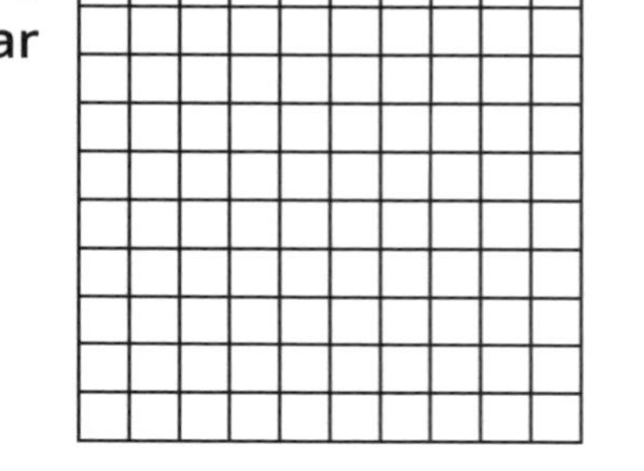

2 À quelle fraction cela correspond-il ?

$$\frac{50}{100} = \frac{\dots}{\dots}$$

3 Complète.

Donc faire 50 % d'un prix, c'est calculer ……………………

## EXERCICE 2

1 Cherche comment faire 25 %.

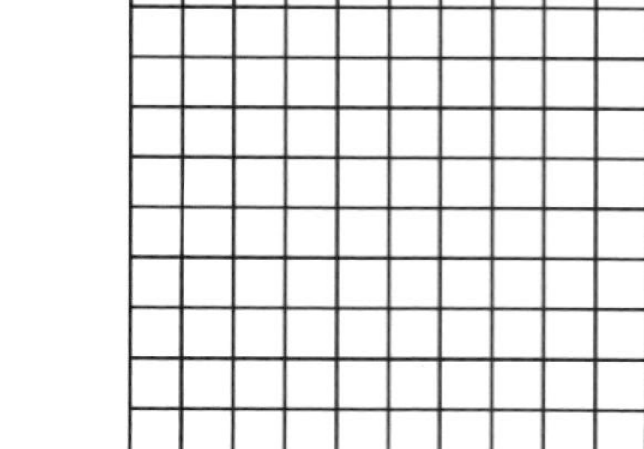

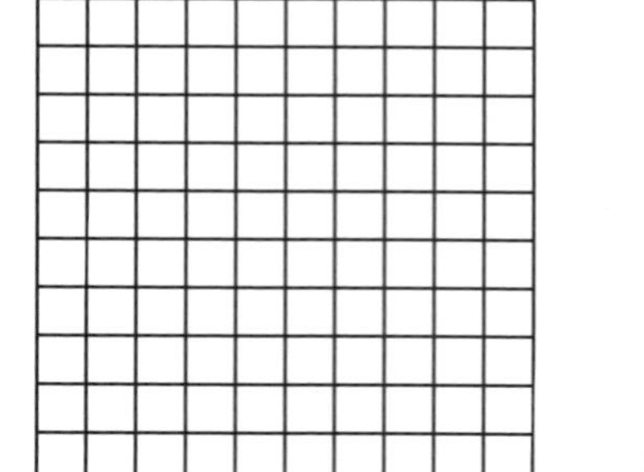

2 À quelle fraction cela correspond-il ?

$$\frac{25}{100} = \frac{\dots}{\dots}$$

3 Complète.

Donc faire 25 % d'un prix, c'est calculer ……………………

Exercices pourcentages

EXERCICE 1

1 Colorie 50 carreaux sur les 100 ci-contre, en remplissant ligne par ligne.

2 À quelle fraction cela correspond-il ?

$$\frac{50}{100} = \frac{\dots}{\dots}$$

3 Complète.

Donc faire 50 % d'un prix, c'est calculer ……………………

EXERCICE 2

1 Cherche comment faire 25 %.

2 À quelle fraction cela correspond-il ?

$$\frac{25}{100} = \frac{\dots}{\dots}$$

3 Complète.

Donc faire 25 % d'un prix, c'est calculer ……………………

# *Rituel* Angles

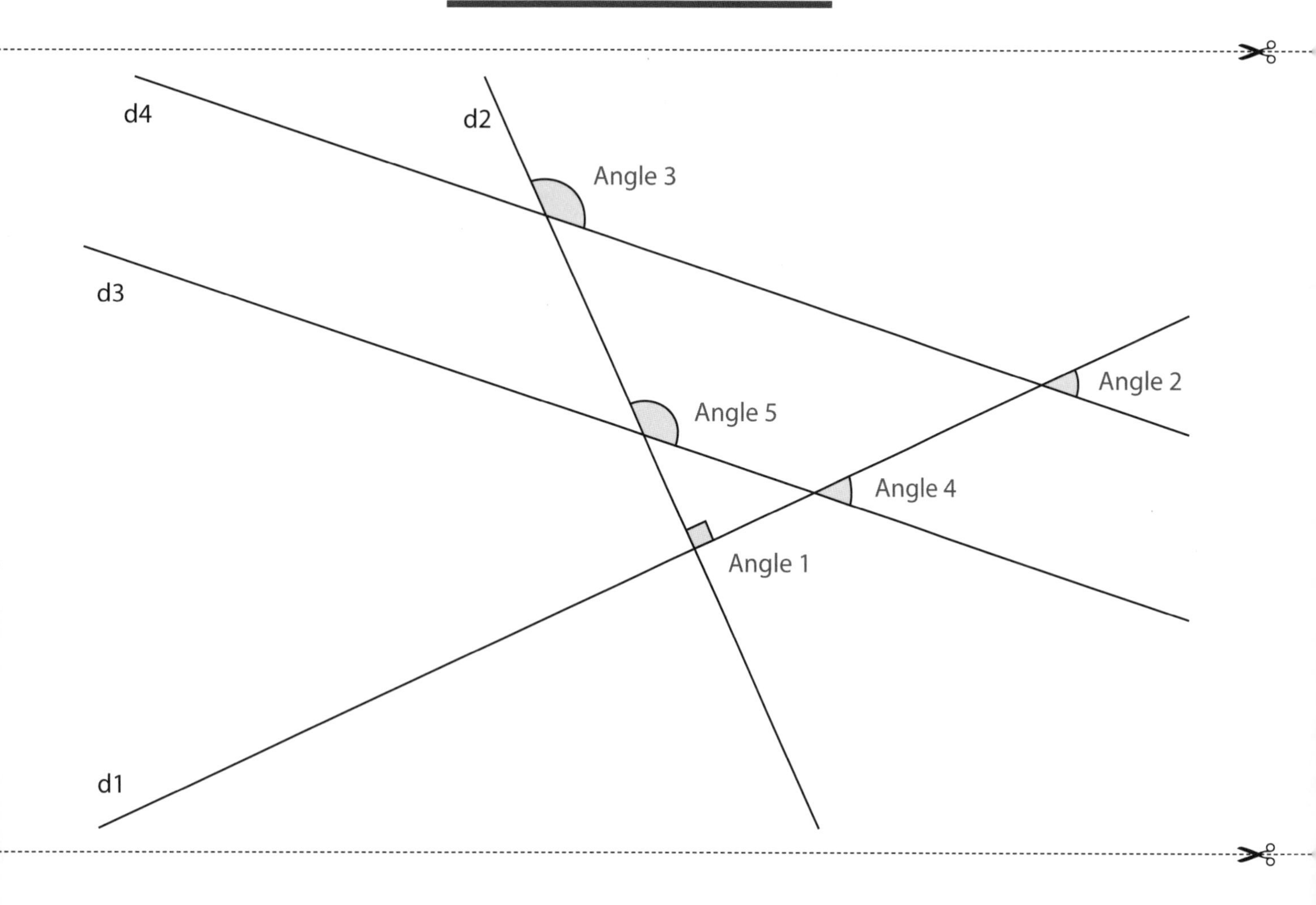


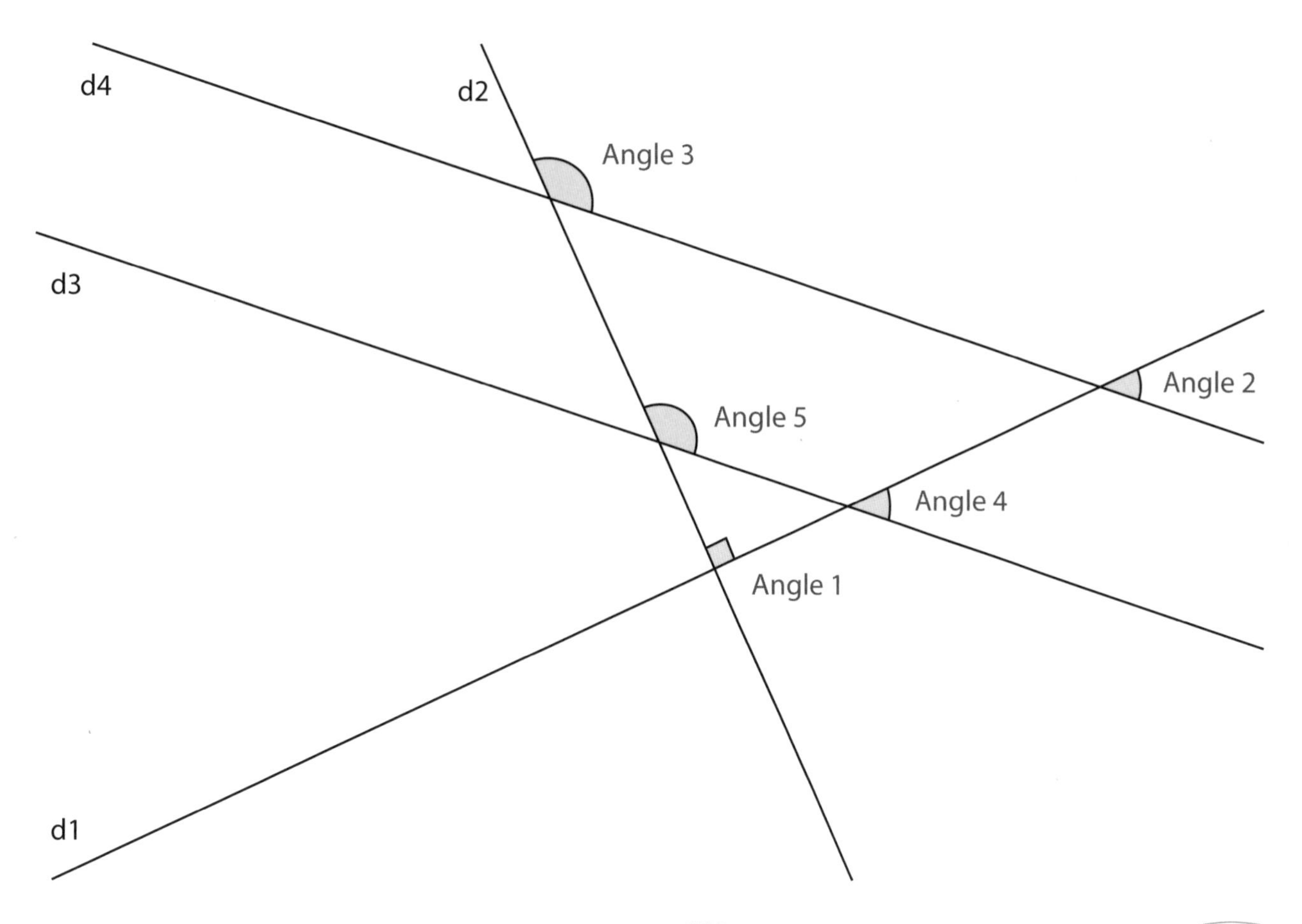

# *Rituel* Angles

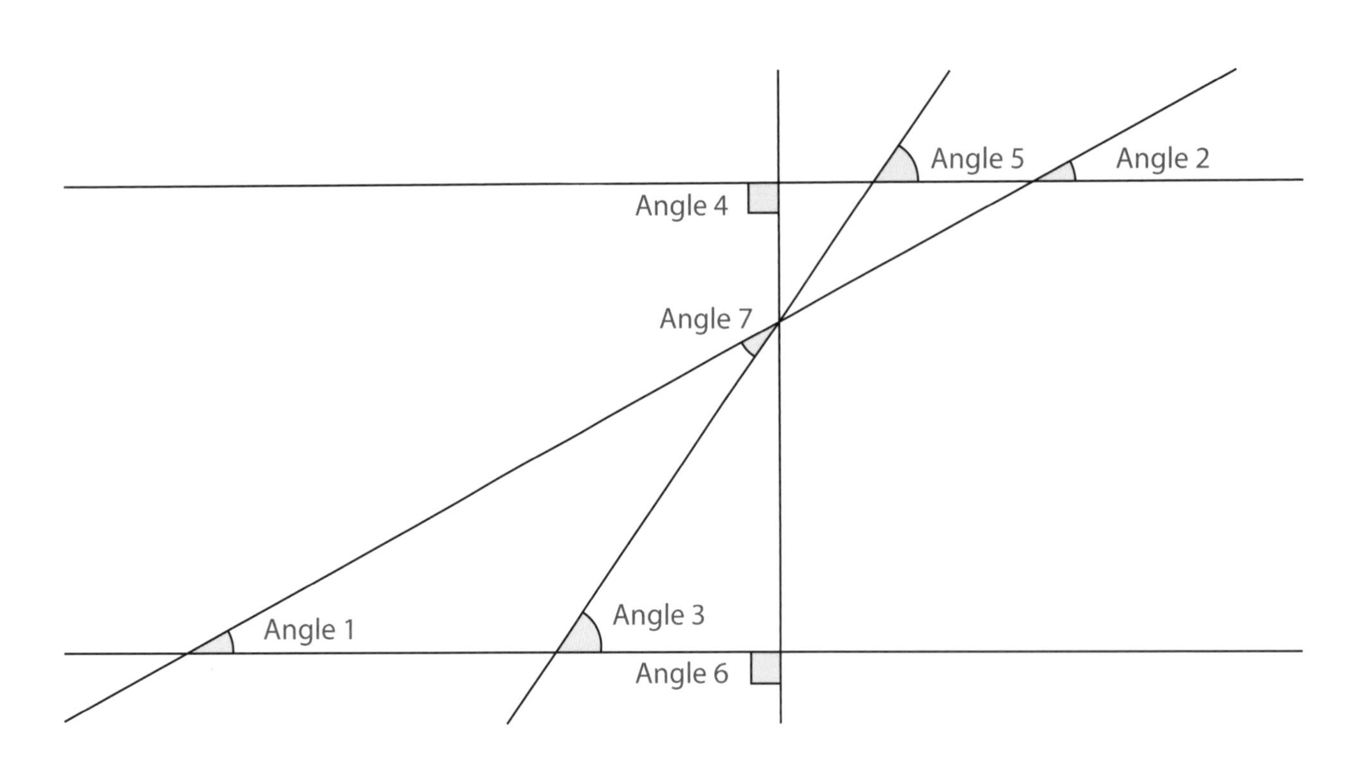


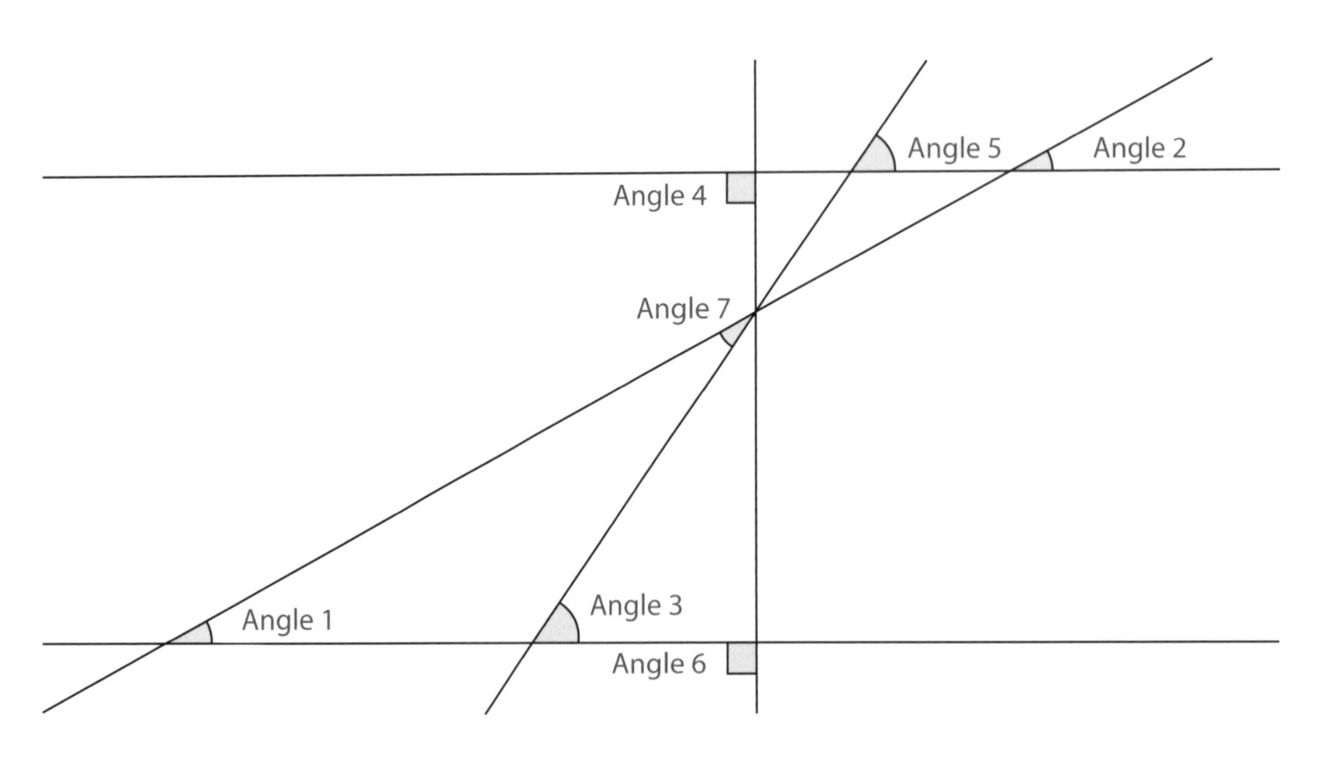

# *Rituel* Droites

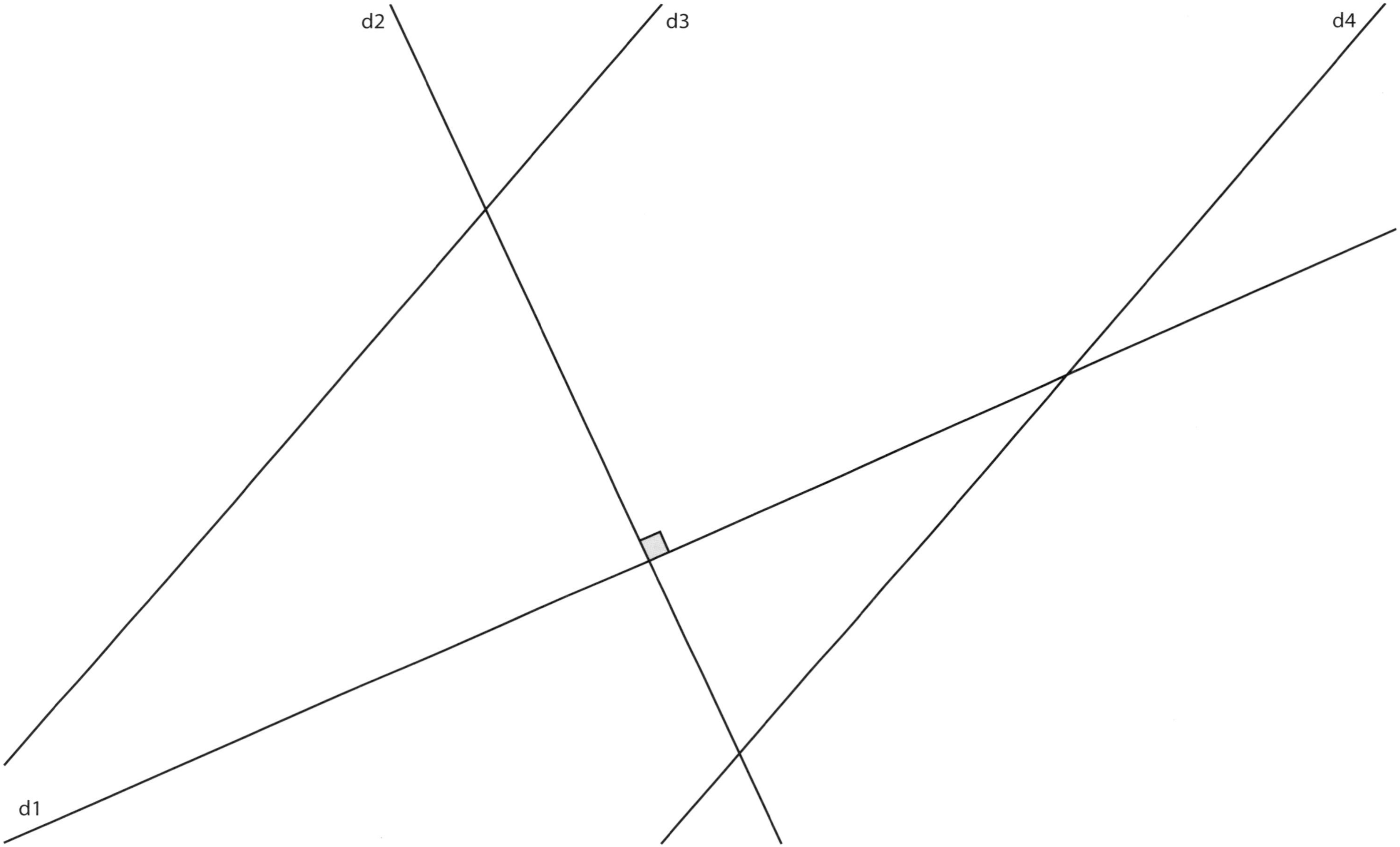

d2
d3
d4
d1

# *Rituel* Droites

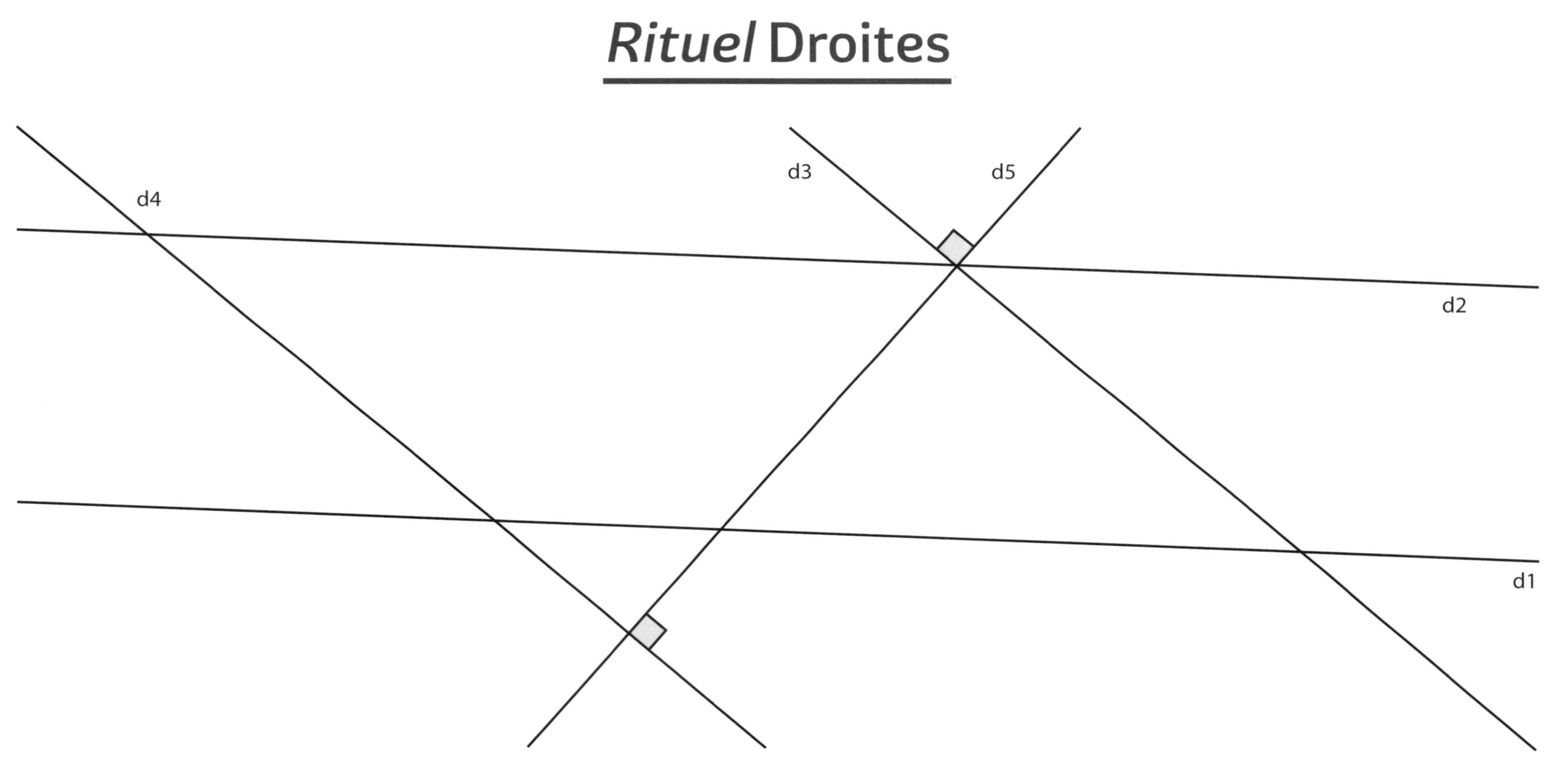

# Graphiques

**GRAPHIQUE 1** **L'alimentation du renard**

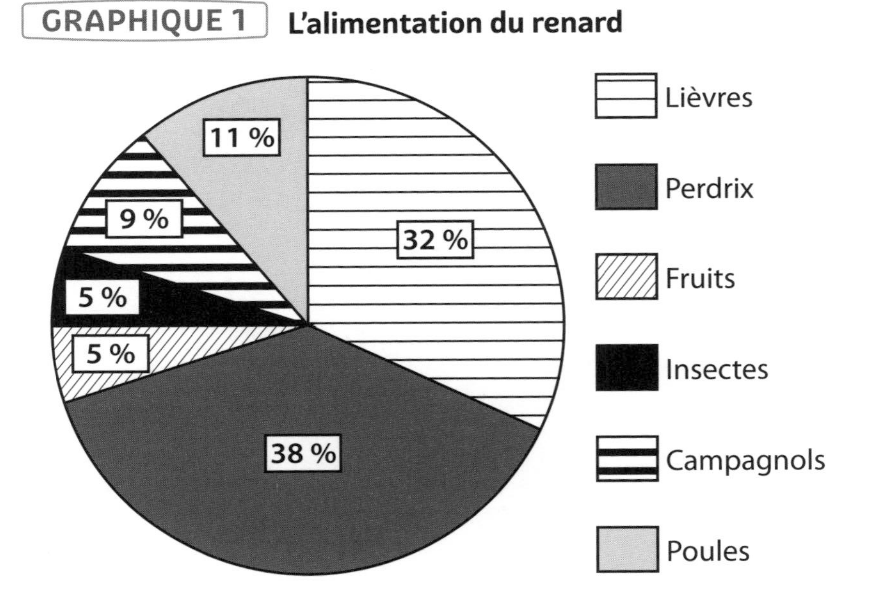


**GRAPHIQUE 2** **Population de quelques villes françaises**

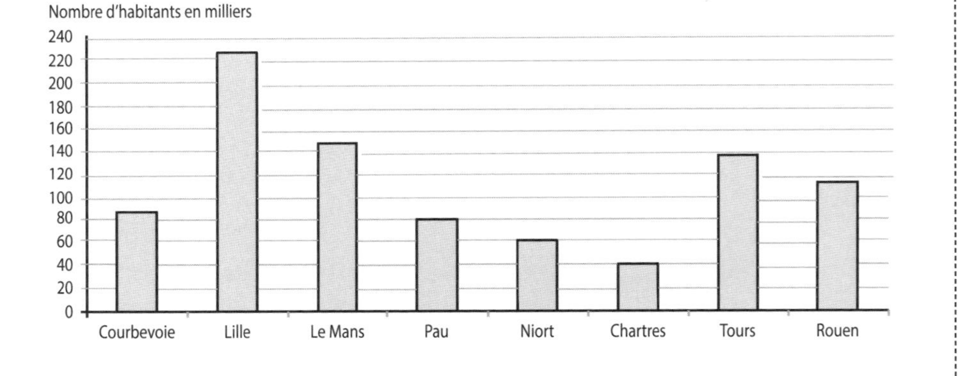




# Graphiques

**GRAPHIQUE 1** **L'alimentation du renard**

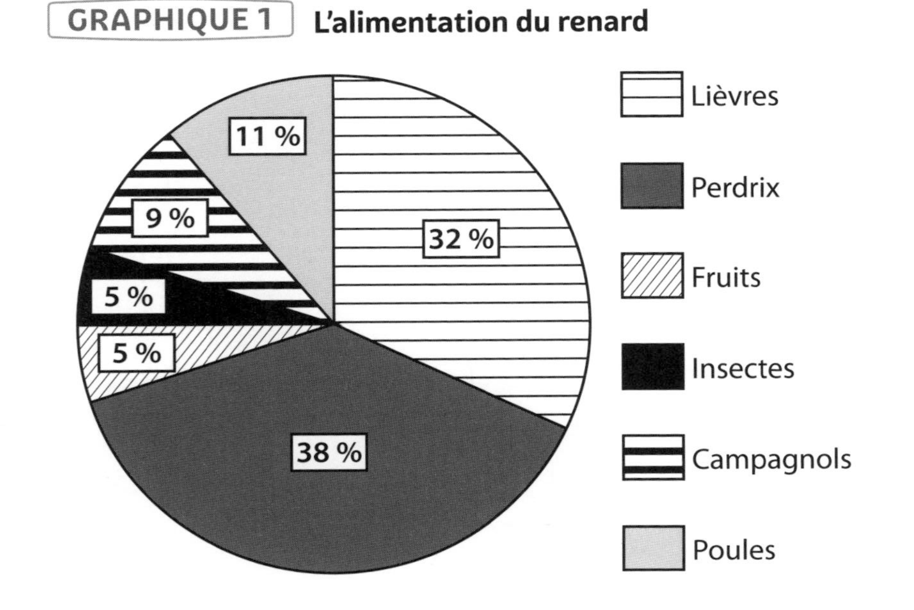


**GRAPHIQUE 2** **Population de quelques villes françaises**

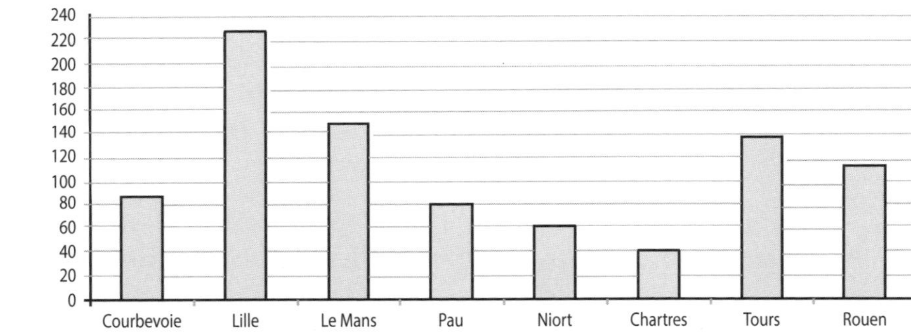

# Exercices symétrie

**EXERCICE 1**

Entoure les figures pour lesquelles la droite grise est un axe de symétrie.

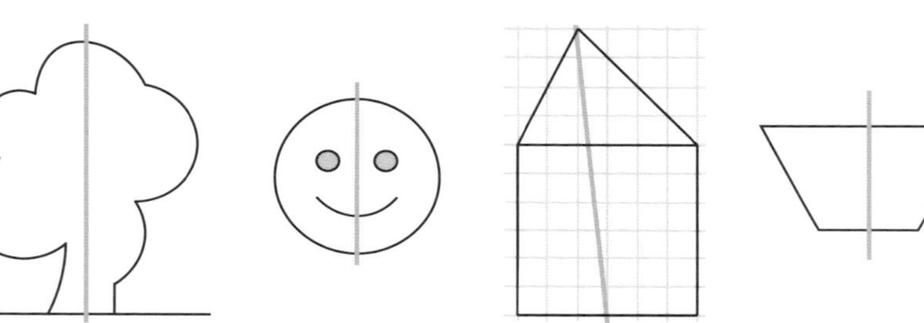
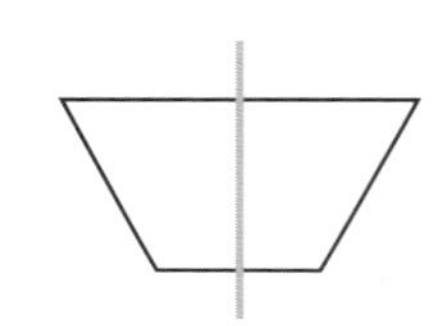
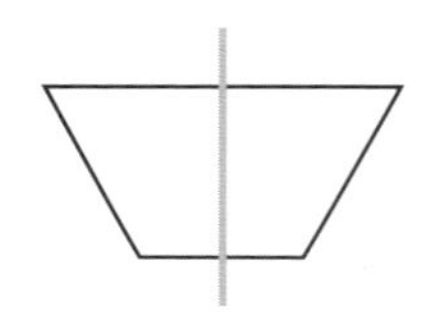

**EXERCICE 2**

Décalque ces figures et plie-les pour trouver leur axe de symétrie, puis trace cet axe sur les figures.

**EXERCICE 3**

Dans ton cahier, trace un carré de 6 cm de côté et cherche ses axes de symétrie.



Exercices symétrie

EXERCICE 1

Entoure les figures pour lesquelles la droite grise est un axe de symétrie.

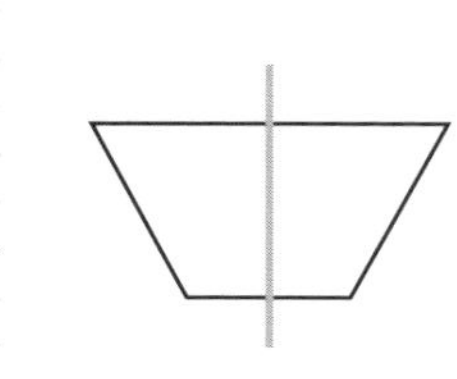

EXERCICE 2

Décalque ces figures et plie-les pour trouver leur axe de symétrie, puis trace cet axe sur les figures.

EXERCICE 3

Dans ton cahier, trace un carré de 6 cm de côté et cherche ses axes de symétrie.

# Exercices symétrie

**EXERCICE 1**

Entoure les figures pour lesquelles la droite grise est un axe de symétrie.

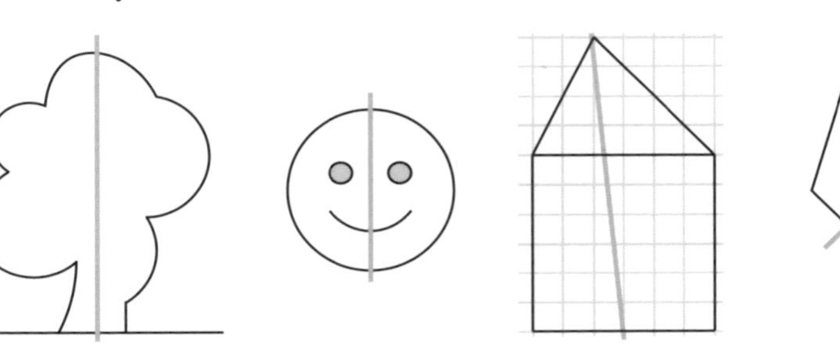

**EXERCICE 2**

Décalque ces figures et plie-les pour trouver leurs axes de symétrie, puis trace cet axe sur les figures.

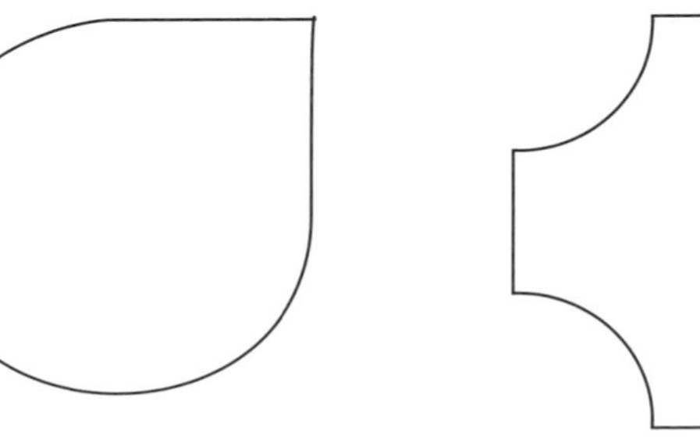

**EXERCICE 3**

Dans ton cahier, trace un rectangle de 12 cm de longueur et de 4 cm de largeur, puis cherche ses axes de symétrie.

# Exercices symétrie

**EXERCICE 1**

Entoure les figures pour lesquelles la droite grise est un axe de symétrie.

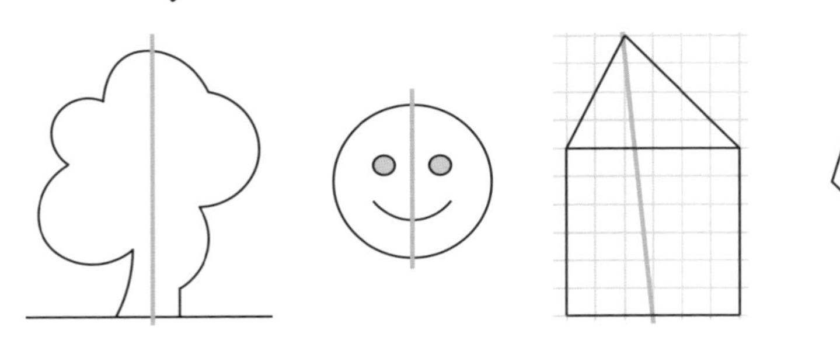

**EXERCICE 2**

Décalque ces figures et plie-les pour trouver leurs axes de symétrie, puis trace cet axe sur les figures.

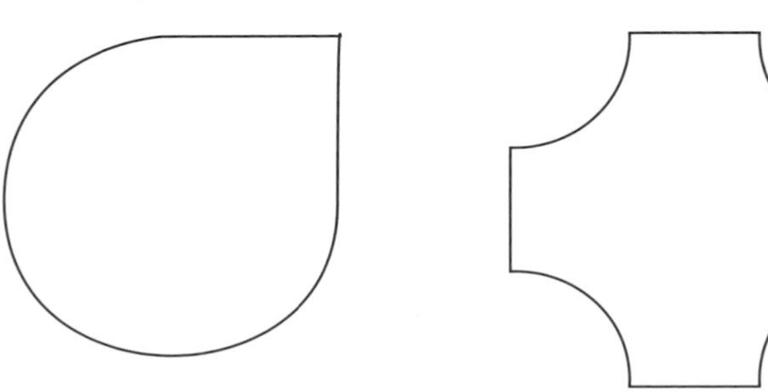

**EXERCICE 3**

Dans ton cahier, trace un rectangle de 12 cm de longueur et de 4 cm de largeur, puis cherche ses axes de symétrie.

# DEVOIRS Symétrie

## DEVOIR 1

Trace la figure symétrique par rapport à l'axe.

## DEVOIR 2

Trace la figure symétrique par rapport à l'axe.

## DEVOIR 3

Trace la figure symétrique par rapport à l'axe.

## DEVOIR 4

Trace la figure symétrique par rapport à l'axe.

# DEVOIRS Symétrie

## DEVOIR 1

Trace la figure symétrique par rapport à l'axe.

## DEVOIR 2

Trace la figure symétrique par rapport à l'axe.

## DEVOIR 3

Trace la figure symétrique par rapport à l'axe.

## DEVOIR 4

Trace la figure symétrique par rapport à l'axe.

## *Rituel* Le nombre décimal du jour (1) CM1

1 Écris le nombre dans le tableau.

| PARTIE ENTIÈRE | | | | PARTIE DÉCIMALE | |
|---|---|---|---|---|---|
| Mille | Centaine | Dizaine | Unité | Dixième | Centième |
| | | | | | |

2 Donne les différentes écritures du nombre.

.......... , .......... = $\frac{..........}{..........}$

## *Rituel* Le nombre décimal du jour (2) CM2

1 Écris le nombre dans le tableau.

| PARTIE ENTIÈRE | | | | PARTIE DÉCIMALE | | |
|---|---|---|---|---|---|---|
| Mille | Centaine | Dizaine | Unité | Dixième | Centième | Millième |
| | | | | | | |

2 Donne les différentes écritures du nombre.

.......... , .......... = $\frac{..........}{..........}$

## *Rituel* Le nombre décimal du jour (1) CM1

1 Écris le nombre dans le tableau.

| PARTIE ENTIÈRE | | | | PARTIE DÉCIMALE | |
|---|---|---|---|---|---|
| Mille | Centaine | Dizaine | Unité | Dixième | Centième |
| | | | | | |

2 Donne les différentes écritures du nombre.

.......... , .......... = $\frac{..........}{..........}$

## *Rituel* Le nombre décimal du jour (2) CM2

1 Écris le nombre dans le tableau.

| PARTIE ENTIÈRE | | | | PARTIE DÉCIMALE | | |
|---|---|---|---|---|---|---|
| Mille | Centaine | Dizaine | Unité | Dixième | Centième | Millième |
| | | | | | | |

2 Donne les différentes écritures du nombre.

.......... , .......... = $\frac{..........}{..........}$

# Verres mesureurs

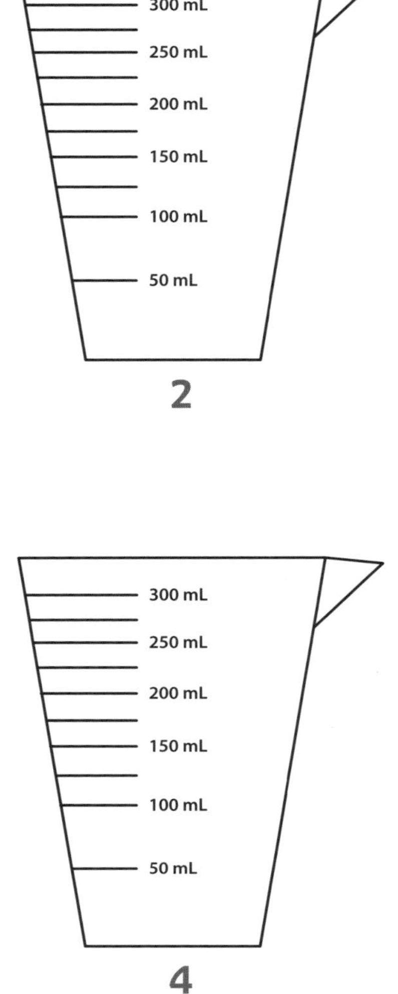

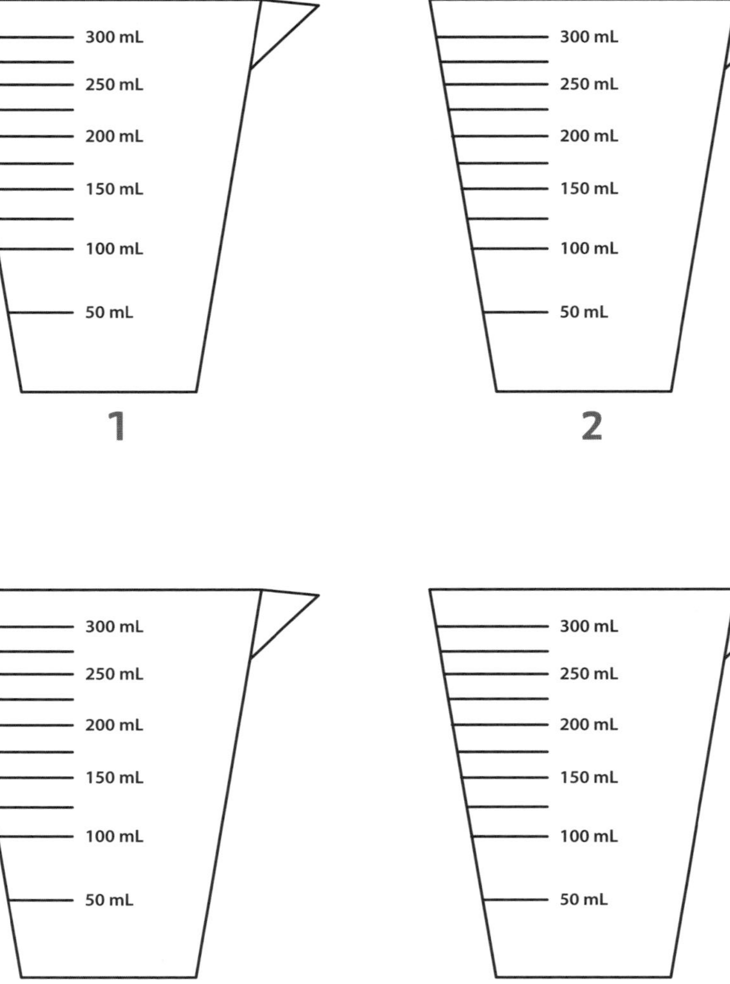

# Verres mesureurs

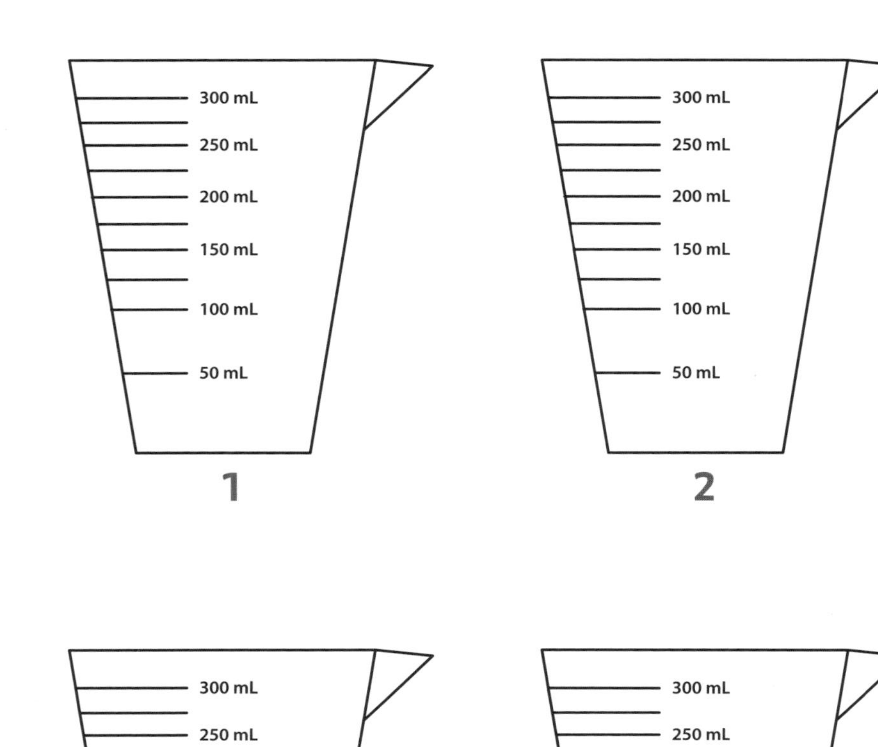

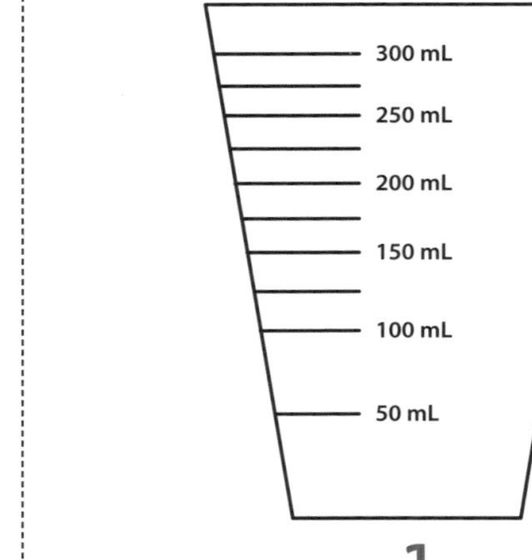

# Problème OGD

Ce tableau donne la population de plusieurs pays d'Europe.

| | Nombre d'habitants | Population de la capitale |
|---|---|---|
| **France** | 67 000 000 | Paris : 2,24 millions |
| **Belgique** | 11 000 000 | Bruxelles : 1,19 million |
| **Italie** | 61 000 000 | Rome : 2,87 millions |
| **Espagne** | 46 000 000 | Madrid : 3,16 millions |
| **Allemagne** | 82 000 000 | Berlin : 3,47 millions |
| **Pays-Bas** | 17 000 000 | Amsterdam : 0,82 million |

1 **Quel pays compte le plus d'habitants ?** ……………

2 La France compte 67 000 000 habitants environ. **Quel pays compte plus d'habitants ?** ……………

3 **Combien d'habitants compte la Belgique ?** ……………

4 **Quel pays compte 61 000 000 habitants ?** ……………

5 **Écris le nom des capitales de la moins peuplée à la plus peuplée.**

……………

……………


# Problème OGD

Ce tableau donne la population de plusieurs pays d'Europe.

| | Nombre d'habitants | Population de la capitale |
|---|---|---|
| **France** | 67 000 000 | Paris : 2,24 millions |
| **Belgique** | 11 000 000 | Bruxelles : 1,19 million |
| **Italie** | 61 000 000 | Rome : 2,87 millions |
| **Espagne** | 46 000 000 | Madrid : 3,16 millions |
| **Allemagne** | 82 000 000 | Berlin : 3,47 millions |
| **Pays-Bas** | 17 000 000 | Amsterdam : 0,82 million |

1 **Quel pays compte le plus d'habitants ?** ……………

2 La France compte 67 000 000 habitants environ. **Quel pays compte plus d'habitants ?** ……………

3 **Combien d'habitants compte la Belgique ?** ……………

4 **Quel pays compte 61 000 000 habitants ?** ……………

5 **Écris le nom des capitales de la moins peuplée à la plus peuplée.**

……………

……………

# Problème OGD

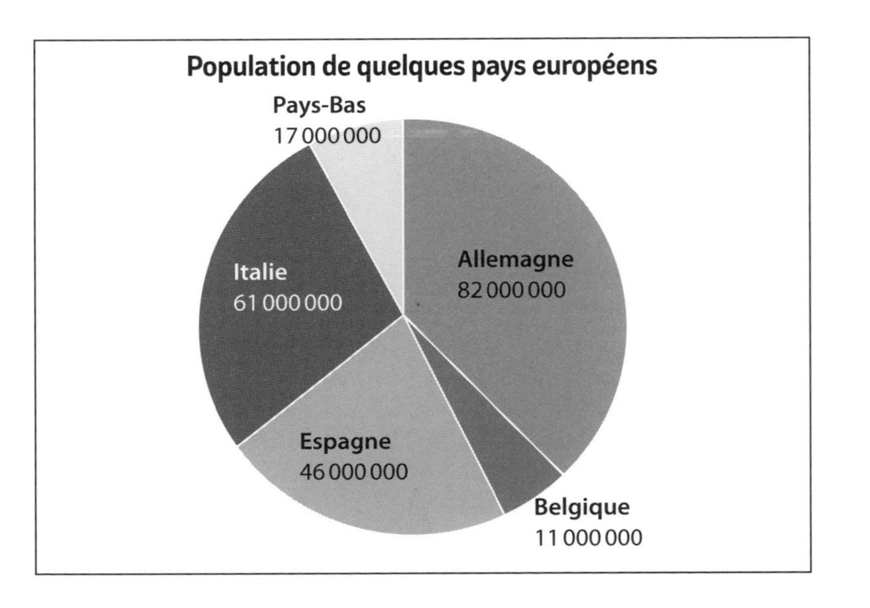


1. **Quelles informations donne ce graphique ?**

   ..........

2. La France compte 67 000 000 habitants environ. **Quel pays compte plus d'habitants ?**

   ..........

3. **Combien d'habitants compte la Belgique ?**

   ..........

4. **Quel pays compte 61 000 000 habitants ?**

   ..........

5. **Combien le graphique représente-t-il de personnes au total ?** ..........




# Problème OGD


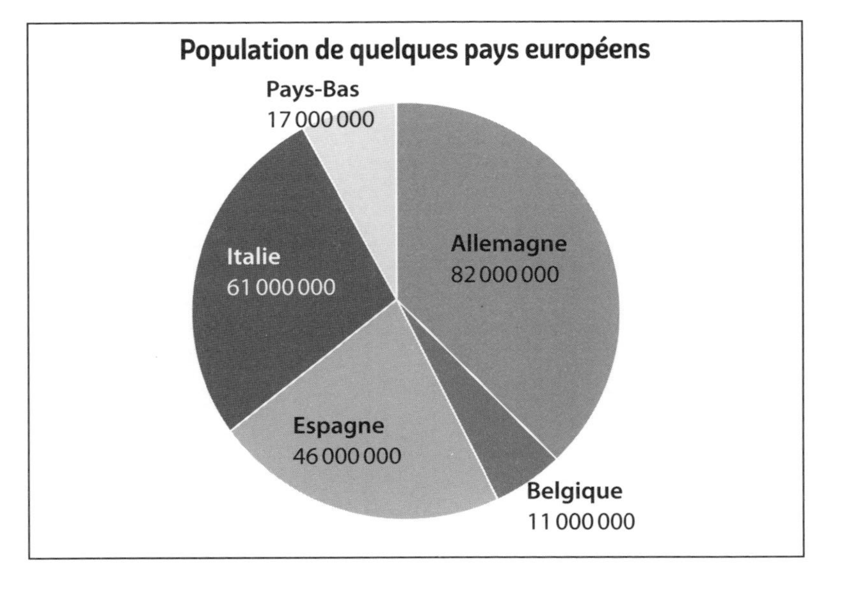



1. **Quelles informations donne ce graphique ?**

   ..........

2. La France compte 67 000 000 habitants environ. **Quel pays compte plus d'habitants ?**

   ..........

3. **Combien d'habitants compte la Belgique ?**

   ..........

4. **Quel pays compte 61 000 000 habitants ?**

   ..........

5. **Combien le graphique représente-t-il de personnes au total ?** ..........

# Carte mentale de 2,15

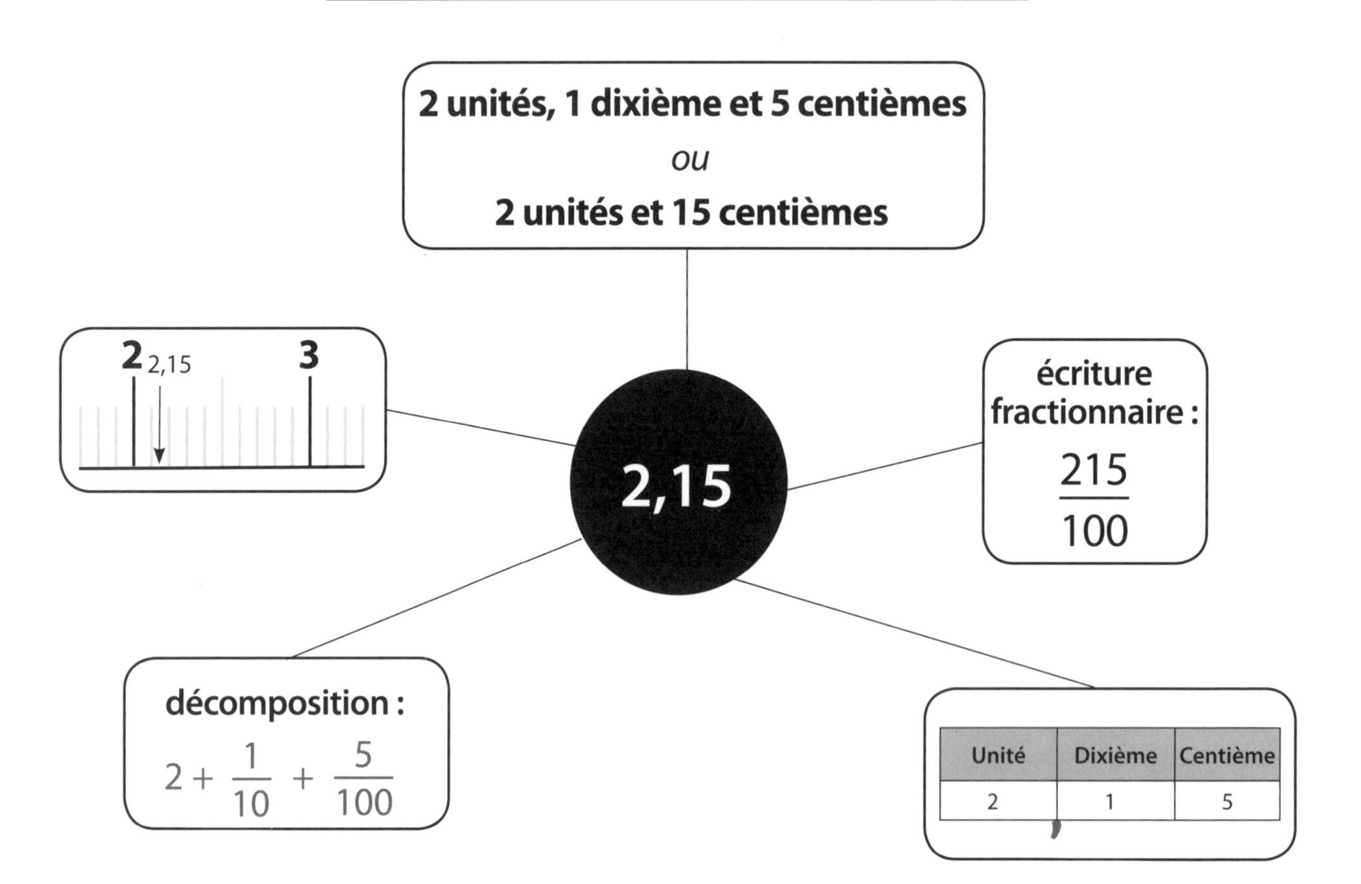


# Carte mentale de 2,15

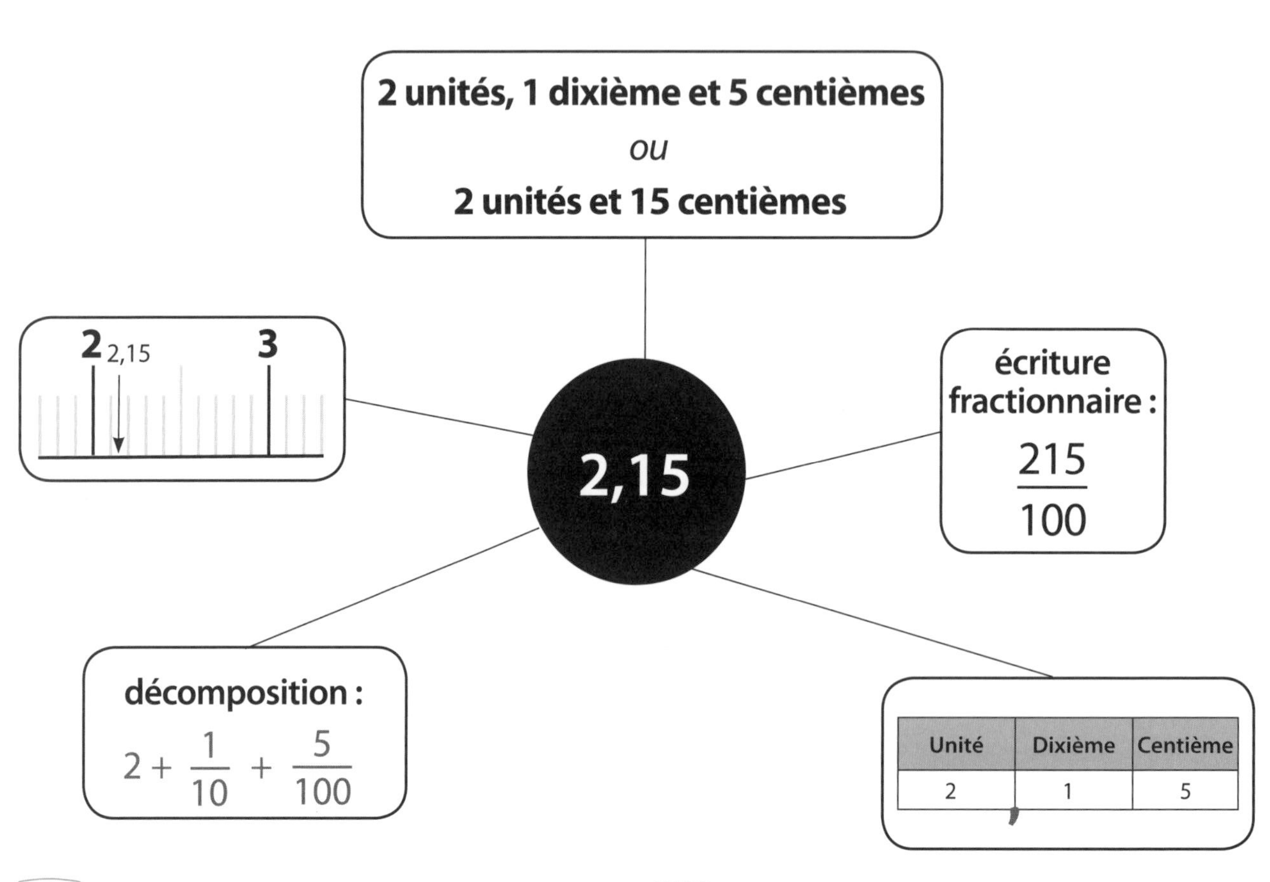

## Fleur numérique

## Fleur numérique

# Recette financiers

**Ingrédients (pour 12) :**

- 50 g de poudre d'amandes
- 50 g de farine
- 150 g de sucre
- 175 g de beurre
- 4 blancs d'œufs
- 1 petite pincée de sel

## Recette :

- Mélanger la poudre d'amandes, le sucre et la farine.
- Monter les blancs en neige ferme avec une pincée de sel et ajouter au mélange précédent.
- Faire fondre le beurre dans une casserole et ajouter à la pâte.
- Verser dans un moule et mettre au four à 200 °C pendant 15 à 20 min.


# Recette financiers

**Ingrédients (pour 12) :**

- 50 g de poudre d'amandes
- 50 g de farine
- 150 g de sucre
- 175 g de beurre
- 4 blancs d'œufs
- 1 petite pincée de sel

## Recette :

- Mélanger la poudre d'amandes, le sucre et la farine.
- Monter les blancs en neige ferme avec une pincée de sel et ajouter au mélange précédent.
- Faire fondre le beurre dans une casserole et ajouter à la pâte.
- Verser dans un moule et mettre au four à 200 °C pendant 15 à 20 min.

# Exercices nombres décimaux

EXERCICE 1

Place les nombres décimaux sur la droite graduée.

0,2 0,3 1,1 0,9 0,15

0 $\frac{1}{10}$

EXERCICE 2

Complète.

1,2

en lettres :

1 2

écriture fractionnaire :

décomposition :

| Centaine | Dizaine | Unité | Dixième | Centième |
|---|---|---|---|---|
| | | | | |






# Exercices nombres décimaux

EXERCICE 1

Place les nombres décimaux sur la droite graduée.

0,2 0,3 1,1 0,9 0,15

0 $\frac{1}{10}$

EXERCICE 2

Complète.


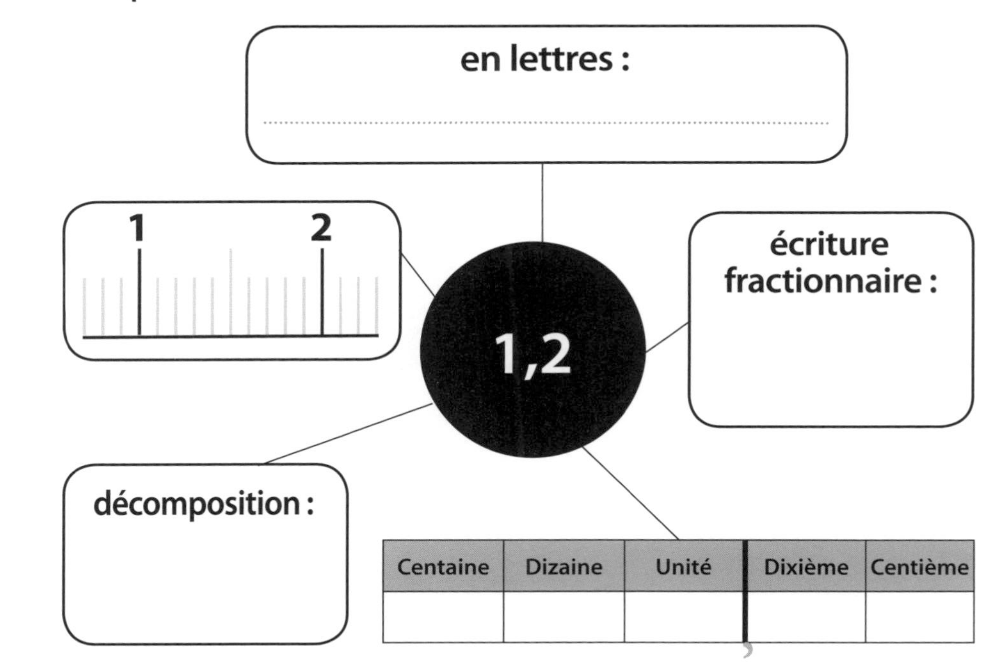

# Figures créatives : proposition 1

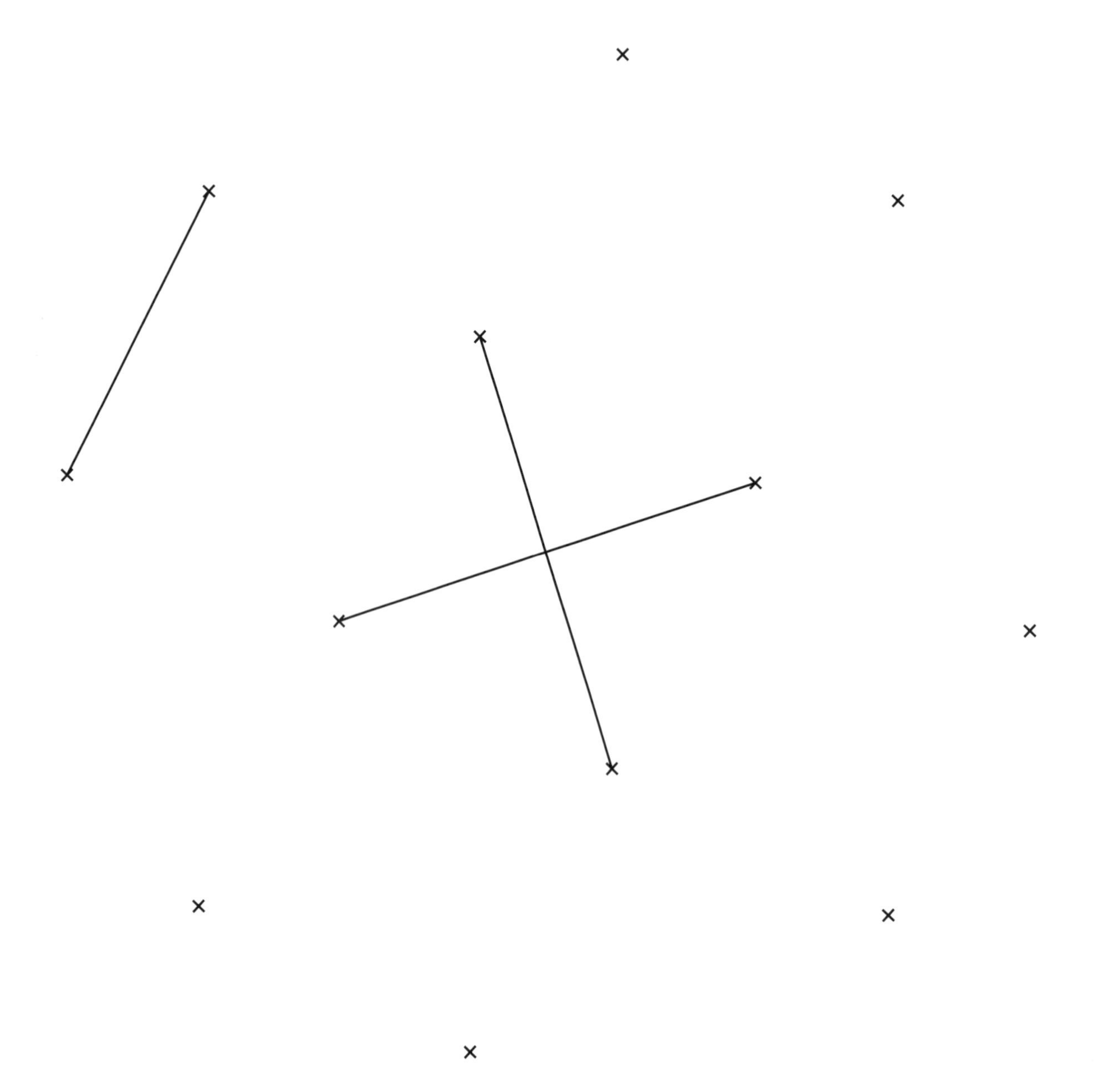

# Figures créatives : proposition 2

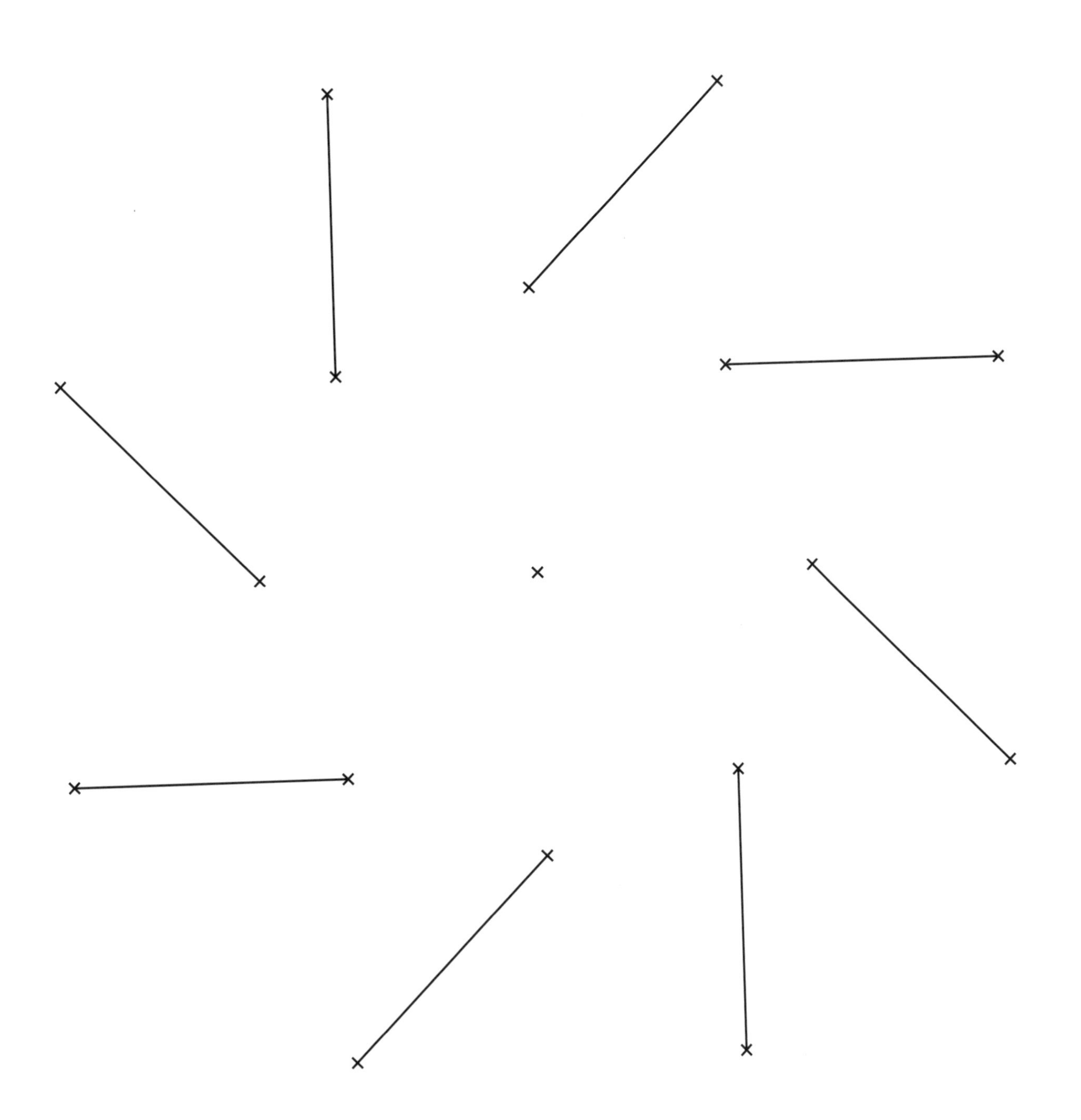

# Figures créatives : proposition 3

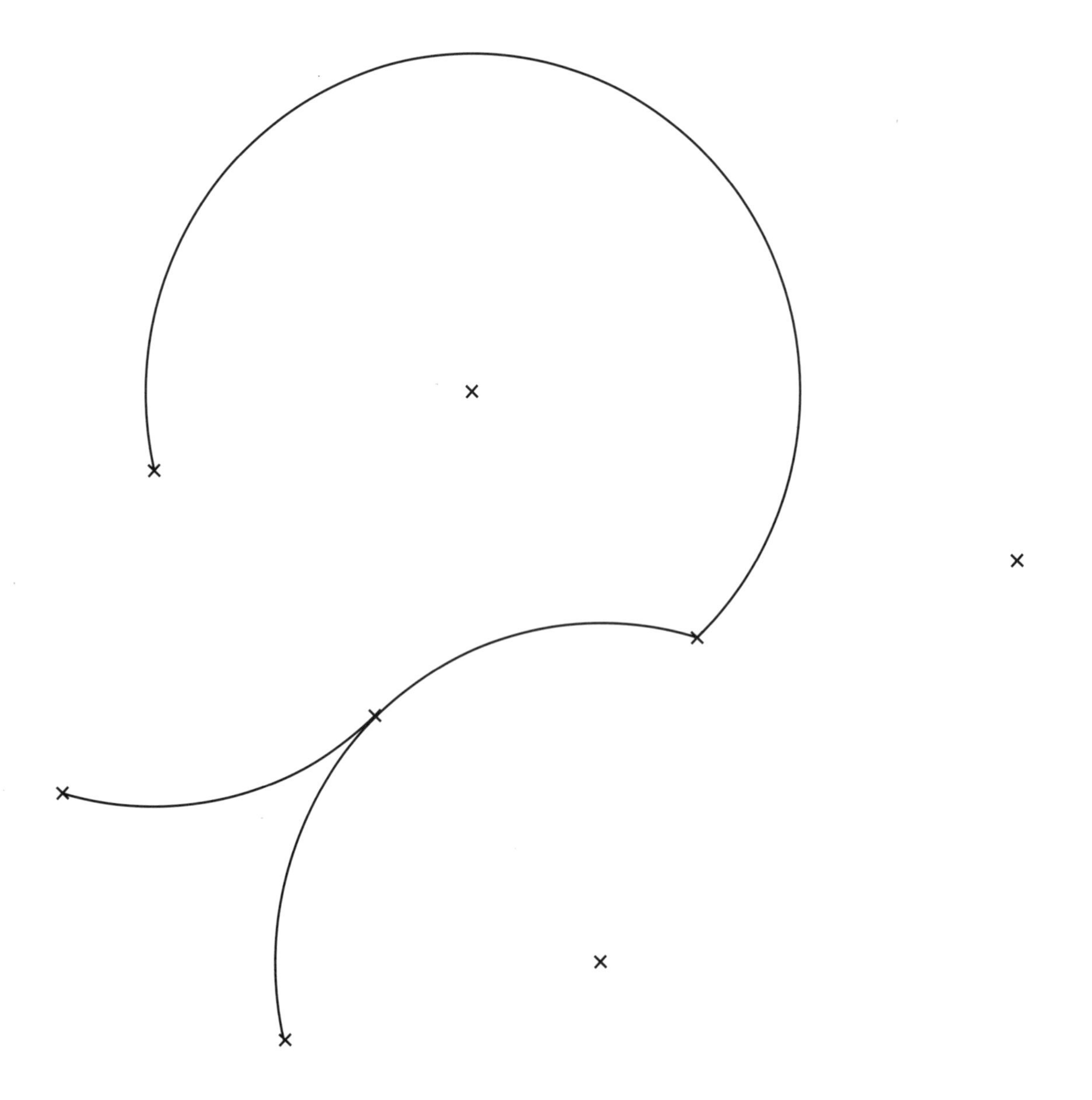

# Chronomath 9

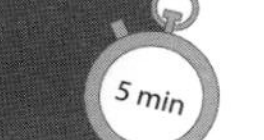


1. $2 \times 20 =$ ..................
2. $30 \times 3 =$ ..................
3. $4 \times 40 =$ ..................
4. $50 \times 5 =$ ..................
5. $6 \times 60 =$ ..................
6. $70 \times 6 =$ ..................
7. $8 \times 60 =$ ..................
8. $2 \times 50 =$ ..................
9. $60 \times 9 =$ ..................
10. $9 \times 90 =$ ..................
11. $2 \times 25 =$ ..................
12. $3 \times 50 =$ ..................
13. $4 \times 25 =$ ..................
14. $5 \times 50 =$ ..................
15. $6 \times 25 =$ ..................
16. $7 \times 50 =$ ..................
17. $8 \times 25 =$ ..................
18. $9 \times 50 =$ ..................
19. $10 \times 25 =$ ..................
20. $10 \times 50 =$ ..................
21. $1,5 \times 10 =$ ..................
22. $2,5 \times 10 =$ ..................
23. $2,1 \times 100 =$ ..................
24. $5,75 \times 100 =$ ..................
25. $1,35 \times 100 =$ ..................
26. $2,15 \times 10 =$ ..................
27. $9,85 \times 10 =$ ..................
28. $2,05 \times 10 =$ ..................
29. $2,05 \times 100 =$ ..................
30. $0,01 \times 10 =$ ..................

**Score :** ..........




# Chronomath 9

5 min

1. $2 \times 20 =$ ..................
2. $30 \times 3 =$ ..................
3. $4 \times 40 =$ ..................
4. $50 \times 5 =$ ..................
5. $6 \times 60 =$ ..................
6. $70 \times 6 =$ ..................
7. $8 \times 60 =$ ..................
8. $2 \times 50 =$ ..................
9. $60 \times 9 =$ ..................
10. $9 \times 90 =$ ..................
11. $2 \times 25 =$ ..................
12. $3 \times 50 =$ ..................
13. $4 \times 25 =$ ..................
14. $5 \times 50 =$ ..................
15. $6 \times 25 =$ ..................
16. $7 \times 50 =$ ..................
17. $8 \times 25 =$ ..................
18. $9 \times 50 =$ ..................
19. $10 \times 25 =$ ..................
20. $10 \times 50 =$ ..................
21. $1,5 \times 10 =$ ..................
22. $2,5 \times 10 =$ ..................
23. $2,1 \times 100 =$ ..................
24. $5,75 \times 100 =$ ..................
25. $1,35 \times 100 =$ ..................
26. $2,15 \times 10 =$ ..................
27. $9,85 \times 10 =$ ..................
28. $2,05 \times 10 =$ ..................
29. $2,05 \times 100 =$ ..................
30. $0,01 \times 10 =$ ..................

**Score :** ..........

# Chronomath 9 : réponses

1. $2 \times 20 =$ **40**
2. $30 \times 3 =$ **90**
3. $4 \times 40 =$ **160**
4. $50 \times 5 =$ **250**
5. $6 \times 60 =$ **360**
6. $70 \times 6 =$ **420**
7. $8 \times 60 =$ **480**
8. $2 \times 50 =$ **100**
9. $60 \times 9 =$ **540**
10. $9 \times 90 =$ **810**
11. $2 \times 25 =$ **50**
12. $3 \times 50 =$ **150**
13. $4 \times 25 =$ **100**
14. $5 \times 50 =$ **250**
15. $6 \times 25 =$ **150**
16. $7 \times 50 =$ **350**
17. $8 \times 25 =$ **200**
18. $9 \times 50 =$ **450**
19. $10 \times 25 =$ **250**
20. $10 \times 50 =$ **500**
21. $1{,}5 \times 10 =$ **15**
22. $2{,}5 \times 10 =$ **25**
23. $2{,}1 \times 100 =$ **210**
24. $5{,}75 \times 100 =$ **575**
25. $1{,}35 \times 100 =$ **135**
26. $2{,}15 \times 10 =$ **21,5**
27. $9{,}85 \times 10 =$ **98,5**
28. $2{,}05 \times 10 =$ **20,5**
29. $2{,}05 \times 100 =$ **205**
30. $0{,}01 \times 10 =$ **0,1**

# Chronomath 9

5 min

1. $7 \times 20 =$ ..........
2. $30 \times 6 =$ ..........
3. $7 \times 40 =$ ..........
4. $50 \times 5 =$ ..........
5. $6 \times 60 =$ ..........
6. $70 \times 6 =$ ..........
7. $8 \times 70 =$ ..........
8. $9 \times 50 =$ ..........
9. $60 \times 9 =$ ..........
10. $90 \times 90 =$ ..........
11. $3 \times 25 =$ ..........
12. $3 \times 50 =$ ..........
13. $4 \times 25 =$ ..........
14. $5 \times 50 =$ ..........
15. $6 \times 25 =$ ..........
16. $7 \times 50 =$ ..........
17. $250 : 10 =$ ..........
18. $400 : 10 =$ ..........
19. $150 : 10 =$ ..........
20. $120 : 100 =$ ..........
21. $1{,}5 \times 10 =$ ..........
22. $2{,}9 \times 10 =$ ..........
23. $2{,}15 \times 100 =$ ..........
24. $5{,}75 \times 1\,000 =$ ..........
25. $1{,}15 \times 1\,000 =$ ..........
26. $2{,}105 \times 100 =$ ..........
27. $9{,}85 \times 10 =$ ..........
28. $2{,}05 \times 100 =$ ..........
29. $2{,}005 \times 1\,000 =$ ..........
30. $0{,}005 \times 1\,000 =$ ..........

**Score :** ..........

# Chronomath 9

5 min

1. $7 \times 20 =$ ..........
2. $30 \times 6 =$ ..........
3. $7 \times 40 =$ ..........
4. $50 \times 5 =$ ..........
5. $6 \times 60 =$ ..........
6. $70 \times 6 =$ ..........
7. $8 \times 70 =$ ..........
8. $9 \times 50 =$ ..........
9. $60 \times 9 =$ ..........
10. $90 \times 90 =$ ..........
11. $3 \times 25 =$ ..........
12. $3 \times 50 =$ ..........
13. $4 \times 25 =$ ..........
14. $5 \times 50 =$ ..........
15. $6 \times 25 =$ ..........
16. $7 \times 50 =$ ..........
17. $250 : 10 =$ ..........
18. $400 : 10 =$ ..........
19. $150 : 10 =$ ..........
20. $120 : 100 =$ ..........
21. $1{,}5 \times 10 =$ ..........
22. $2{,}9 \times 10 =$ ..........
23. $2{,}15 \times 100 =$ ..........
24. $5{,}75 \times 1\,000 =$ ..........
25. $1{,}15 \times 1\,000 =$ ..........
26. $2{,}105 \times 100 =$ ..........
27. $9{,}85 \times 10 =$ ..........
28. $2{,}05 \times 100 =$ ..........
29. $2{,}005 \times 1\,000 =$ ..........
30. $0{,}005 \times 1\,000 =$ ..........

**Score :** ..........

# Chronomath 9 : réponses

1. $7 \times 20 =$ **140**
2. $30 \times 6 =$ **180**
3. $7 \times 40 =$ **280**
4. $50 \times 5 =$ **250**
5. $6 \times 60 =$ **360**
6. $70 \times 6 =$ **420**
7. $8 \times 70 =$ **560**
8. $9 \times 50 =$ **450**
9. $60 \times 9 =$ **540**
10. $90 \times 90 =$ **8 100**
11. $3 \times 25 =$ **75**
12. $3 \times 50 =$ **150**
13. $4 \times 25 =$ **100**
14. $5 \times 50 =$ **250**
15. $6 \times 25 =$ **150**
16. $7 \times 50 =$ **350**
17. $250 : 10 =$ **25**
18. $400 : 10 =$ **40**
19. $150 : 10 =$ **15**
20. $120 : 100 =$ **1,2**
21. $1{,}5 \times 10 =$ **15**
22. $2{,}9 \times 10 =$ **29**
23. $2{,}15 \times 100 =$ **215**
24. $5{,}75 \times 1\,000 =$ **5 750**
25. $1{,}15 \times 1\,000 =$ **1 150**
26. $2{,}105 \times 100 =$ **210,5**
27. $9{,}85 \times 10 =$ **98,5**
28. $2{,}05 \times 100 =$ **205**
29. $2{,}005 \times 1\,000 =$ **2 005**
30. $0{,}005 \times 1\,000 =$ **5**

# Cube tressé

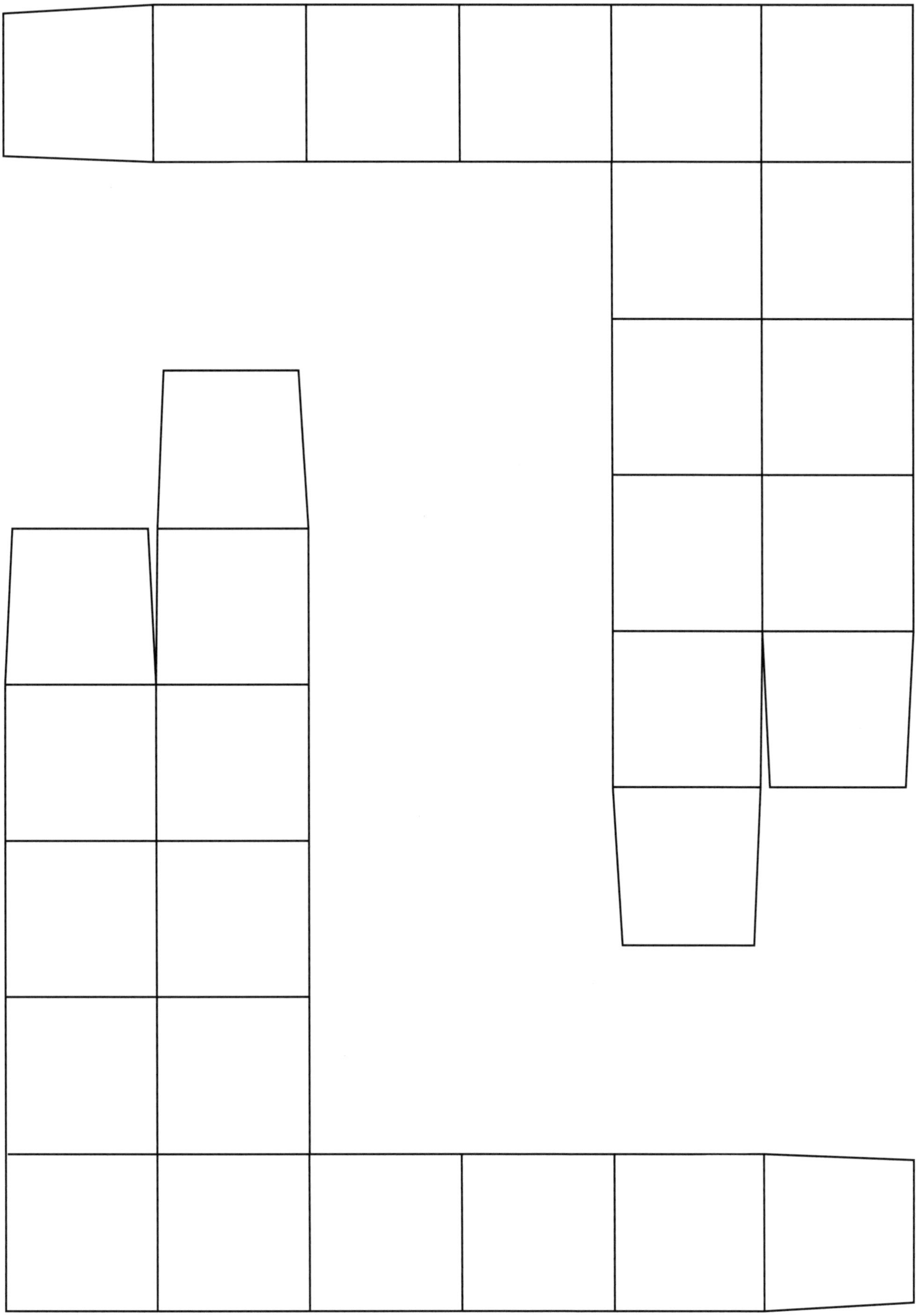

# Cahier de patrons

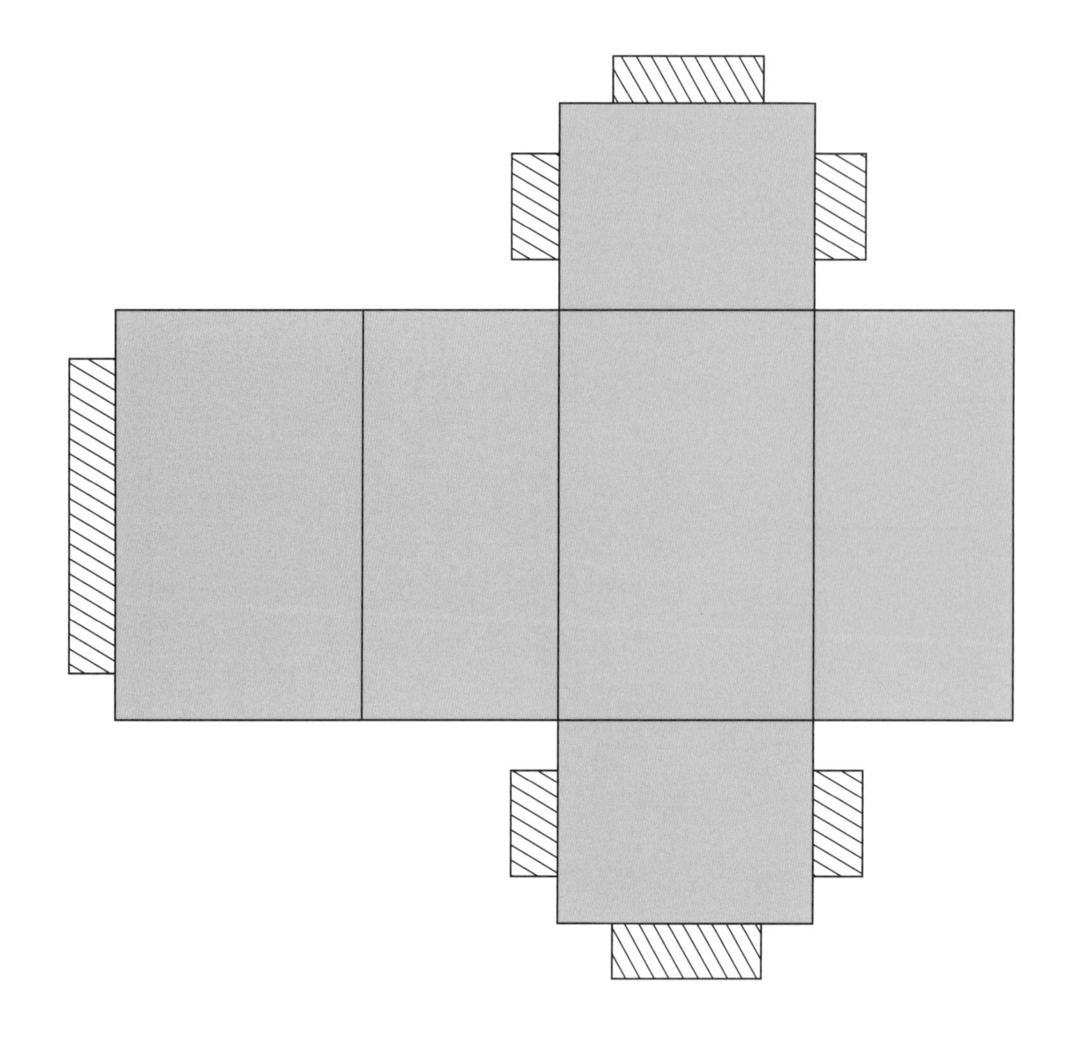

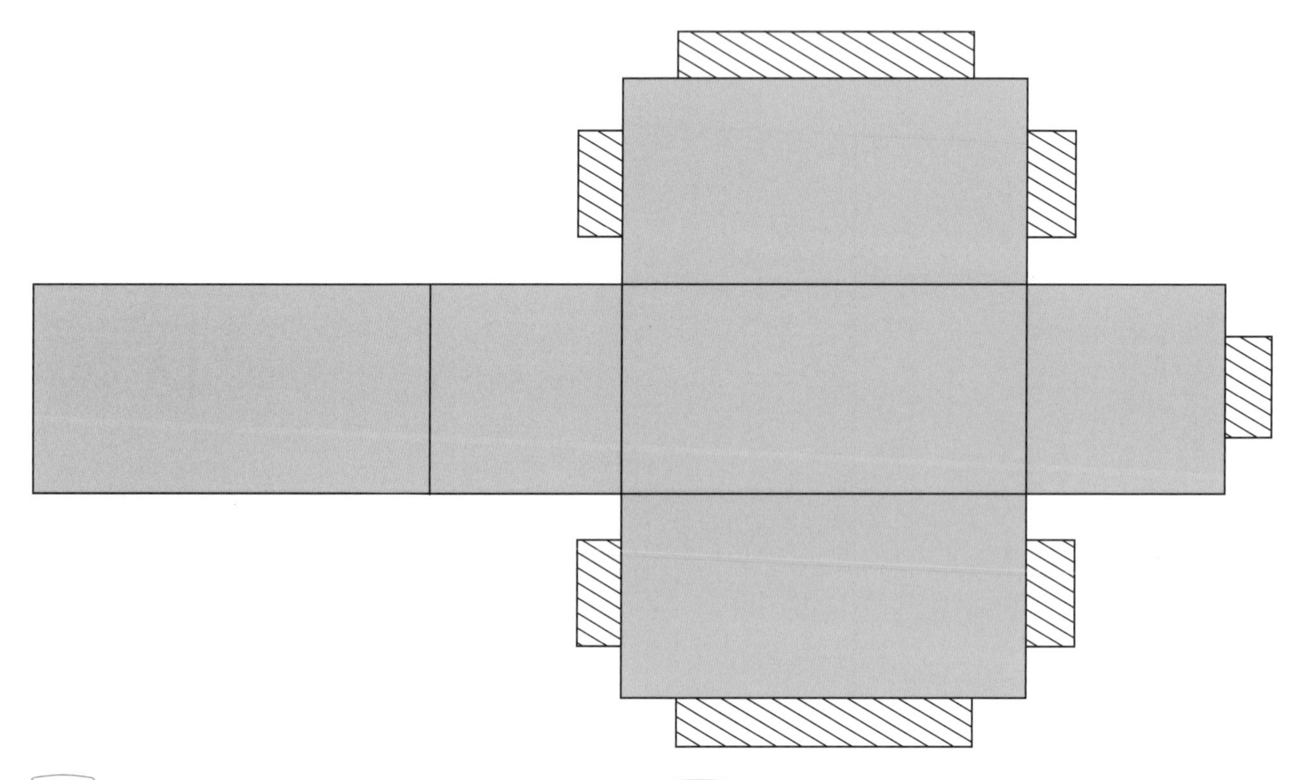

# Cahier de patrons

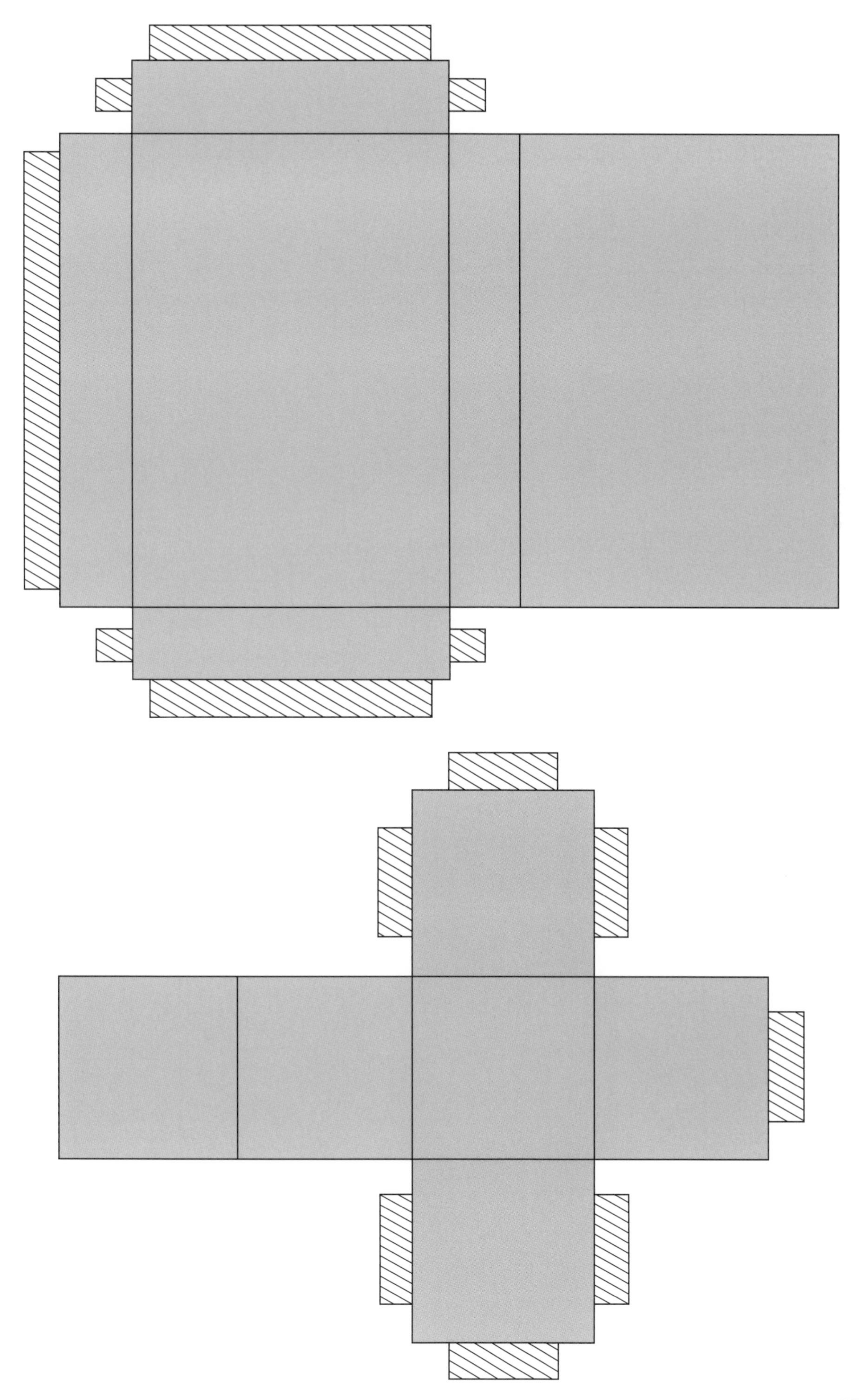

# Cahier de patrons

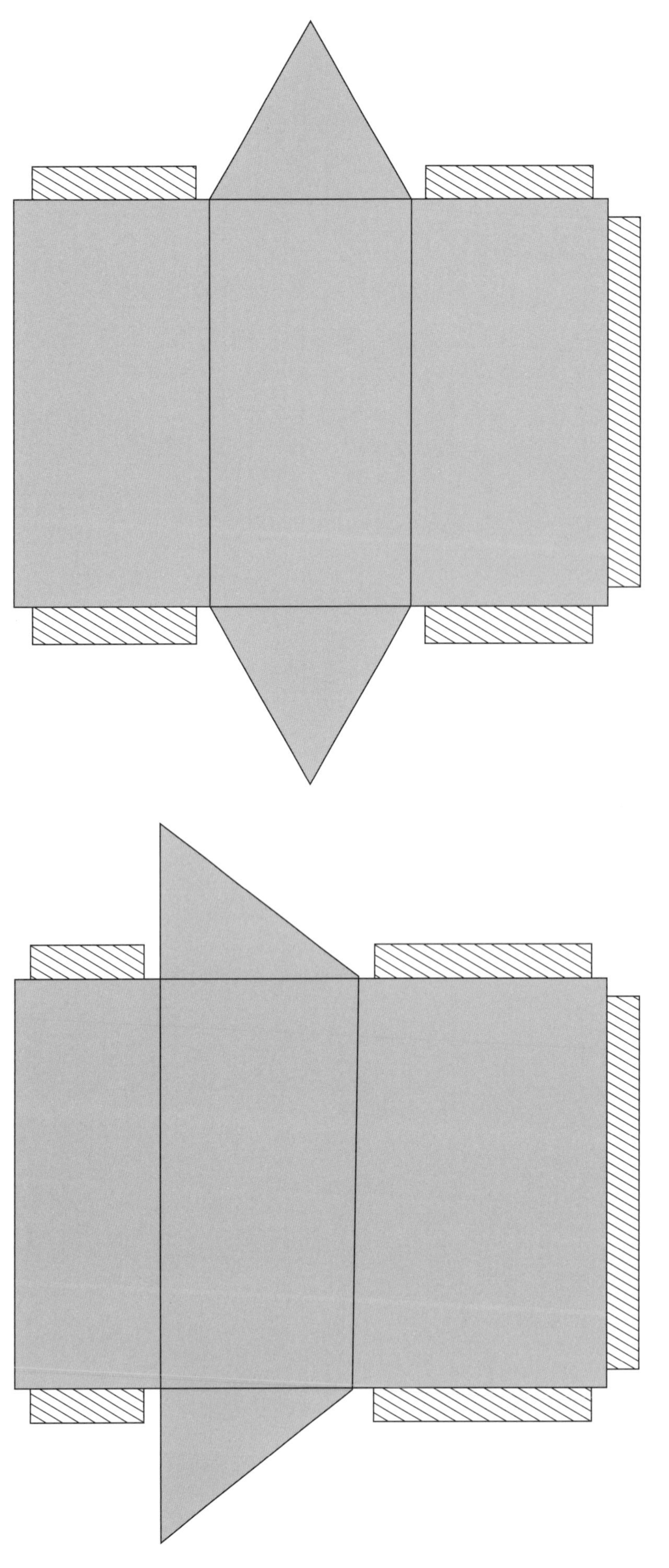

# Cahier de patrons

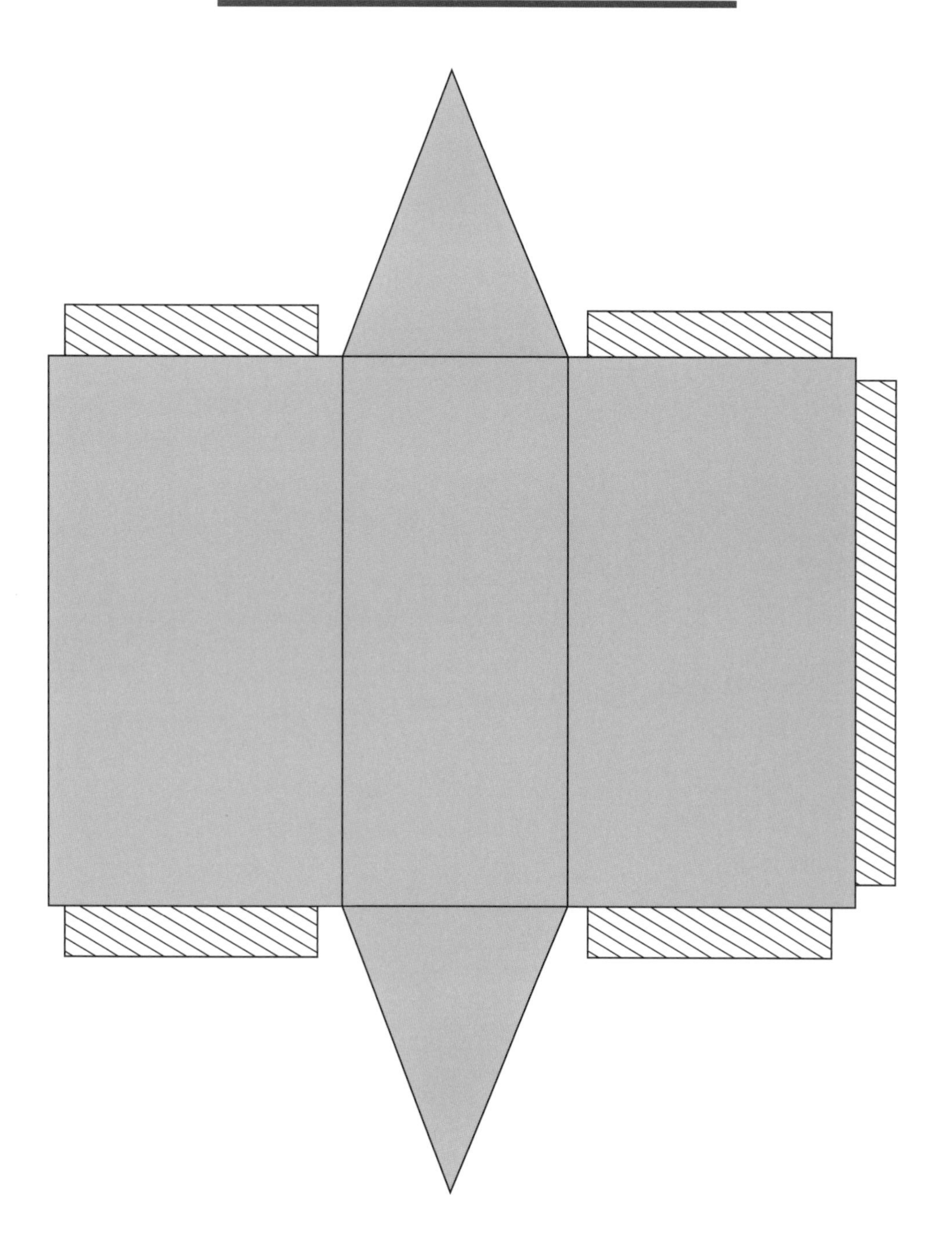

# Cahier de patrons

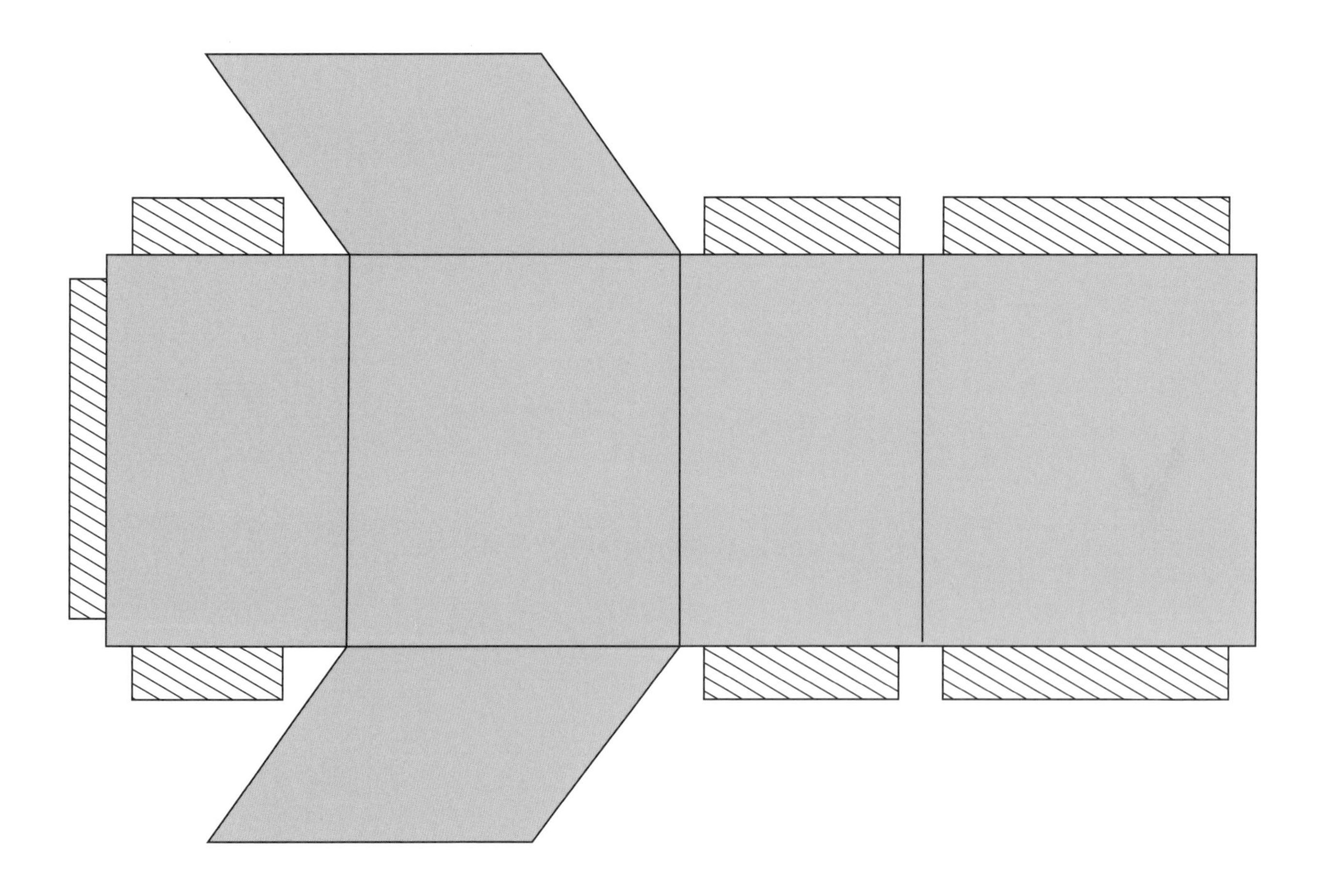

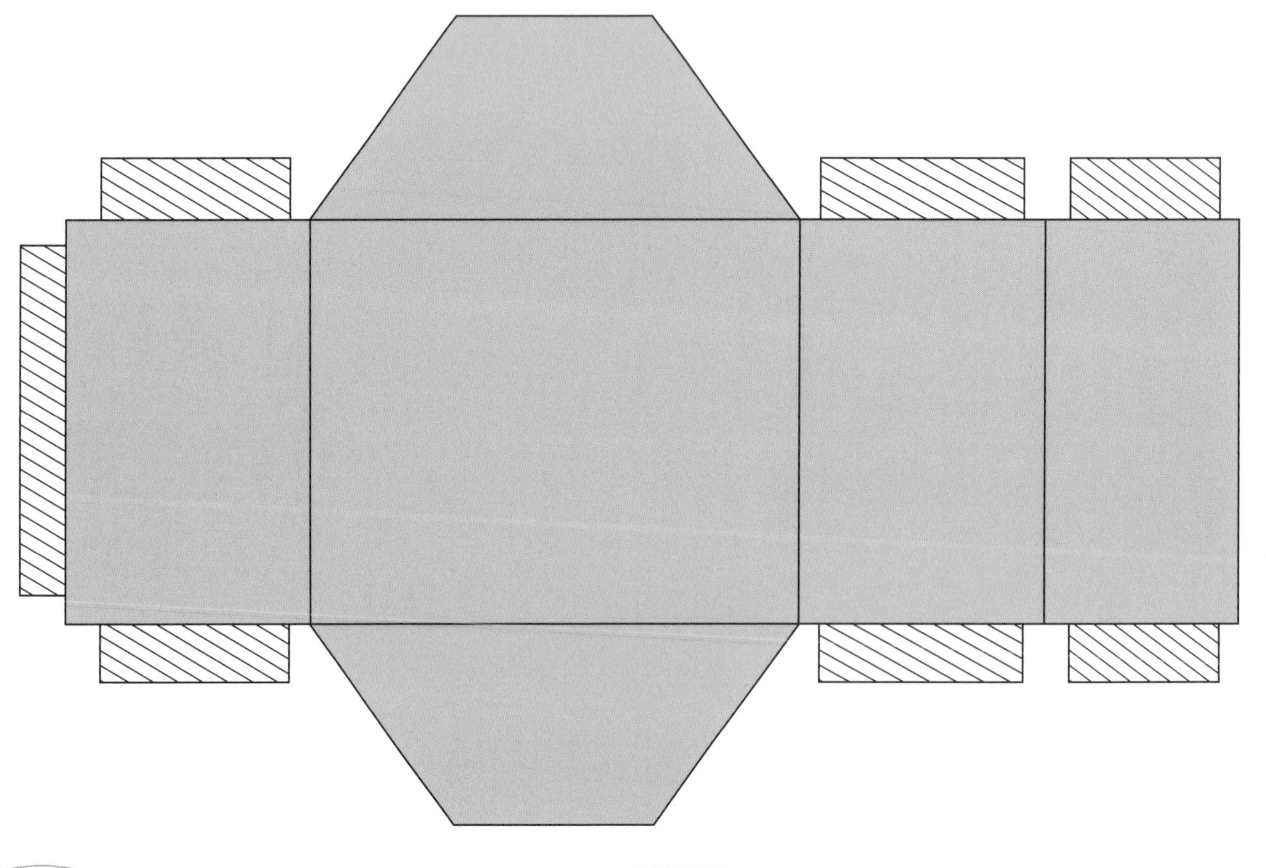

# Cahier de patrons

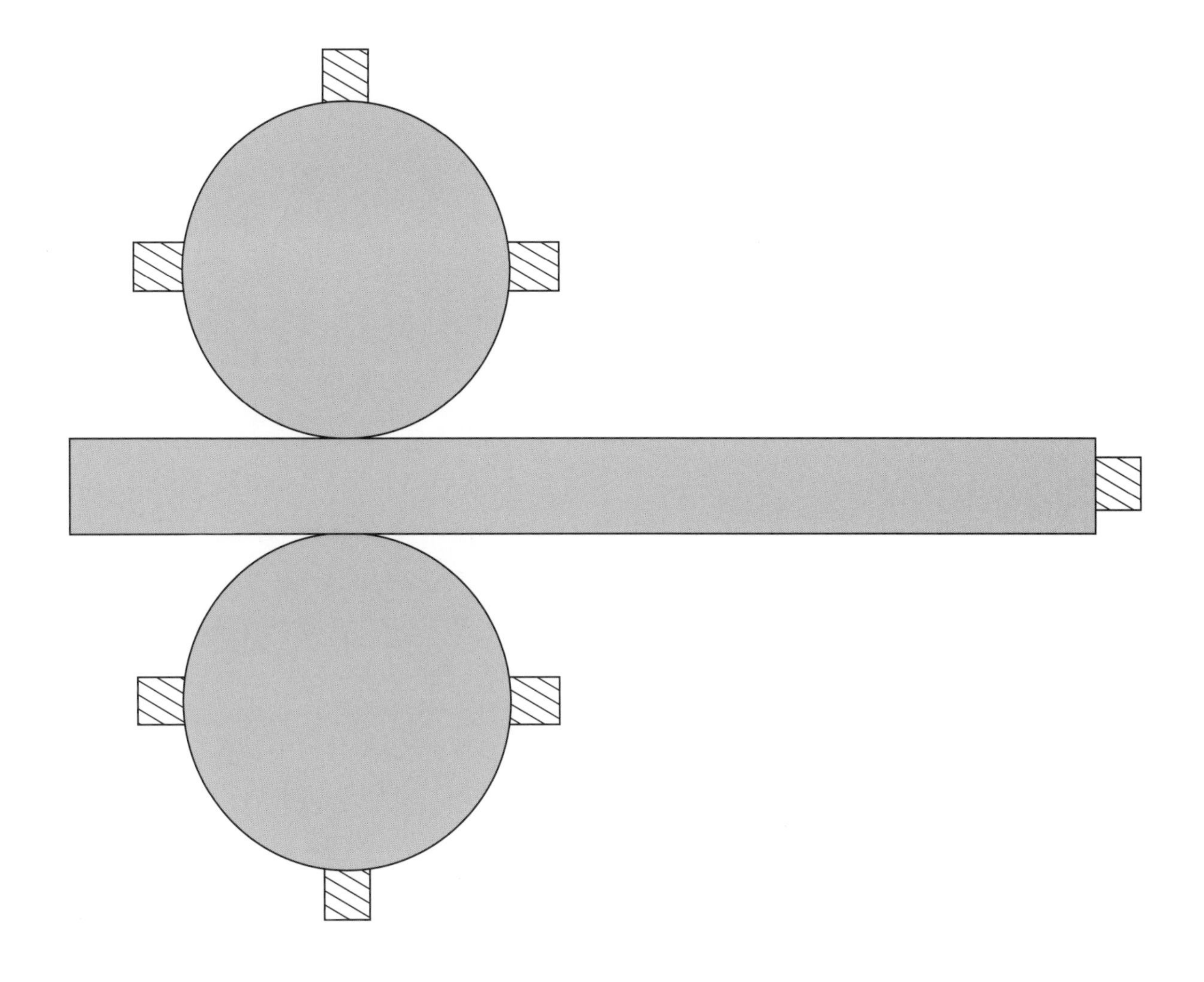

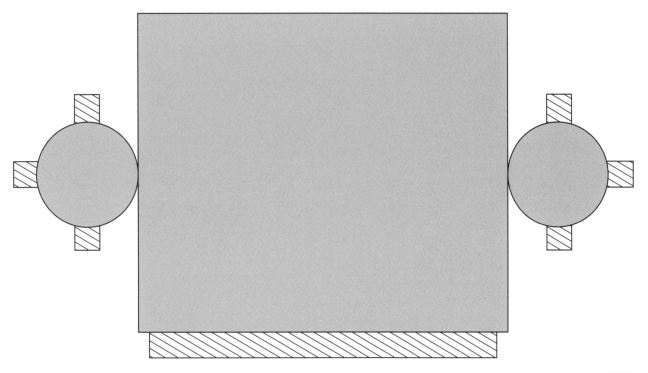

# Cahier de patrons

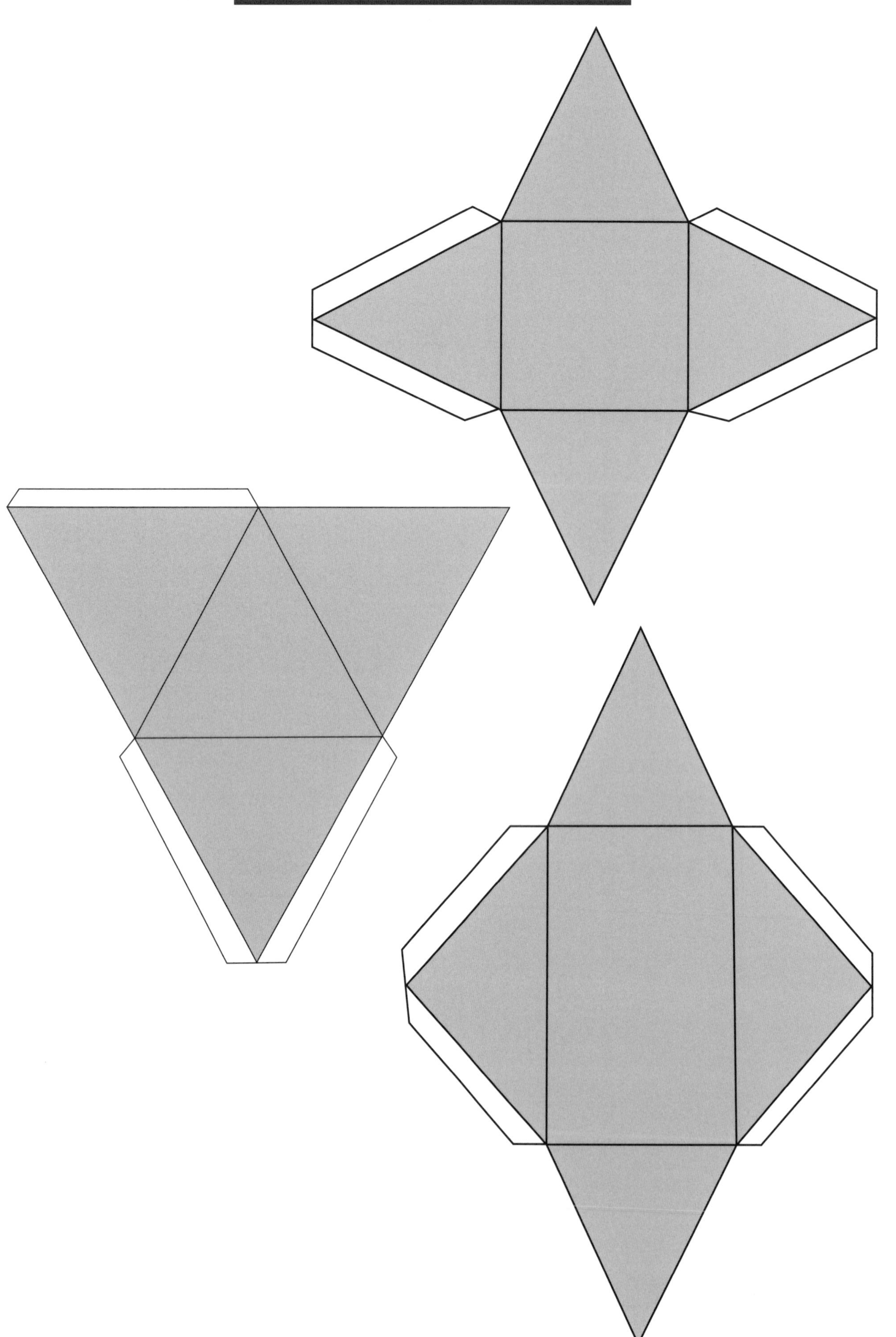

# Cahier de patrons

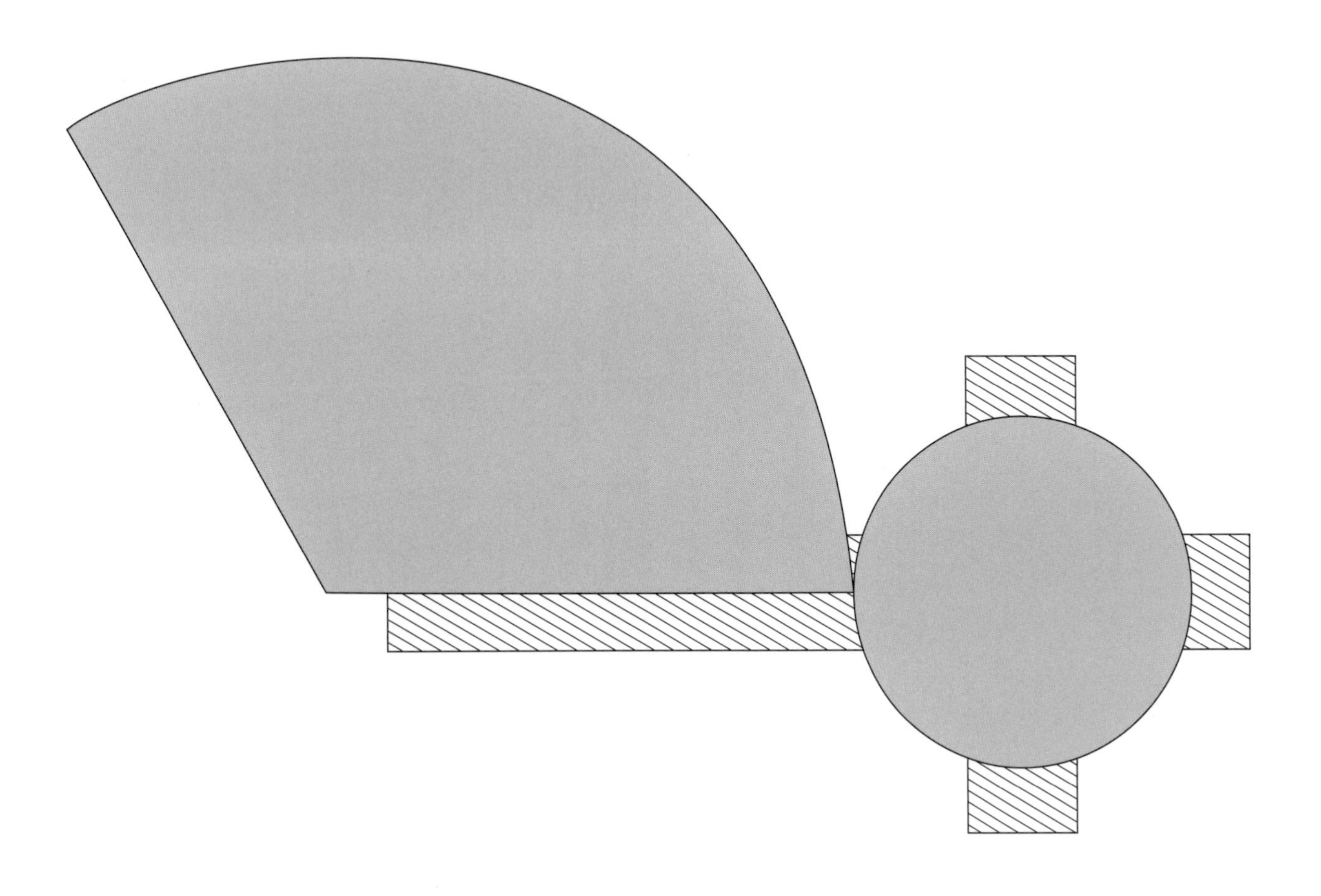

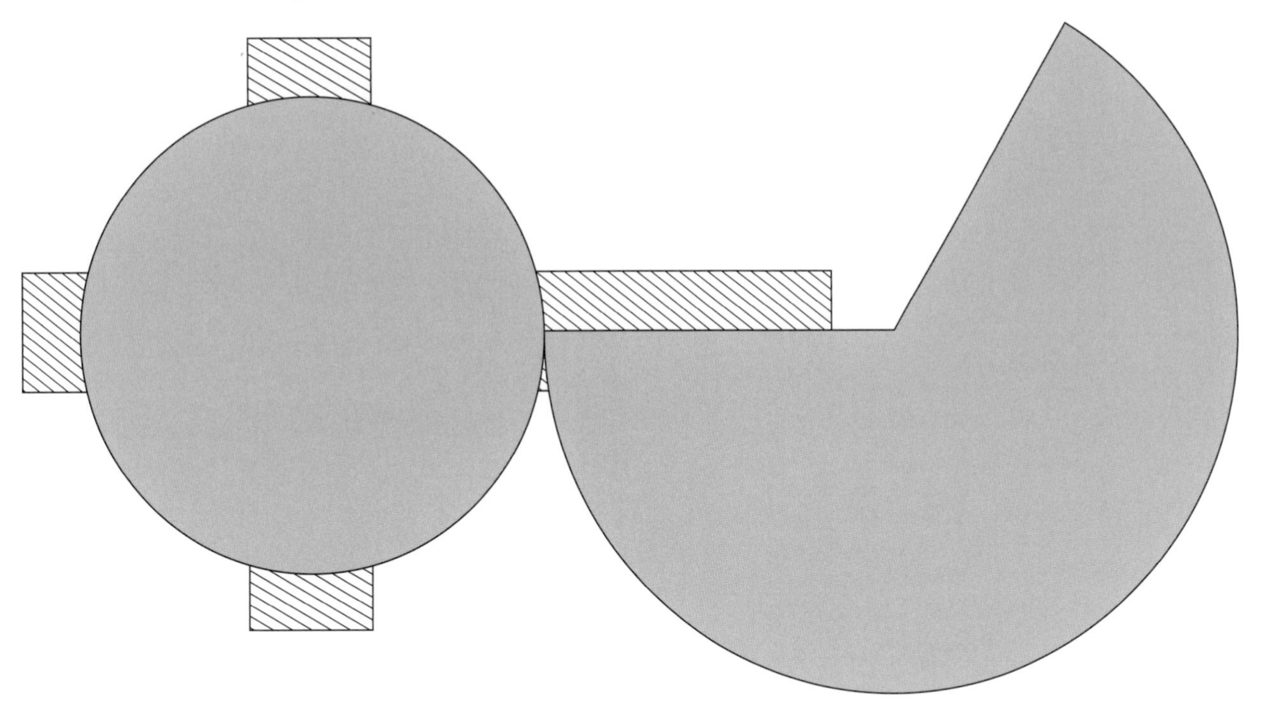

## DEVOIRS Fractions (1)

1

Combien représente la partie coloriée en gris ?

- Écris sous la forme d'une fraction décimale : ..................
- Écris sous la forme d'un nombre décimal : ..................


## DEVOIRS Fractions (1)

1

Combien représente la partie coloriée en gris ?

- Écris sous la forme d'une fraction décimale : ..................
- Écris sous la forme d'un nombre décimal : ..................


## DEVOIRS Fractions (2)

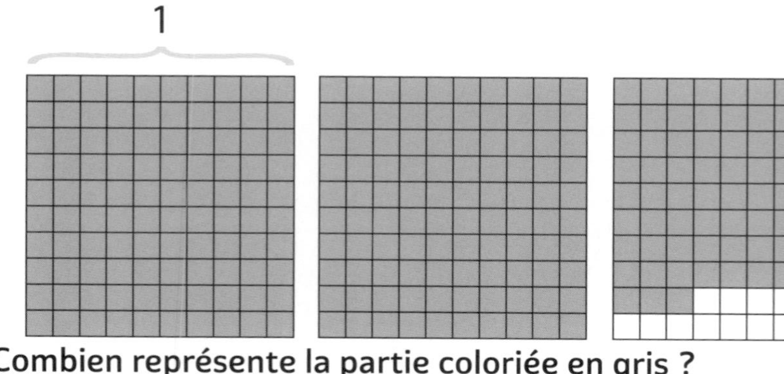

Combien représente la partie coloriée en gris ?

- Écris sous la forme d'une fraction décimale : ..................
- Écris sous la forme d'un nombre décimal : ..................


## DEVOIRS Fractions (2)


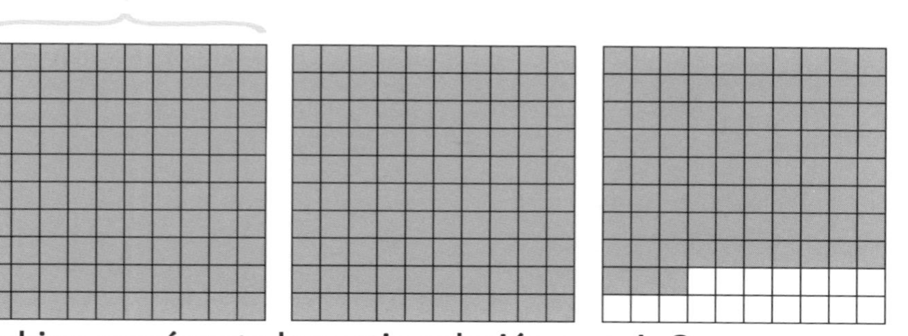


Combien représente la partie coloriée en gris ?

- Écris sous la forme d'une fraction décimale : ..................
- Écris sous la forme d'un nombre décimal : ..................

## DEVOIRS Fractions (1)

**1** Jules mange $\frac{1}{4}$ d'une tablette de chocolat.

La tablette compte 36 carrés de chocolat.

**Combien de carrés a-t-il mangés ?**

……………………………………………

**2** Le lendemain, sa sœur mange $\frac{2}{3}$ d'une autre tablette identique.

**Combien de carrés a-t-elle mangés ?**

……………………………………………


## DEVOIRS Fractions (1)

**1** Jules mange $\frac{1}{4}$ d'une tablette de chocolat.

La tablette compte 36 carrés de chocolat.

**Combien de carrés a-t-il mangés ?**

……………………………………………

**2** Le lendemain, sa sœur mange $\frac{2}{3}$ d'une autre tablette identique.

**Combien de carrés a-t-elle mangés ?**

……………………………………………


## DEVOIRS Fractions (2)

Le pommier de Léa a donné 112 pommes.

Lundi, Léa utilise $\frac{3}{8}$ des pommes pour faire des compotes.

**Combien de pommes reste-t-il ?**

……………………………………………

……………………………………………


## DEVOIRS Fractions (2)

Le pommier de Léa a donné 112 pommes.

Lundi, Léa utilise $\frac{3}{8}$ des pommes pour faire des compotes.

**Combien de pommes reste-t-il ?**

……………………………………………

……………………………………………

## *Rituel* Le nombre décimal du jour (1) CM1

1 Écris le nombre dans le tableau.

| PARTIE ENTIÈRE | | | | PARTIE DÉCIMALE | |
|---|---|---|---|---|---|
| Mille | Centaine | Dizaine | Unité | Dixième | Centième |
| | | | | | |

2 Donne les différentes écritures du nombre.

......... , ......... = $\frac{.........}{.........}$

## *Rituel* Le nombre décimal du jour (2) CM2

1 Écris le nombre dans le tableau.

| PARTIE ENTIÈRE | | | | PARTIE DÉCIMALE | | |
|---|---|---|---|---|---|---|
| Mille | Centaine | Dizaine | Unité | Dixième | Centième | Millième |
| | | | | | | |

2 Donne les différentes écritures du nombre.

......... , ......... = $\frac{.........}{.........}$

## *Rituel* Le nombre décimal du jour (1) CM1

1 Écris le nombre dans le tableau.

| PARTIE ENTIÈRE | | | | PARTIE DÉCIMALE | |
|---|---|---|---|---|---|
| Mille | Centaine | Dizaine | Unité | Dixième | Centième |
| | | | | | |

2 Donne les différentes écritures du nombre.

......... , ......... = $\frac{.........}{.........}$

## *Rituel* Le nombre décimal du jour (2) CM2

1 Écris le nombre dans le tableau.

| PARTIE ENTIÈRE | | | | PARTIE DÉCIMALE | | |
|---|---|---|---|---|---|---|
| Mille | Centaine | Dizaine | Unité | Dixième | Centième | Millième |
| | | | | | | |

2 Donne les différentes écritures du nombre.

......... , ......... = $\frac{.........}{.........}$

# Activité Lego

On peut prendre l'unité Lego pour mesurer une longueur : 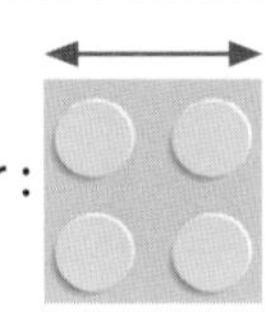 ou une surface : 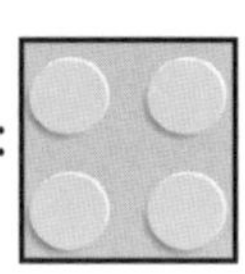

**Pour chaque rectangle, complète l'aire A et le périmètre P en prenant l'unité Lego.**

A : ....................

P : ....................

A : ....................

P : ....................

A : ....................

P : ....................

On peut prendre l'unité Lego pour mesurer une longueur : 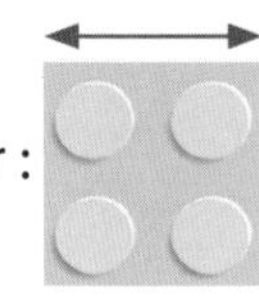 ou une surface : 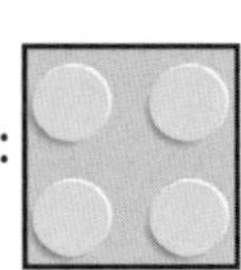

**Pour chaque rectangle, complète l'aire A et le périmètre P en prenant l'unité Lego.**

A : ....................

P : ....................

A : ....................

P : ....................

A : ....................

P : ....................

# Plan de Londres

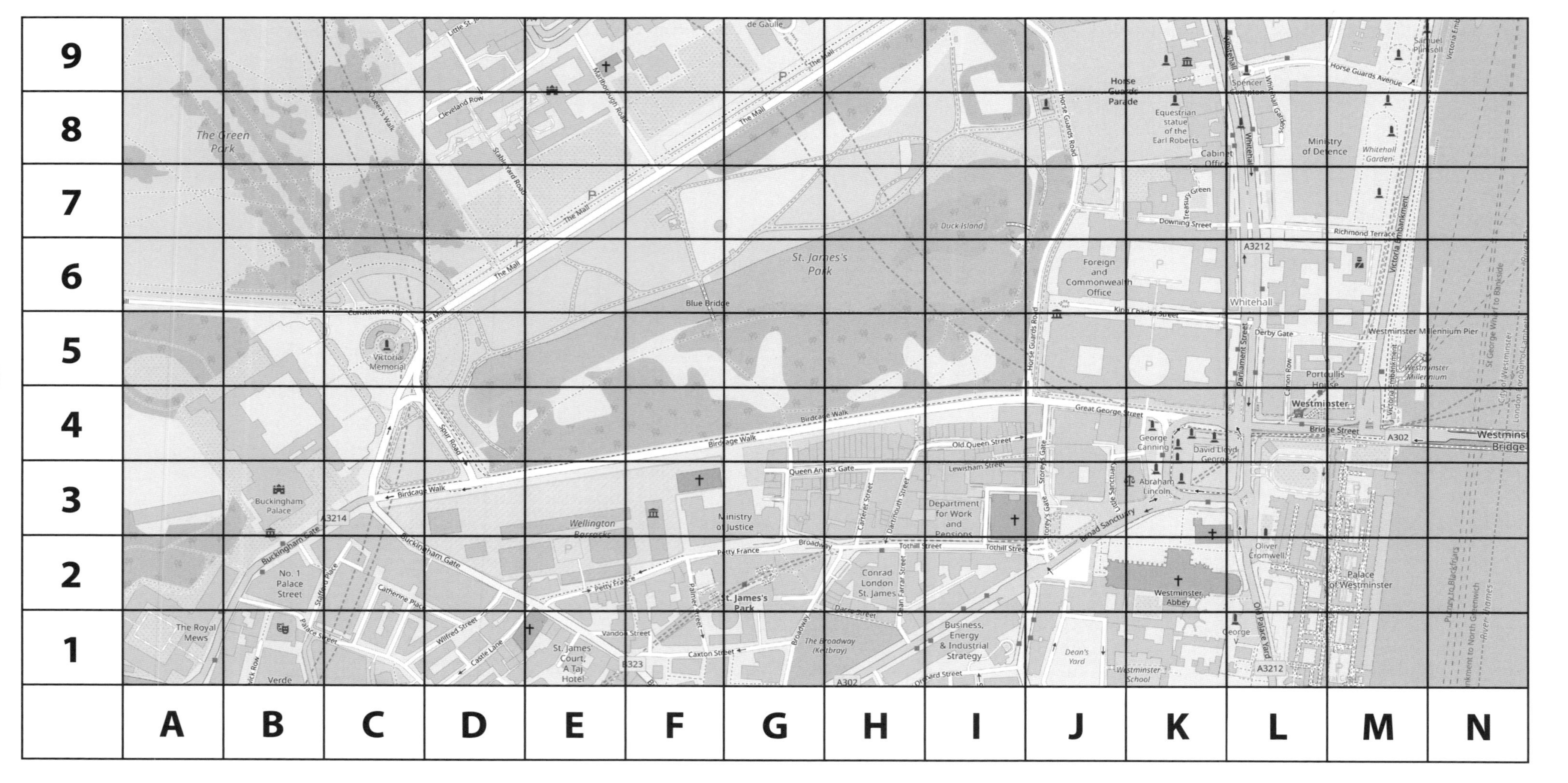

# Plan de Londres : questions

**1** **Mets une croix :**

– rouge sur le palais de Buckingham ;

– verte sur le palais de Westminster ;

– bleue sur la rue « Downing Street » (c'est là où travaille le Premier ministre britannique).

**2** **Entoure l'ile aux Canards (« Duck Island »).**

**3** **Écris les coordonnées des lieux suivants.**

- Le rond-point devant le palais de Buckingham : ........ ; ........
- L'ile aux Canards : ........ ; ........

**4** Imagine que tu pars de la case A1.

**Réalise le parcours suivant :**

→ → → → → ↑ ↑ → → → → ↑ ↑ ↑

Une flèche consiste à sauter dans la case de la direction indiquée.

**Comment s'appelle le lieu où tu arrives ?**

................................................................................

# Plan de Londres : questions

**1** **Mets une croix :**

– rouge sur le palais de Buckingham ;

– verte sur le palais de Westminster ;

– bleue sur la rue « Downing Street » (c'est là où travaille le Premier ministre britannique).

**2** **Entoure l'ile aux Canards (« Duck Island »).**

**3** **Écris les coordonnées des lieux suivants.**

- Le rond-point devant le palais de Buckingham : ........ ; ........
- L'ile aux Canards : ........ ; ........

**4** Imagine que tu pars de la case A1.

**Réalise le parcours suivant :**

→ → → → → ↑ ↑ → → → → ↑ ↑ ↑

Une flèche consiste à sauter dans la case de la direction indiquée.

**Comment s'appelle le lieu où tu arrives ?**

................................................................................

# Symétrie : modèle

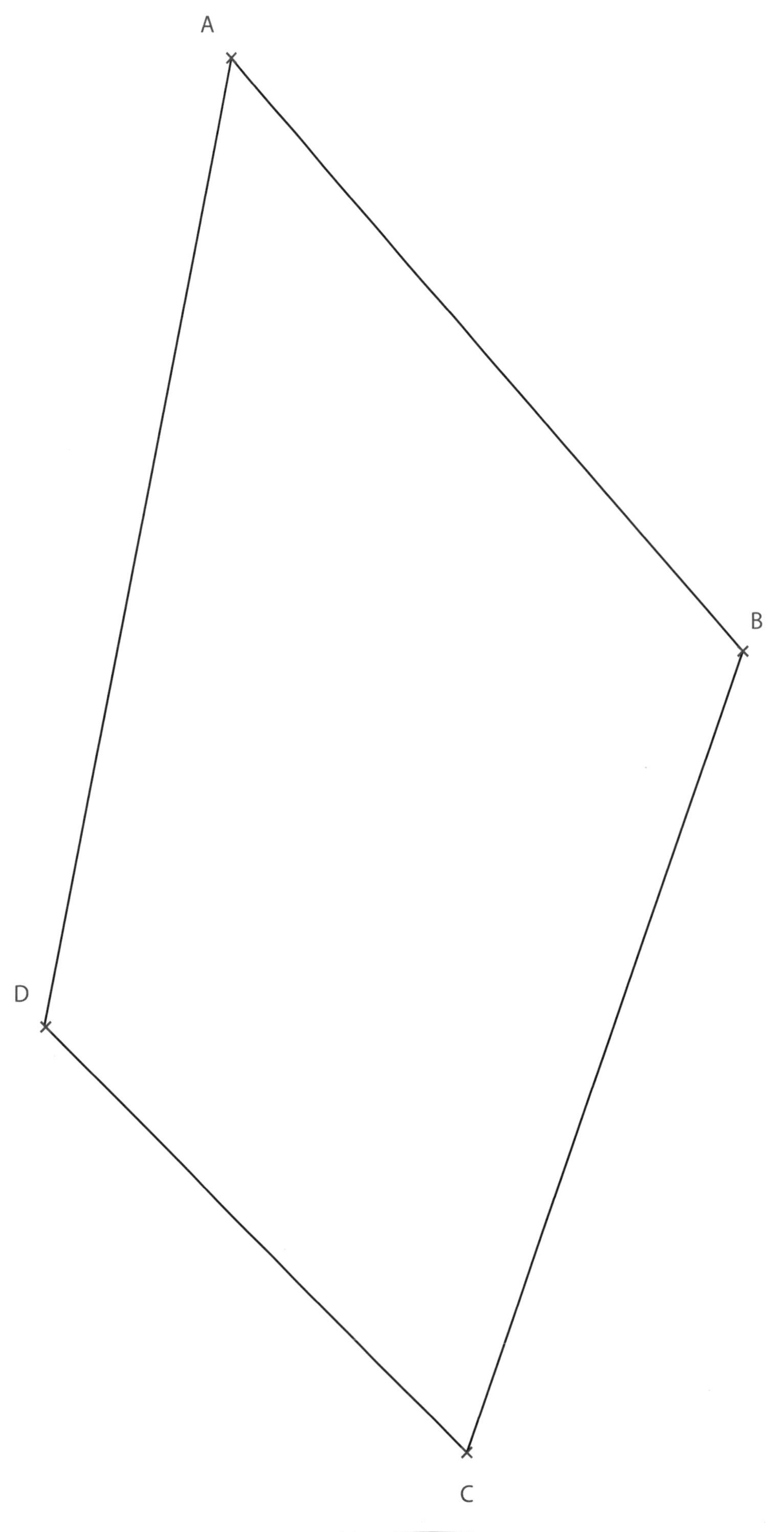

# Exercice symétrie

# Exercice symétrie

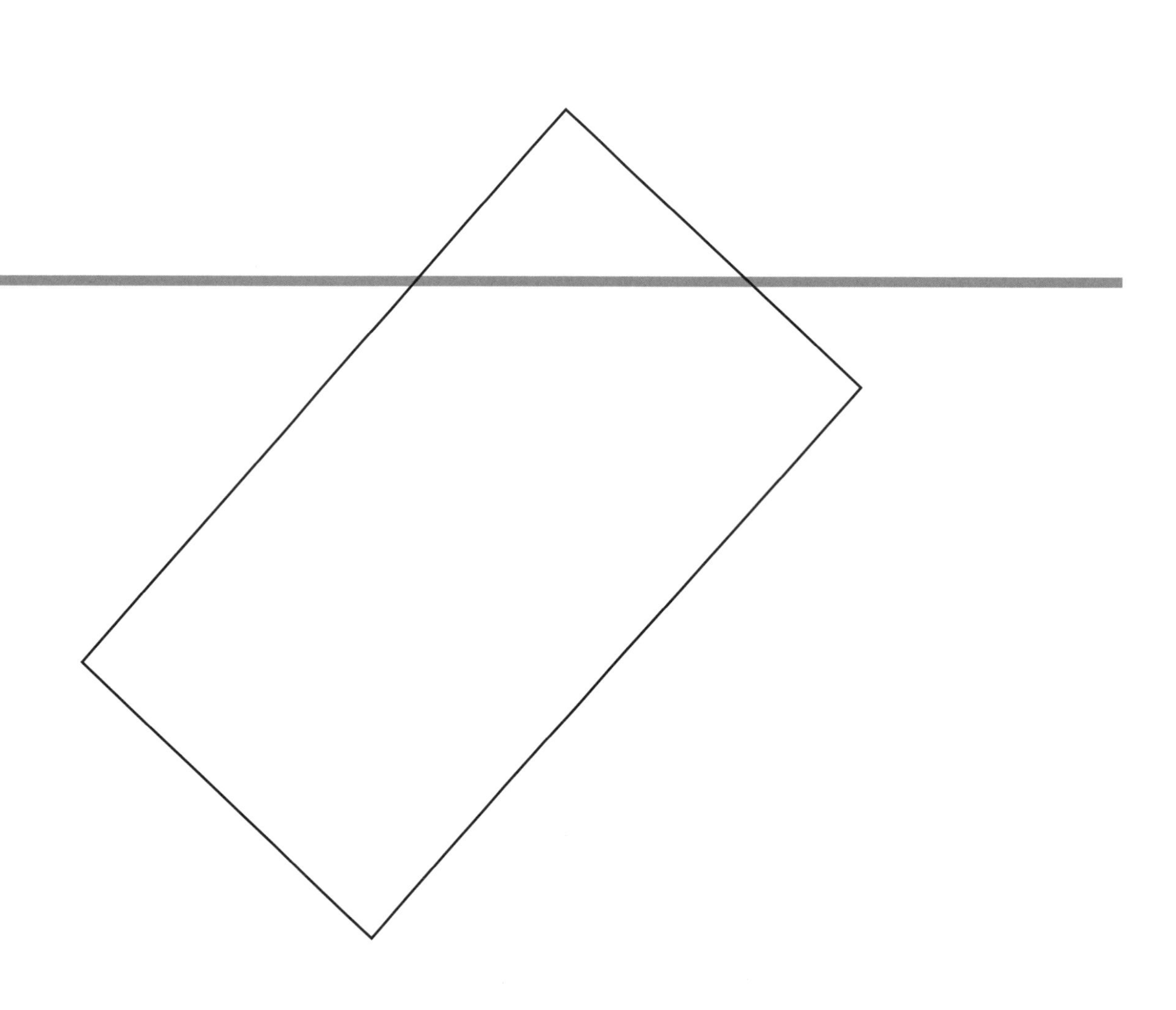

## DEVOIRS Symétrie CM1

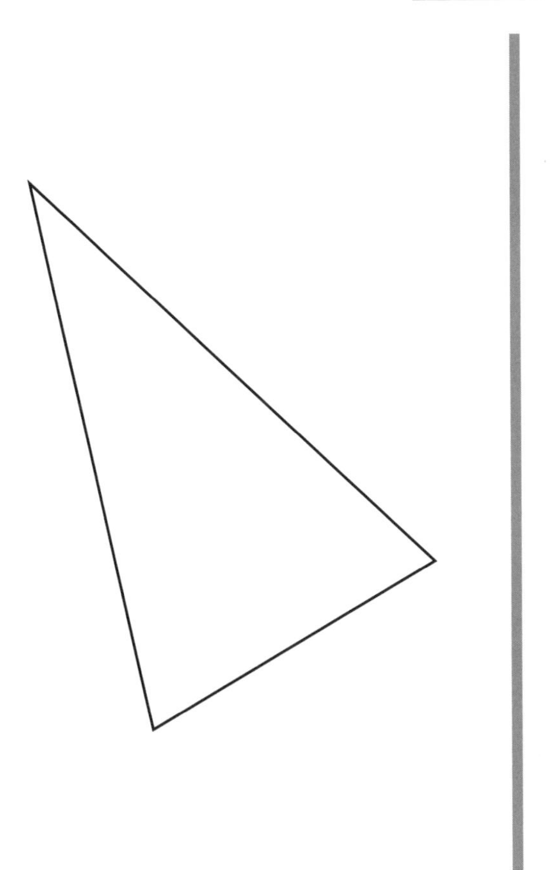

## DEVOIRS Symétrie CM2

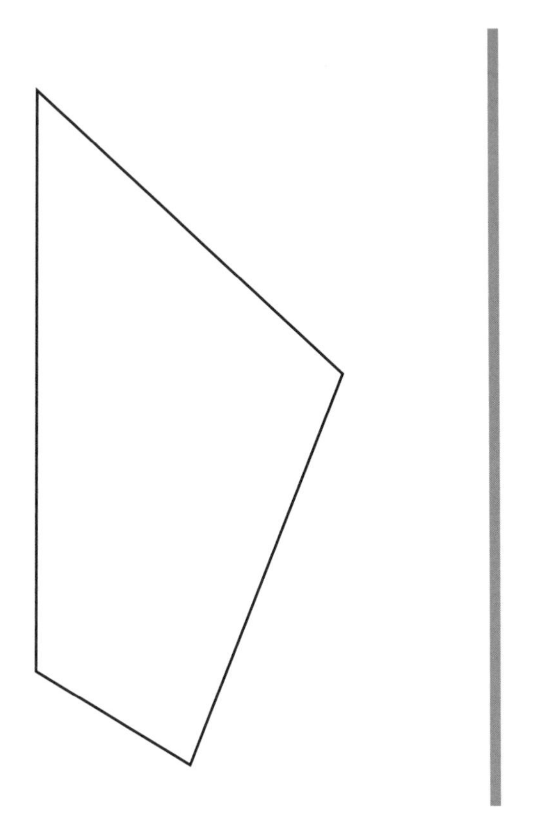

# Calculs en ligne

**1** **Calcule en ligne, sans poser l'opération.**

534 + 425 = ..........

705 + 320 = ..........

455 + 345 = ..........

843 – 132 = ..........

646 – 435 = ..........

778 – 80 = ..........

**2** **Complète les opérations en ligne.**

755 + .......... = 856

901 + .......... = 1 003

9 050 + .......... = 9 950

777 – .......... = 735

953 – .......... = 833

4 025 – .......... = 3 999






# Calculs en ligne

**1** **Calcule en ligne, sans poser l'opération.**

534 + 425 = ..........

705 + 320 = ..........

455 + 345 = ..........

843 – 132 = ..........

646 – 435 = ..........

778 – 80 = ..........

**2** **Complète les opérations en ligne.**

755 + .......... = 856

901 + .......... = 1 003

9 050 + .......... = 9 950

777 – .......... = 735

953 – .......... = 833

4 025 – .......... = 3 999

# Quadrillage aires

# Exercices aires

## EXERCICE 1

Tu ne sais pas encore calculer l'aire d'un disque.
Mais tu peux trouver un encadrement en entourant d'abord le disque par un carré plus grand :

**1** • **Calcule l'aire du carré en carreaux :**

..............

• **Complète :**

aire du disque < .............. carreaux

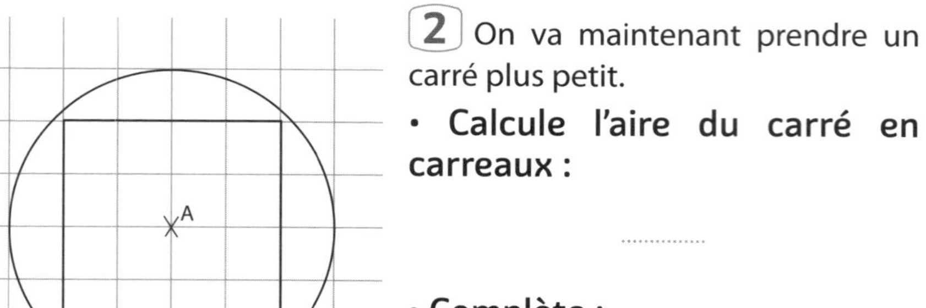


**2** On va maintenant prendre un carré plus petit.

• **Calcule l'aire du carré en carreaux :**

..............

• **Complète :**

.............. carreaux < aire du disque

**3** **Complète l'encadrement :**

.............. carreaux < aire du disque < .............. carreaux

## EXERCICE 2

**Fais comme dans l'exercice 1 pour trouver un encadrement de l'aire de la figure grise.**

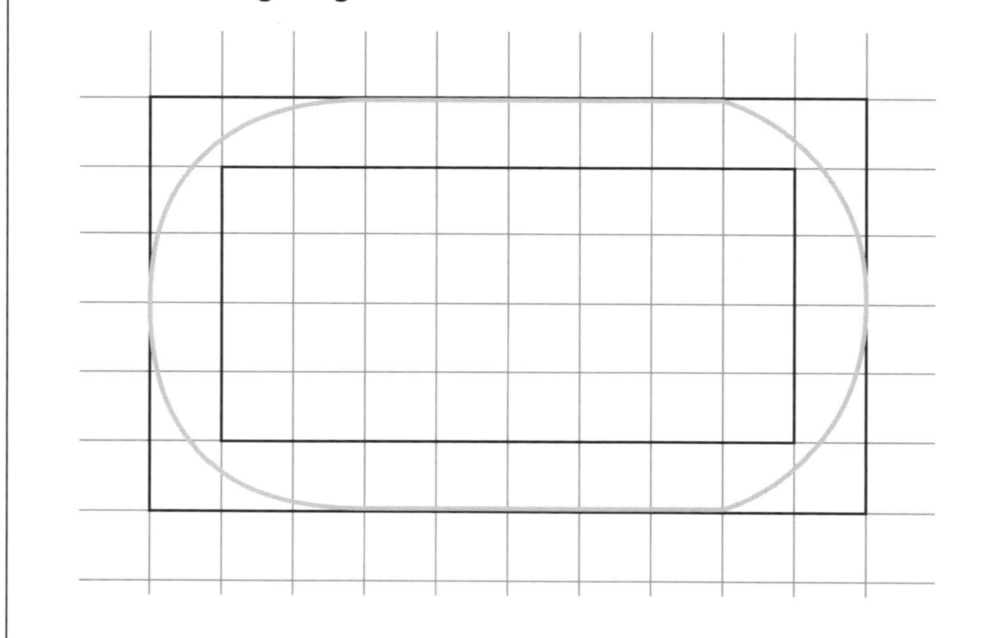

.............. carreaux < aire figure < .............. carreaux

# Chronomath 10

5 min

| | | | |
|---|---|---|---|
| 1 | $4 \times 25 =$ .................. | 16 | $1 + 0{,}3 =$ .................. |
| 2 | $6 \times 25 =$ .................. | 17 | $15 + 2{,}4 =$ .................. |
| 3 | $7 \times 25 =$ .................. | 18 | $75 + 0{,}5 =$ .................. |
| 4 | $3 \times 50 =$ .................. | 19 | $102 + 0{,}9 =$ .................. |
| 5 | $8 \times 25 =$ .................. | 20 | $0{,}2 + 0{,}3 =$ .................. |
| 6 | $58 \times 10 =$ .................. | 21 | $0{,}2 + 0{,}7 =$ .................. |
| 7 | $108 \times 100 =$ .................. | 22 | $0{,}4 + 0{,}3 =$ .................. |
| 8 | $759 \times 100 =$ .................. | 23 | $0{,}5 + 0{,}4 =$ .................. |
| 9 | $2{,}4 \times 10 =$ .................. | 24 | $1{,}2 + 3{,}3 =$ .................. |
| 10 | $4{,}9 \times 10 =$ .................. | 25 | $0{,}2 + 0{,}9 =$ .................. |
| 11 | $2{,}9 \times 100 =$ .................. | 26 | $1{,}2 + 2{,}5 =$ .................. |
| 12 | $15{,}5 \times 100 =$ .................. | 27 | $7{,}4 - 3{,}3 =$ .................. |
| 13 | $2{,}45 \times 10 =$ .................. | 28 | $9{,}5 - 5{,}2 =$ .................. |
| 14 | $7{,}25 \times 10 =$ .................. | 29 | $15{,}4 - 2{,}9 =$ .................. |
| 15 | $2{,}45 \times 100 =$ .................. | 30 | $75{,}1 - 3{,}2 =$ .................. |

**Score :** ..........

# Chronomath 10

5 min

| | | | |
|---|---|---|---|
| 1 | $4 \times 25 =$ .................. | 16 | $1 + 0{,}3 =$ .................. |
| 2 | $6 \times 25 =$ .................. | 17 | $15 + 2{,}4 =$ .................. |
| 3 | $7 \times 25 =$ .................. | 18 | $75 + 0{,}5 =$ .................. |
| 4 | $3 \times 50 =$ .................. | 19 | $102 + 0{,}9 =$ .................. |
| 5 | $8 \times 25 =$ .................. | 20 | $0{,}2 + 0{,}3 =$ .................. |
| 6 | $58 \times 10 =$ .................. | 21 | $0{,}2 + 0{,}7 =$ .................. |
| 7 | $108 \times 100 =$ .................. | 22 | $0{,}4 + 0{,}3 =$ .................. |
| 8 | $759 \times 100 =$ .................. | 23 | $0{,}5 + 0{,}4 =$ .................. |
| 9 | $2{,}4 \times 10 =$ .................. | 24 | $1{,}2 + 3{,}3 =$ .................. |
| 10 | $4{,}9 \times 10 =$ .................. | 25 | $0{,}2 + 0{,}9 =$ .................. |
| 11 | $2{,}9 \times 100 =$ .................. | 26 | $1{,}2 + 2{,}5 =$ .................. |
| 12 | $15{,}5 \times 100 =$ .................. | 27 | $7{,}4 - 3{,}3 =$ .................. |
| 13 | $2{,}45 \times 10 =$ .................. | 28 | $9{,}5 - 5{,}2 =$ .................. |
| 14 | $7{,}25 \times 10 =$ .................. | 29 | $15{,}4 - 2{,}9 =$ .................. |
| 15 | $2{,}45 \times 100 =$ .................. | 30 | $75{,}1 - 3{,}2 =$ .................. |

**Score :** ..........

# Chronomath 10 : réponses

1. $4 \times 25 =$ **100**
2. $6 \times 25 =$ **150**
3. $7 \times 25 =$ **175**
4. $3 \times 50 =$ **150**
5. $8 \times 25 =$ **200**
6. $58 \times 10 =$ **580**
7. $108 \times 100 =$ **10 800**
8. $759 \times 100 =$ **75 900**
9. $2{,}4 \times 10 =$ **24**
10. $4{,}9 \times 10 =$ **49**
11. $2{,}9 \times 100 =$ **290**
12. $15{,}5 \times 100 =$ **1 550**
13. $2{,}45 \times 10 =$ **24,5**
14. $7{,}25 \times 10 =$ **72,5**
15. $2{,}45 \times 100 =$ **245**
16. $1 + 0{,}3 =$ **1,3**
17. $15 + 2{,}4 =$ **17,4**
18. $75 + 0{,}5 =$ **75,5**
19. $102 + 0{,}9 =$ **102,9**
20. $0{,}2 + 0{,}3 =$ **0,5**
21. $0{,}2 + 0{,}7 =$ **0,9**
22. $0{,}4 + 0{,}3 =$ **0,7**
23. $0{,}5 + 0{,}4 =$ **0,9**
24. $1{,}2 + 3{,}3 =$ **4,5**
25. $0{,}2 + 0{,}9 =$ **1,1**
26. $1{,}2 + 2{,}5 =$ **3,7**
27. $7{,}4 - 3{,}3 =$ **4,1**
28. $9{,}5 - 5{,}2 =$ **4,3**
29. $15{,}4 - 2{,}9 =$ **12,5**
30. $75{,}1 - 3{,}2 =$ **71,9**

# Chronomath 10

5 min

1. $4 \times 25 =$ ..................
2. $8 \times 50 =$ ..................
3. $6 \times 25 =$ ..................
4. $9 \times 50 =$ ..................
5. $10 \times 25 =$ ..................
6. $584 \times 10 =$ ..................
7. $1\,085 \times 100 =$ ..................
8. $759 \times 1\,000 =$ ..................
9. $2{,}4 \times 10 =$ ..................
10. $4{,}9 \times 10 =$ ..................
11. $2{,}09 \times 100 =$ ..................
12. $15{,}15 \times 100 =$ ..................
13. $2{,}45 \times 10 =$ ..................
14. $71{,}25 \times 10 =$ ..................
15. $29{,}45 \times 100 =$ ..................
16. $18 + 1{,}3 =$ ..................
17. $15 + 9{,}4 =$ ..................
18. $75 + 5{,}5 =$ ..................
19. $129 + 0{,}9 =$ ..................
20. $0{,}5 + 0{,}3 =$ ..................
21. $0{,}2 + 0{,}7 =$ ..................
22. $0{,}4 + 0{,}5 =$ ..................
23. $0{,}5 + 0{,}8 =$ ..................
24. $1{,}2 + 3{,}7 =$ ..................
25. $1{,}8 + 1{,}9 =$ ..................
26. $1{,}09 + 2{,}06 =$ ..................
27. $1{,}5 + 2{,}04 =$ ..................
28. $9{,}5 - 5{,}2 =$ ..................
29. $15{,}94 - 2{,}91 =$ ..................
30. $75{,}35 - 3{,}25 =$ ..................

**Score :** ........





# Chronomath 10

1. $4 \times 25 =$ ..................
2. $8 \times 50 =$ ..................
3. $6 \times 25 =$ ..................
4. $9 \times 50 =$ ..................
5. $10 \times 25 =$ ..................
6. $584 \times 10 =$ ..................
7. $1\,085 \times 100 =$ ..................
8. $759 \times 1\,000 =$ ..................
9. $2{,}4 \times 10 =$ ..................
10. $4{,}9 \times 10 =$ ..................
11. $2{,}09 \times 100 =$ ..................
12. $15{,}15 \times 100 =$ ..................
13. $2{,}45 \times 10 =$ ..................
14. $71{,}25 \times 10 =$ ..................
15. $29{,}45 \times 100 =$ ..................
16. $18 + 1{,}3 =$ ..................
17. $15 + 9{,}4 =$ ..................
18. $75 + 5{,}5 =$ ..................
19. $129 + 0{,}9 =$ ..................
20. $0{,}5 + 0{,}3 =$ ..................
21. $0{,}2 + 0{,}7 =$ ..................
22. $0{,}4 + 0{,}5 =$ ..................
23. $0{,}5 + 0{,}8 =$ ..................
24. $1{,}2 + 3{,}7 =$ ..................
25. $1{,}8 + 1{,}9 =$ ..................
26. $1{,}09 + 2{,}06 =$ ..................
27. $1{,}5 + 2{,}04 =$ ..................
28. $9{,}5 - 5{,}2 =$ ..................
29. $15{,}94 - 2{,}91 =$ ..................
30. $75{,}35 - 3{,}25 =$ ..................

**Score :** ........

# Chronomath 10 : réponses

1. $4 \times 25 =$ **100**
2. $8 \times 50 =$ **400**
3. $6 \times 25 =$ **150**
4. $9 \times 50 =$ **450**
5. $10 \times 25 =$ **250**
6. $584 \times 10 =$ **5 840**
7. $1\,085 \times 100 =$ **108 500**
8. $759 \times 1\,000 =$ **759 000**
9. $2{,}4 \times 10 =$ **24**
10. $4{,}9 \times 10 =$ **49**
11. $2{,}09 \times 100 =$ **209**
12. $15{,}15 \times 100 =$ **1 515**
13. $2{,}45 \times 10 =$ **24,5**
14. $71{,}25 \times 10 =$ **712,5**
15. $29{,}45 \times 100 =$ **2 945**
16. $18 + 1{,}3 =$ **19,3**
17. $15 + 9{,}4 =$ **24,4**
18. $75 + 5{,}5 =$ **80,5**
19. $129 + 0{,}9 =$ **129,9**
20. $0{,}5 + 0{,}3 =$ **0,8**
21. $0{,}2 + 0{,}7 =$ **0,9**
22. $0{,}4 + 0{,}5 =$ **0,9**
23. $0{,}5 + 0{,}8 =$ **1,3**
24. $1{,}2 + 3{,}7 =$ **4,9**
25. $1{,}8 + 1{,}9 =$ **3,7**
26. $1{,}09 + 2{,}06 =$ **3,15**
27. $1{,}5 + 2{,}04 =$ **3,54**
28. $9{,}5 - 5{,}2 =$ **4,3**
29. $15{,}94 - 2{,}91 =$ **13,03**
30. $75{,}35 - 3{,}25 =$ **72,1**

# Exercice OGD

Paris est la cinquième ville d'Europe la plus peuplée. Au XIIe siècle, elle comptait déjà 50 000 habitants.
La ville n'ayant pas beaucoup de place pour s'agrandir, sa population a peu varié ces dernières années.

Voici les chiffres approximatifs de la population de Paris à différentes dates.

| 1905 | 1925 | 1945 | 1965 |
|---|---|---|---|
| **2 800 000** | **2 900 000** | 2 700 000 | 2 800 000 |

| 1975 | 1990 | 2005 | 2015 |
|---|---|---|---|
| 2 300 000 | 2 150 000 | 2 200 000 | 2 220 000 |

**Utilise les informations dont tu disposes pour terminer le graphique ci-contre, qui représente l'évolution de la population de Paris depuis 1905.**

**1905** 1910 1915 1920 **1925** 1930 1935 1940 **1945** 1950 1955 **1965** 1970 **1975** 1980 1985 **1990** 1995 2000 **2005** 2010 **2015**

2 900 000 2 850 000 2 800 000 2 750 000 2 700 000 2 650 000 2 600 000 2 550 000 2 500 000 2 400 000 2 350 000 2 300 000 2 250 000 2 200 000 2 150 000 2 100 000

# DEVOIRS Équations

## DEVOIRS 1

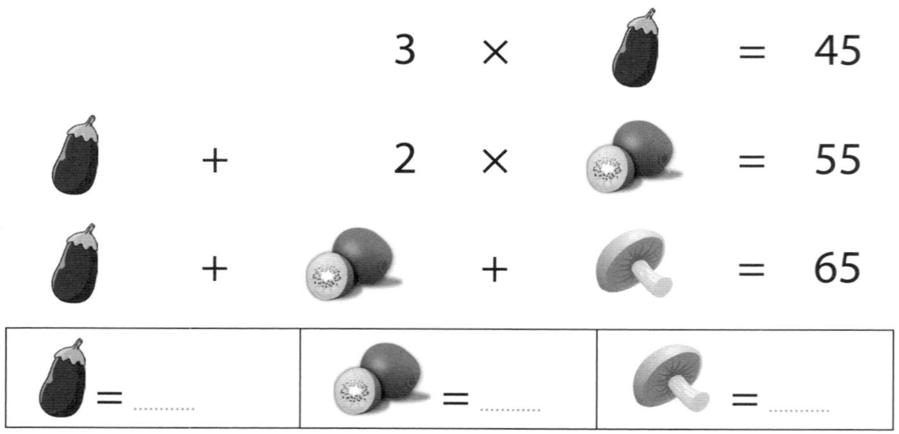

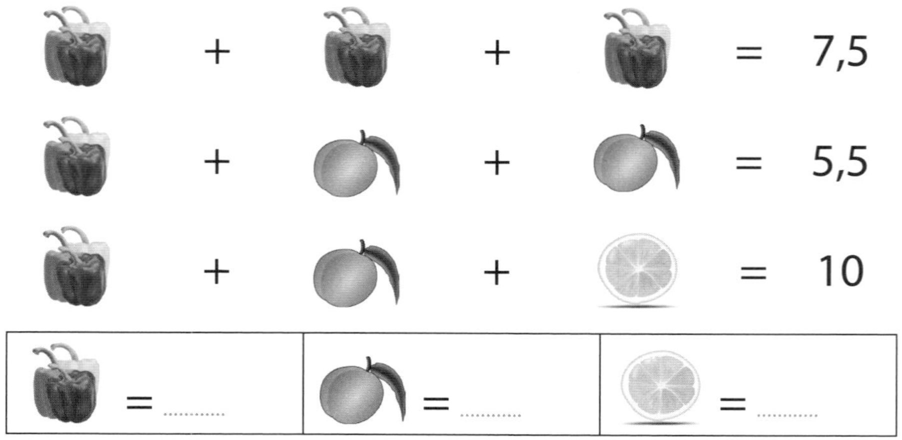

3 × = 45

\+ 2 × = 55

\+ + = 65

| = .......... | = .......... | = .......... |
|---|---|---|

## DEVOIRS 3

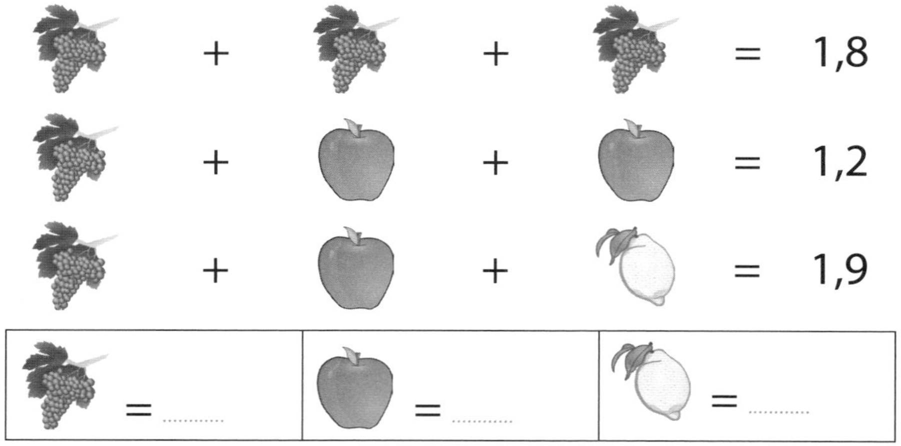

\+ + = 1,8

\+ + = 1,2

\+ + = 1,9

| = .......... | = .......... | = .......... |
|---|---|---|

## DEVOIRS 2

\+ + = 7,5

\+ + = 5,5

\+ + = 10

| = .......... | = .......... | = .......... |
|---|---|---|

## DEVOIRS 4

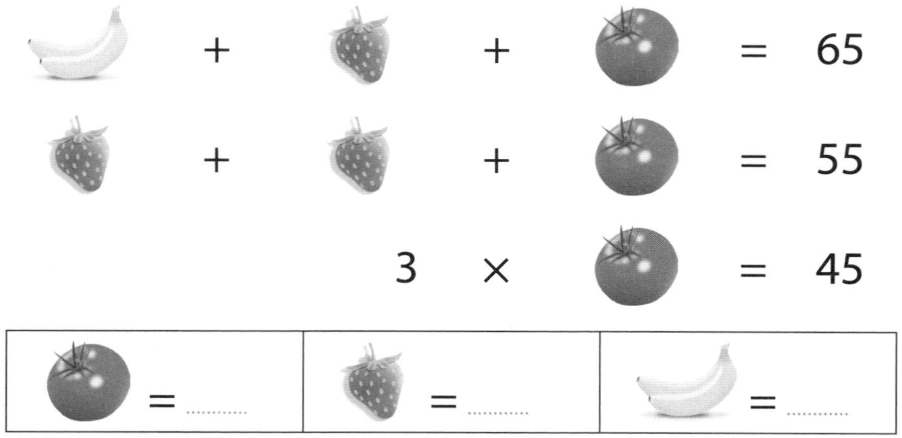

\+ + = 65

\+ + = 55

3 × = 45

| = .......... | = .......... | = .......... |
|---|---|---|

# DEVOIRS Équations

## DEVOIRS 1

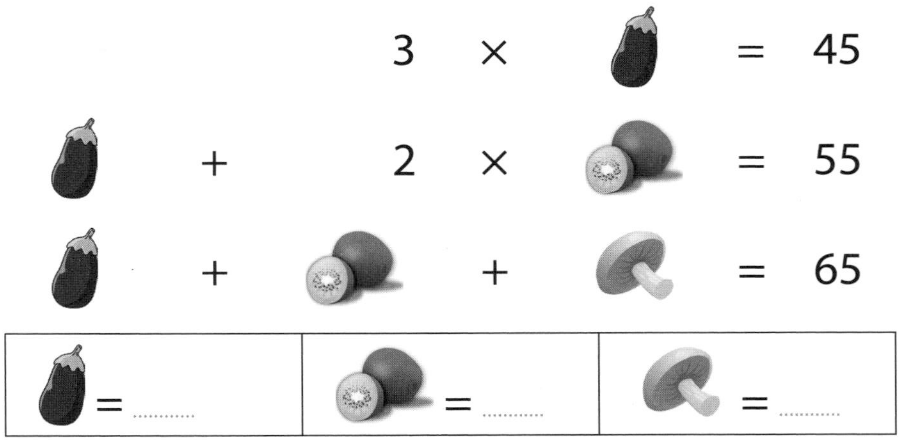

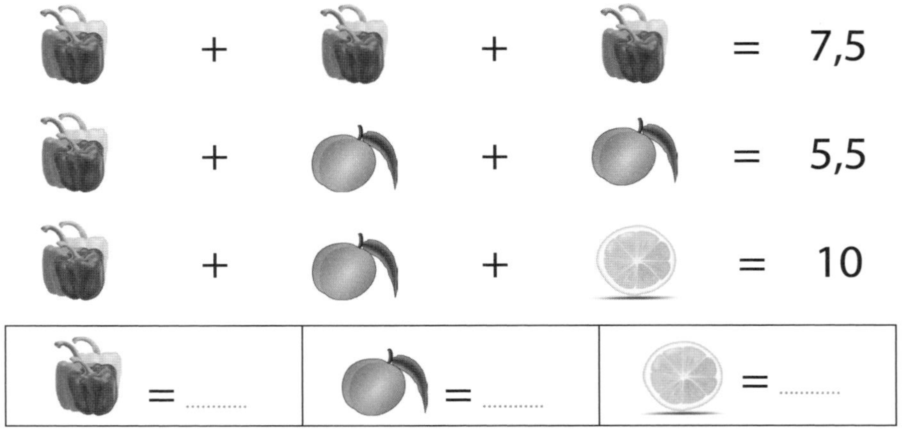

3 × = 45

\+ 2 × = 55

\+ + = 65

| = .......... | = .......... | = .......... |
|---|---|---|

## DEVOIRS 2

\+ + = 7,5

\+ + = 5,5

\+ + = 10

| = .......... | = .......... | = .......... |
|---|---|---|

## DEVOIRS 3

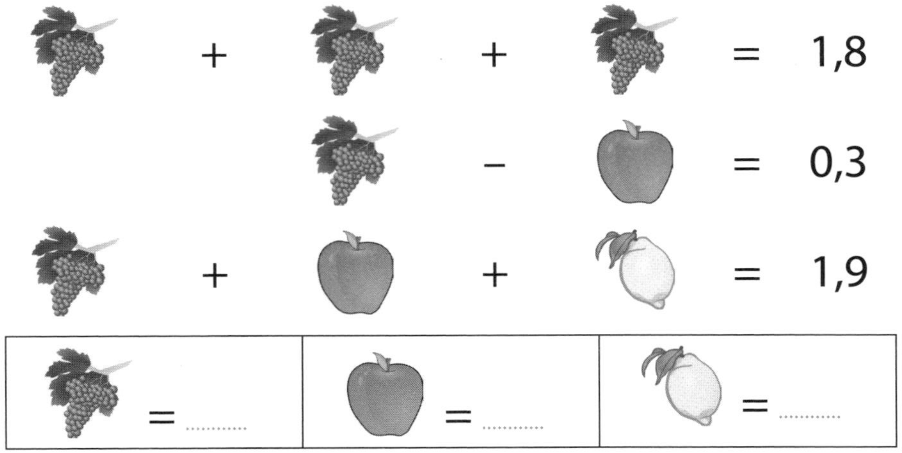

\+ + = 1,8

– = 0,3

\+ + = 1,9

| = .......... | = .......... | = .......... |
|---|---|---|

## DEVOIRS 4

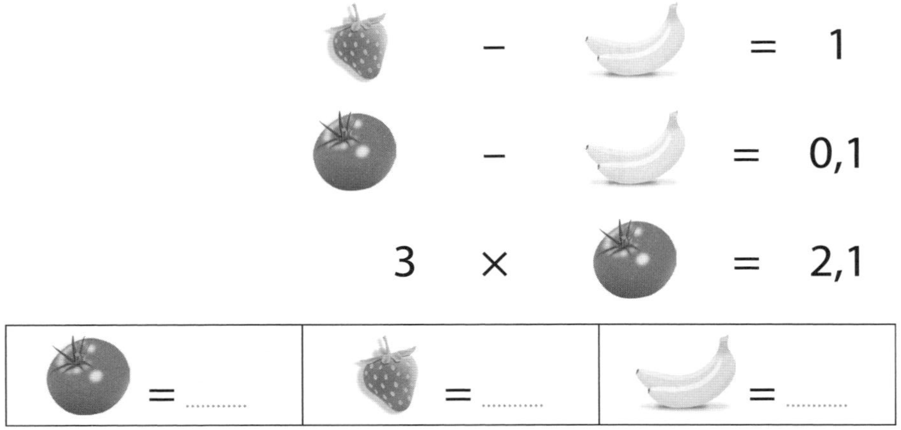

– = 1

– = 0,1

3 × = 2,1

| = .......... | = .......... | = .......... |
|---|---|---|

## DEVOIRS Angles (1)

**Observe la figure et coche dans le tableau.**

| | Aigu | Obtus | Droit |
|---|---|---|---|
| **Angle 1** | | | |
| **Angle 2** | | | |
| **Angle 3** | | | |

## DEVOIRS Angles (2)

**Observe la figure et coche dans le tableau.**

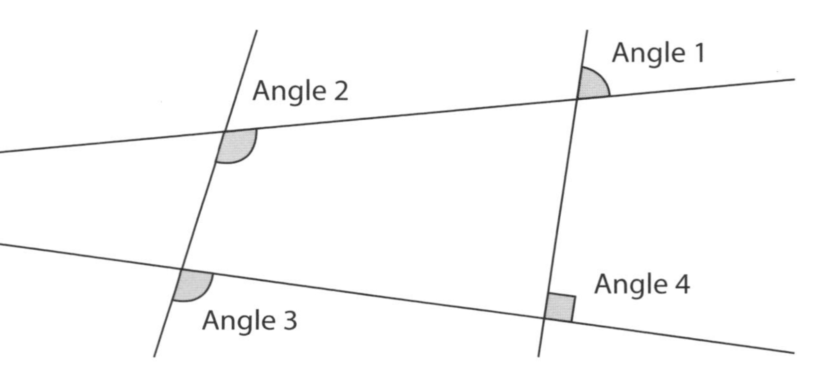


| | Aigu | Obtus | Droit |
|---|---|---|---|
| **Angle 1** | | | |
| **Angle 2** | | | |
| **Angle 3** | | | |
| **Angle 4** | | | |

# DEVOIRS Angles (1)

**Observe la figure et coche dans le tableau.**

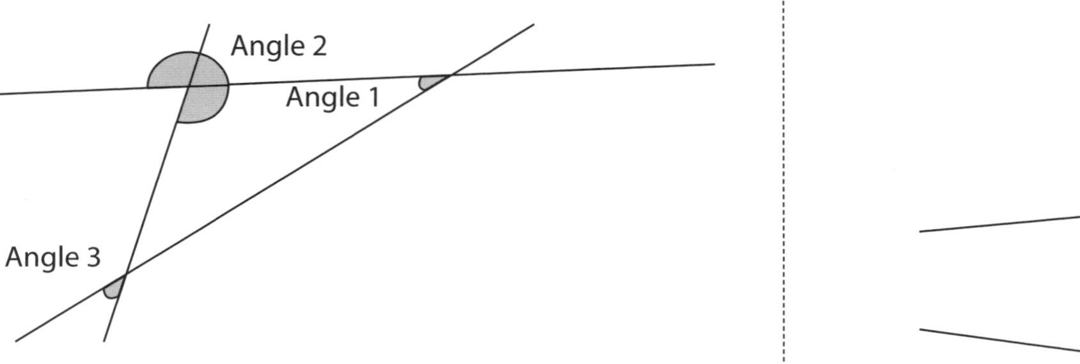


| | Aigu | Obtus | Droit |
|---|---|---|---|
| **Angle 1** | | | |
| **Angle 2** | | | |
| **Angle 3** | | | |



# DEVOIRS Angles (2)

**Observe la figure et coche dans le tableau.**

Angle 1
Angle 2
Angle 4
Angle 3

| | Aigu | Obtus | Droit |
|---|---|---|---|
| **Angle 1** | | | |
| **Angle 2** | | | |
| **Angle 3** | | | |
| **Angle 4** | | | |

# Problème proportionnalité

Pour apporter des réserves à la Station spatiale internationale, la fusée doit monter à 400 km d'altitude environ.

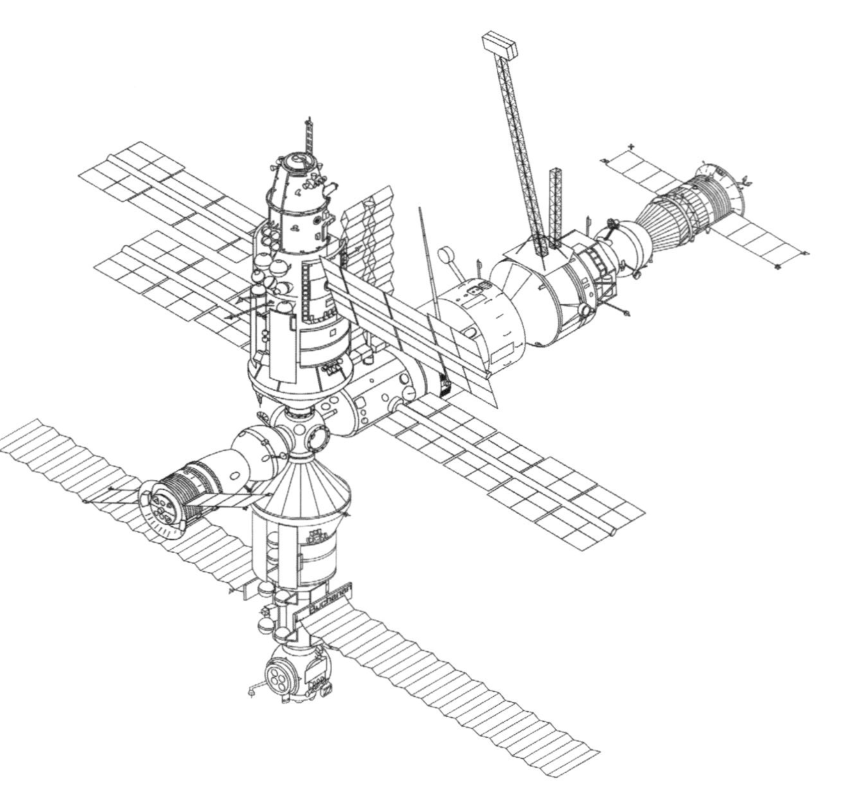

**Complète le tableau.**

| Distance à parcourir | 1 km | 100 km | 400 km |
|---|---|---|---|
| Quantité de carburant nécessaire | 15 L | .................... | .................... |


# Problème proportionnalité

Pour apporter des réserves à la Station spatiale internationale, la fusée doit monter à 400 km d'altitude environ.


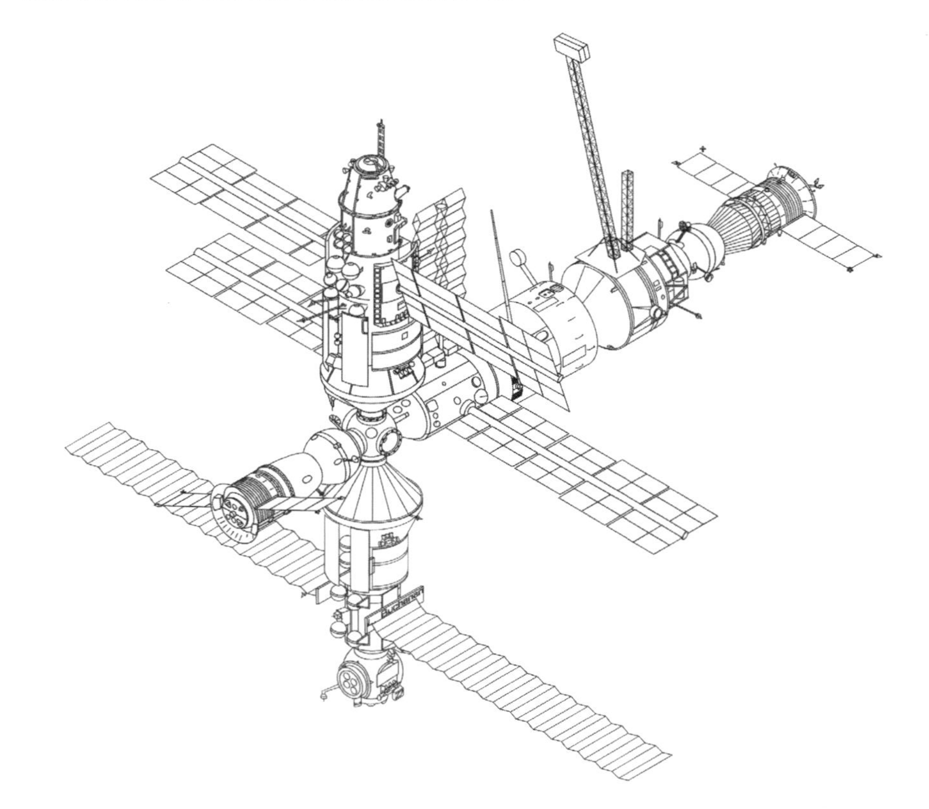


**Complète le tableau.**

| Distance à parcourir | 1 km | 100 km | 400 km |
|---|---|---|---|
| Quantité de carburant nécessaire | 15 L | .................... | .................... |

# Problème proportionnalité

Pour aller dans l'espace, une navette spatiale a besoin de beaucoup de carburant.

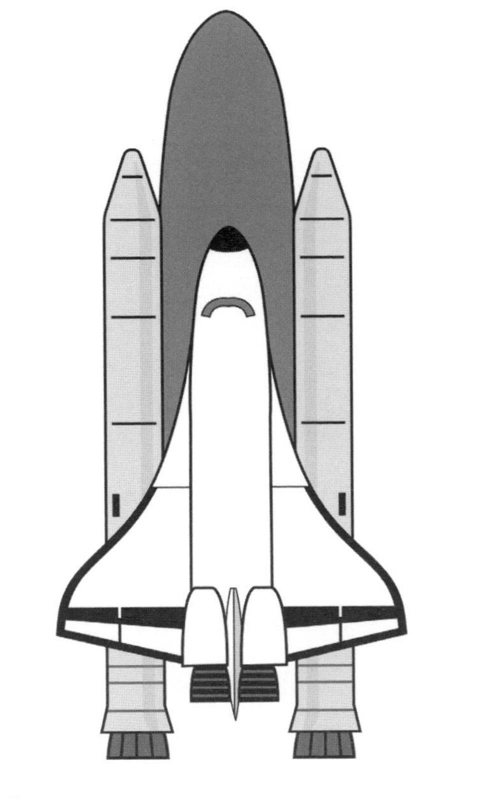

**Complète le tableau.**

| **Distance à parcourir** | 10 000 km | 20 000 km | 70 000 km | Distance Terre-Lune = 350 000 km |
|---|---|---|---|---|
| **Quantité de carburant nécessaire** | 1 600 L | 3 200 L | .................. | .................. |



# Problème proportionnalité

Pour aller dans l'espace, une navette spatiale a besoin de beaucoup de carburant.

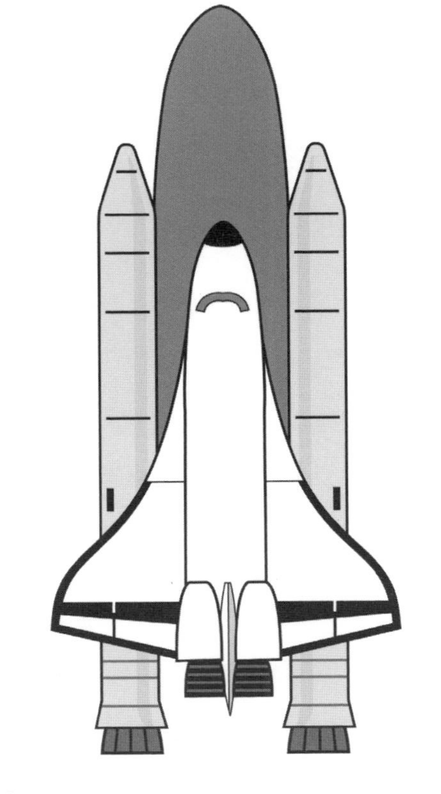

**Complète le tableau.**

| **Distance à parcourir** | 10 000 km | 20 000 km | 70 000 km | Distance Terre-Lune = 350 000 km |
|---|---|---|---|---|
| **Quantité de carburant nécessaire** | 1 600 L | 3 200 L | .................. | .................. |

# Chronomath 11

1. $4 \times 11 =$ ..........
2. $6 \times 11 =$ ..........
3. $7 \times 11 =$ ..........
4. $10 \times 11 =$ ..........
5. $3 \times 25 =$ ..........
6. $5 \times 25 =$ ..........
7. $7 \times 25 =$ ..........
8. $8 \times 25 =$ ..........
9. $9 \times 25 =$ ..........
10. $5 \times 50 =$ ..........
11. $436 \times 10 =$ ..........
12. $709 \times 100 =$ ..........
13. $1\,070 \times 1\,000 =$ ..........
14. $1{,}7 \times 10 =$ ..........
15. $12{,}1 \times 100 =$ ..........
16. $2{,}35 \times 10 =$ ..........
17. $1{,}06 \times 10 =$ ..........
18. $199{,}9 \times 100 =$ ..........
19. $1{,}05 \times 100 =$ ..........
20. $0{,}07 \times 100 =$ ..........
21. $0{,}2 + 0{,}7 =$ ..........
22. $0{,}4 + 0{,}5 =$ ..........
23. $0{,}8 + 0{,}7 =$ ..........
24. $0{,}5 + 0{,}5 =$ ..........
25. $0{,}1 + 0{,}75 =$ ..........
26. $5{,}01 + 1{,}05 =$ ..........
27. $0{,}15 + 0{,}75 =$ ..........
28. $9{,}05 + 1{,}35 =$ ..........
29. $9{,}1 - 0{,}5 =$ ..........
30. $5{,}5 - 1{,}25 =$ ..........

**Score :** ..........


# Chronomath 11

5 min

1. $4 \times 11 =$ ..........
2. $6 \times 11 =$ ..........
3. $7 \times 11 =$ ..........
4. $10 \times 11 =$ ..........
5. $3 \times 25 =$ ..........
6. $5 \times 25 =$ ..........
7. $7 \times 25 =$ ..........
8. $8 \times 25 =$ ..........
9. $9 \times 25 =$ ..........
10. $5 \times 50 =$ ..........
11. $436 \times 10 =$ ..........
12. $709 \times 100 =$ ..........
13. $1\,070 \times 1\,000 =$ ..........
14. $1{,}7 \times 10 =$ ..........
15. $12{,}1 \times 100 =$ ..........
16. $2{,}35 \times 10 =$ ..........
17. $1{,}06 \times 10 =$ ..........
18. $199{,}9 \times 100 =$ ..........
19. $1{,}05 \times 100 =$ ..........
20. $0{,}07 \times 100 =$ ..........
21. $0{,}2 + 0{,}7 =$ ..........
22. $0{,}4 + 0{,}5 =$ ..........
23. $0{,}8 + 0{,}7 =$ ..........
24. $0{,}5 + 0{,}5 =$ ..........
25. $0{,}1 + 0{,}75 =$ ..........
26. $5{,}01 + 1{,}05 =$ ..........
27. $0{,}15 + 0{,}75 =$ ..........
28. $9{,}05 + 1{,}35 =$ ..........
29. $9{,}1 - 0{,}5 =$ ..........
30. $5{,}5 - 1{,}25 =$ ..........

**Score :** ..........

# Chronomath 11 : réponses

1 $4 \times 11 =$ **44**

2 $6 \times 11 =$ **66**

3 $7 \times 11 =$ **77**

4 $10 \times 11 =$ **110**

5 $3 \times 25 =$ **75**

6 $5 \times 25 =$ **125**

7 $7 \times 25 =$ **175**

8 $8 \times 25 =$ **200**

9 $9 \times 25 =$ **225**

10 $5 \times 50 =$ **250**

11 $436 \times 10 =$ **4 360**

12 $709 \times 100 =$ **70 900**

13 $1\,070 \times 1\,000 =$ **1 070 000**

14 $1{,}7 \times 10 =$ **17**

15 $12{,}1 \times 100 =$ **1 210**

16 $2{,}35 \times 10 =$ **23,5**

17 $1{,}06 \times 10 =$ **10,6**

18 $199{,}9 \times 100 =$ **19 990**

19 $1{,}05 \times 100 =$ **105**

20 $0{,}07 \times 100 =$ **7**

21 $0{,}2 + 0{,}7 =$ **0,9**

22 $0{,}4 + 0{,}5 =$ **0,9**

23 $0{,}8 + 0{,}7 =$ **1,5**

24 $0{,}5 + 0{,}5 =$ **1**

25 $0{,}1 + 0{,}75 =$ **0,85**

26 $5{,}01 + 1{,}05 =$ **6,06**

27 $0{,}15 + 0{,}75 =$ **0,9**

28 $9{,}05 + 1{,}35 =$ **10,4**

29 $9{,}1 - 0{,}5 =$ **8,6**

30 $5{,}5 - 1{,}25 =$ **4,25**

# Chronomath 11

5 min

| | | | |
|---|---|---|---|
| 1 | 0,3 + 0,7 = ............ | 16 | 290 : 100 = ............ |
| 2 | 0,4 + 0,9 = ............ | 17 | 1 890 : 1 000 = ............ |
| 3 | 0,8 + 0,7 = ............ | 18 | 5,25 : 10 = ............ |
| 4 | 0,9 + 0,7 = ............ | 19 | 15,9 : 100 = ............ |
| 5 | 2,15 + 1,7 = ............ | 20 | 0,5 : 100 = ............ |
| 6 | 2,9 – 0,7 = ............ | 21 | 50 % de 500 : ............ |
| 7 | 1,25 – 0,1 = ............ | 22 | 50 % de 7 000 : ............ |
| 8 | 1,05 – 0,01 = ............ | 23 | 50 % de 1 460 : ............ |
| 9 | 2,5 – 1,7 = ............ | 24 | 50 % de 2,8 : ............ |
| 10 | 5,1 – 1,4 = ............ | 25 | 50 % de 10,6 : ............ |
| 11 | 7,05 × 10 = ............ | 26 | 25 % de 1 000 : ............ |
| 12 | 2,75 × 100 = ............ | 27 | 25 % de 840 : ............ |
| 13 | 3,025 × 1 000 = ............ | 28 | 25 % de 600 : ............ |
| 14 | 99,9 × 100 = ............ | 29 | 25 % de 8,8 : ............ |
| 15 | 105 : 10 = ............ | 30 | 25 % de 48,4 : ............ |

**Score :** ............

# Chronomath 11

| | | | |
|---|---|---|---|
| 1 | 0,3 + 0,7 = ............ | 16 | 290 : 100 = ............ |
| 2 | 0,4 + 0,9 = ............ | 17 | 1 890 : 1 000 = ............ |
| 3 | 0,8 + 0,7 = ............ | 18 | 5,25 : 10 = ............ |
| 4 | 0,9 + 0,7 = ............ | 19 | 15,9 : 100 = ............ |
| 5 | 2,15 + 1,7 = ............ | 20 | 0,5 : 100 = ............ |
| 6 | 2,9 – 0,7 = ............ | 21 | 50 % de 500 : ............ |
| 7 | 1,25 – 0,1 = ............ | 22 | 50 % de 7 000 : ............ |
| 8 | 1,05 – 0,01 = ............ | 23 | 50 % de 1 460 : ............ |
| 9 | 2,5 – 1,7 = ............ | 24 | 50 % de 2,8 : ............ |
| 10 | 5,1 – 1,4 = ............ | 25 | 50 % de 10,6 : ............ |
| 11 | 7,05 × 10 = ............ | 26 | 25 % de 1 000 : ............ |
| 12 | 2,75 × 100 = ............ | 27 | 25 % de 840 : ............ |
| 13 | 3,025 × 1 000 = ............ | 28 | 25 % de 600 : ............ |
| 14 | 99,9 × 100 = ............ | 29 | 25 % de 8,8 : ............ |
| 15 | 105 : 10 = ............ | 30 | 25 % de 48,4 : ............ |

**Score :** ............

# Chronomath 11 : réponses

1. $0{,}3 + 0{,}7 =$ **1**
2. $0{,}4 + 0{,}9 =$ **1,3**
3. $0{,}8 + 0{,}7 =$ **1,5**
4. $0{,}9 + 0{,}7 =$ **1,6**
5. $2{,}15 + 1{,}7 =$ **3,85**
6. $2{,}9 - 0{,}7 =$ **2,2**
7. $1{,}25 - 0{,}1 =$ **1,15**
8. $1{,}05 - 0{,}01 =$ **1,04**
9. $2{,}5 - 1{,}7 =$ **0,8**
10. $5{,}1 - 1{,}4 =$ **3,7**
11. $7{,}05 \times 10 =$ **70,5**
12. $2{,}75 \times 100 =$ **275**
13. $3{,}025 \times 1\ 000 =$ **3 025**
14. $99{,}9 \times 100 =$ **9 990**
15. $105 : 10 =$ **10,5**
16. $290 : 100 =$ **2,9**
17. $1\ 890 : 1\ 000 =$ **1,89**
18. $5{,}25 : 10 =$ **0,525**
19. $15{,}9 : 100 =$ **0,159**
20. $0{,}5 : 100 =$ **0,005**
21. 50 % de 500 : **250**
22. 50 % de 7 000 : **3 500**
23. 50 % de 1 460 : **730**
24. 50 % de 2,8 : **1,4**
25. 50 % de 10,6 : **5,3**
26. 25 % de 1 000 : **250**
27. 25 % de 840 : **210**
28. 25 % de 600 : **150**
29. 25 % de 8,8 : **2,2**
30. 25 % de 48,4 : **12,1**

# Chronomath 12

| | | | |
|---|---|---|---|
| 1 | ........ | 16 | ........ |
| 2 | ........ | 17 | ........ |
| 3 | ........ | 18 | ........ |
| 4 | ........ | 19 | ........ |
| 5 | ........ | 20 | ........ |
| 6 | ........ | 21 | ........ |
| 7 | ........ | 22 | ........ |
| 8 | ........ | 23 | ........ |
| 9 | ........ | 24 | ........ |
| 10 | ........ | 25 | ........ |
| 11 | ........ | 26 | ........ |
| 12 | ........ | 27 | ........ |
| 13 | ........ | 28 | ........ |
| 14 | ........ | 29 | ........ |
| 15 | ........ | 30 | ........ |

Score :  ........

Chronomath 12

| | | | |
|---|---|---|---|
| 1 | ........ | 16 | ........ |
| 2 | ........ | 17 | ........ |
| 3 | ........ | 18 | ........ |
| 4 | ........ | 19 | ........ |
| 5 | ........ | 20 | ........ |
| 6 | ........ | 21 | ........ |
| 7 | ........ | 22 | ........ |
| 8 | ........ | 23 | ........ |
| 9 | ........ | 24 | ........ |
| 10 | ........ | 25 | ........ |
| 11 | ........ | 26 | ........ |
| 12 | ........ | 27 | ........ |
| 13 | ........ | 28 | ........ |
| 14 | ........ | 29 | ........ |
| 15 | ........ | 30 | ........ |

Score : ........

# Chronomath 12 : réponses

1 ........................................

2 ........................................

3 ........................................

4 ........................................

5 ........................................

6 ........................................

7 ........................................

8 ........................................

9 ........................................

10 ........................................

11 ........................................

12 ........................................

13 ........................................

14 ........................................

15 ........................................

16 ........................................

17 ........................................

18 ........................................

19 ........................................

20 ........................................

21 ........................................

22 ........................................

23 ........................................

24 ........................................

25 ........................................

26 ........................................

27 ........................................

28 ........................................

29 ........................................

30 ........................................

# Rallye maths (proposition 1) – Manche 1

Chaque réponse juste rapporte 5 points. Si cette dernière est correctement expliquée, c'est 5 points supplémentaires ! Si la réponse est fausse, l'exercice ne rapporte aucun point.
Attention, il faut choisir 3 exercices : coche ceux que tu as choisis (☒ Exercice 1).

## ☐ Exercice 1 : numération

**Comment trouver 1 000 en utilisant une addition ne comportant que des chiffres 8 ?**

........................................................................

........................................................................

........................................................................

## ☐ Exercice 2 : géométrie

Enzo et Louna sont au téléphone.

Louna décrit à Enzo la figure qu'elle a sur son livre et Enzo dessine à main levée ce qu'elle lui décrit.

Voici leur dialogue :

ENZO : « Elle a un nom, ta figure ? »

LOUNA : « Elle a quatre côtés, mais ce n'est pas une forme dont je connais le nom. »

ENZO : « Un carré, un rectangle, un losange… ? »

LOUNA : « Non, rien de tout ça, et pourtant elle a un angle droit et des côtés égaux. »

ENZO : « Ils sont tous égaux ? »

LOUNA : « Non , il y en a deux égaux entre eux et deux autres égaux entre eux, mais les premiers ne sont pas égaux aux seconds. »

**Trouve une réponse possible qui correspond à ces informations.**

........................................................................

........................................................................

........................................................................

........................................................................

........................................................................

........................................................................

## ☐ Exercice 3 : mesures

Gabin doit entourer son grand champ carré avec une clôture électrique. Les autres parcelles sont toutes carrées.

CHAMP

8 m

**Quelle longueur de clôture électrique doit-il acheter ?**

........................................................................

........................................................................

## ☐ Exercice 4

Une pharmacienne prépare un médicament. Elle doit verser exactement 4 cL de sirop dans son bol, mais elle n'a rien pour mesurer. Elle dispose juste de deux récipients : un rouge de 3 cL et un gris de 5 cL.

**Comment peut-elle obtenir exactement 4 cL de sirop sans autre matériel ?**
**Explique comment faire.**

........................................................................

........................................................................

........................................................................

........................................................................

........................................................................

........................................................................

........................................................................

........................................................................

# Rallye maths (proposition 1) – Manche 2

Chaque réponse juste rapporte 5 points. Si cette dernière est correctement expliquée, c'est 5 points supplémentaires ! Si la réponse est fausse, l'exercice ne rapporte aucun point.
Attention, il faut choisir 3 exercices : coche ceux que tu as choisis (☒ Exercice 1).

## ☐ Exercice 1 : numération

Une cycliste s'entraine progressivement. Elle fait une petite sortie le lundi puis, du mardi au vendredi, elle double chaque jour la distance parcourue la veille.

En une semaine, elle parcourt au total 310 km.

**Quelle distance a-t-elle parcourue le lundi ?**

.......................................................................................

.......................................................................................

.......................................................................................

.......................................................................................

## ☐ Exercice 2 : géométrie

Regarde cette construction de cubes collés les uns aux autres.

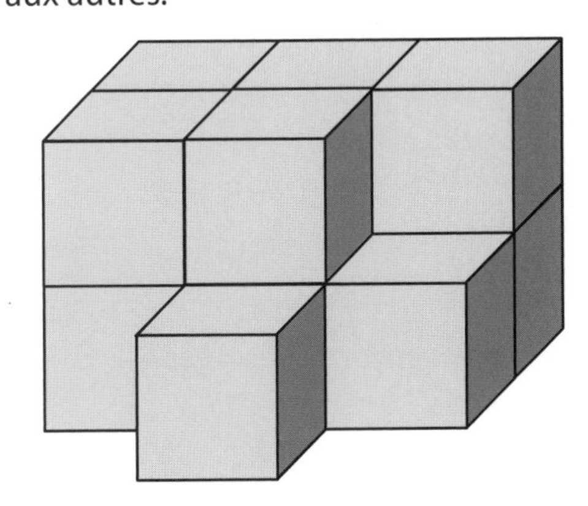

Marion veut la peindre. Il lui faut deux coups de pinceau pour peindre un carré. Elle veut peindre entièrement la construction, sauf la partie en dessous.

**Combien de coups de pinceaux doit-elle donner pour peindre toute la construction ?**

.......................................................................................

.......................................................................................

.......................................................................................

## ☐ Exercice 3 : mesures

Yanis est en vacances à Montréal. Il veut prendre le métro à la station Montmorency à 8 h 12 pour rejoindre la station Angrignon. Chaque trajet et l'arrêt dans une station durent 1 min. Chaque arrêt dans une station intermodale dure 1 min de plus. Il doit arriver à Angrignon à 8 h 40 au plus tard.

**Quel itinéraire doit-il emprunter pour être à l'heure ?**
*Utilise le plan grand format donné par ton enseignant-e.*

.......................................................................................

.......................................................................................

.......................................................................................

## ☐ Exercice 4 : logique

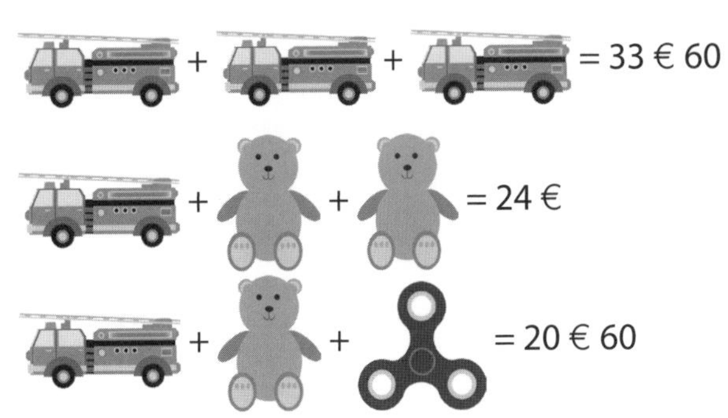


**Avec les informations ci-dessus, trouve le prix de chaque jouet.**

= .................... €

= .................... €

= .................... €

# Rallye maths (proposition 1) – Manche 3

Chaque réponse juste rapporte 5 points. Si cette dernière est correctement expliquée, c'est 5 points supplémentaires ! Si la réponse est fausse, l'exercice ne rapporte aucun point.
Attention, il faut choisir 3 exercices : coche les exercices que tu as choisis (☒ Exercice 1).

## ☐ Exercice 1 : numération

Au distributeur automatique de billets de banque, j'ai demandé une somme de 200 €.

Le distributeur ne peut fournir que des billets de 10 € ou de 20 €. J'ai obtenu 13 billets.

**Combien ai-je de billets de 10 € et de 20 € ?**

.....................................................................

.....................................................................

.....................................................................

## ☐ Exercice 2 : mesures

Axel a passé ses vacances à Marseille. Il a plusieurs possibilités pour rentrer chez lui :

– **rentrer en voiture**. Il y a 280 km à faire. Il roulera à une moyenne de 80 km/h.

– **rentrer en train**. Le train part à 8 h 41 et arrive 11 h 39, et il a au total 30 minutes de transport en commun en plus.

– **prendre l'avion**. Le vol dure 1 h 15 mais il va perdre deux fois plus de temps pour les trajets et l'attente.

**Quel moyen de transport va-t-il choisir s'il veut rentrer le plus vite possible ?**

.....................................................................

.....................................................................

.....................................................................

.....................................................................

.....................................................................

.....................................................................

## ☐ Exercice 3 : géométrie

**Combien y a-t-il de rectangles en tout ?**

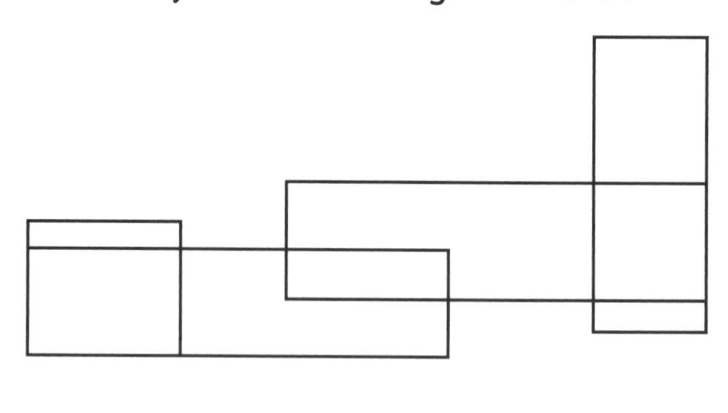

.....................................................................

## ☐ Exercice 4 : logique

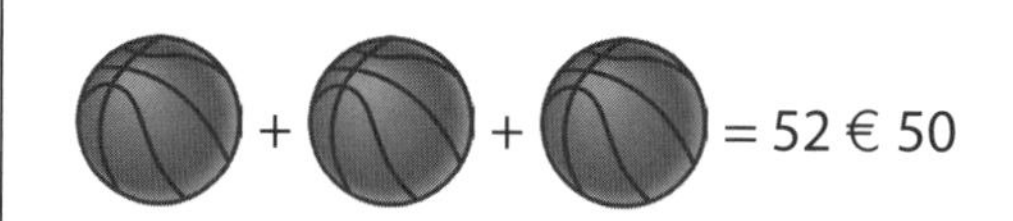


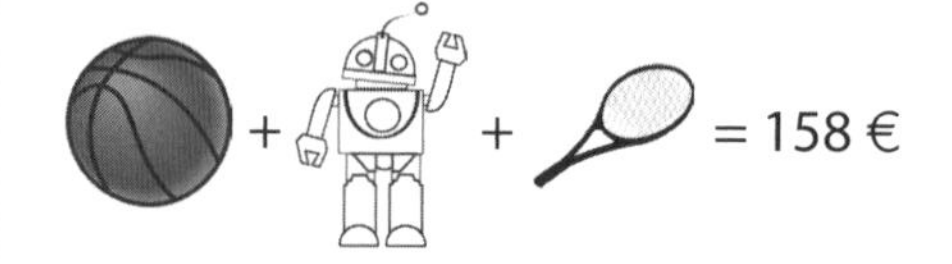


+ + = 158 €

**Avec les informations ci-dessus, trouve le prix de chaque objet.**

= .............................. €

= .............................. €

= .............................. €

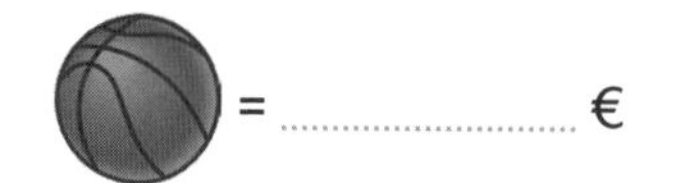

# Rallye maths (proposition 1) – Manche 4

Chaque réponse juste rapporte 5 points. Si cette dernière est correctement expliquée, c'est 5 points supplémentaires ! Si la réponse est fausse, l'exercice ne rapporte aucun point.
Attention, il faut choisir 3 exercices : coche les exercices que tu as choisis (☒ Exercice 1).

## ☐ Exercice 1 : numération

**Place les nombres 2, 4, 6 et 8 dans les ronds blancs afin que le produit des nombres sur chaque ligne du triangle soit égal à 48.**

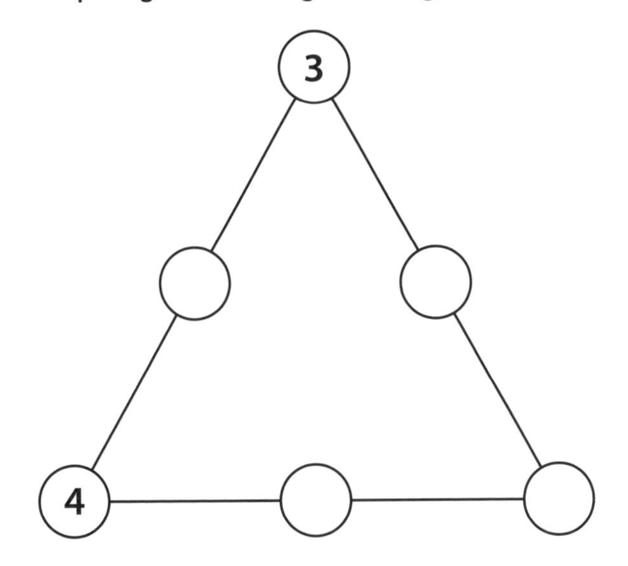


## ☐ Exercice 2 : mesures

Voici trois balances. On sait qu'un champignon pèse 25 g.

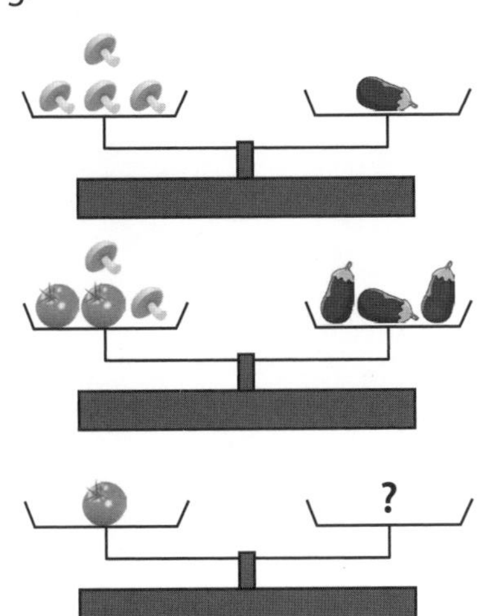


**Combien pèse une tomate ?**

.................................................................................

.................................................................................

.................................................................................

## ☐ Exercice 3 : géométrie

Voici un triangle rectangle :

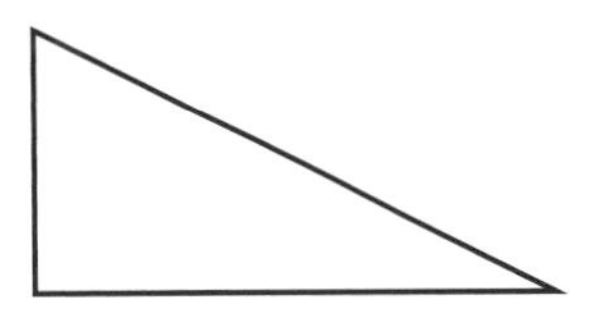

**Combien faut-il de ces triangles identiques pour fabriquer un hexagone régulier ?**

.................................................................................

**Fabrique cet hexagone dans ton cahier.**

## ☐ Exercice 4 : logique

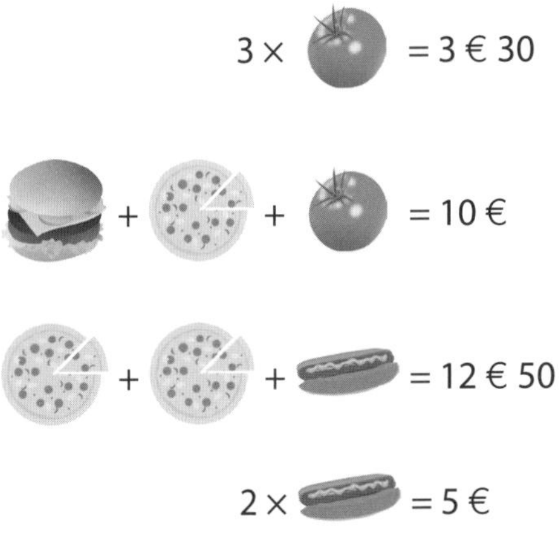

3 × = 3 € 30

\+ + = 10 €

\+ + = 12 € 50

2 × = 5 €

**Avec les informations ci-dessus, trouve le prix de chaque aliment.**

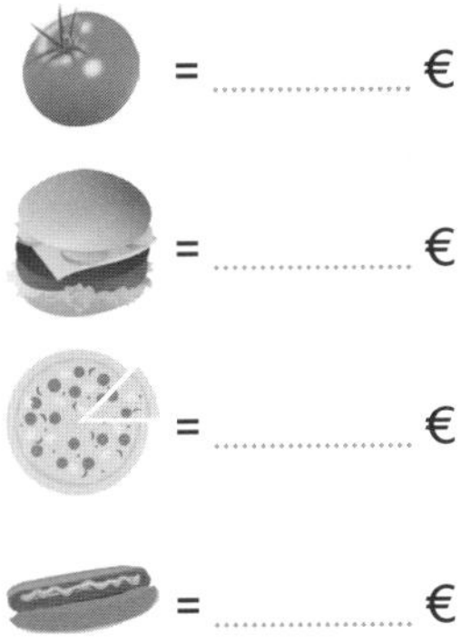

= .................. €

= .................. €

= .................. €

= .................. €

# Rallye maths (proposition 2) – Manche 1

Chaque réponse juste rapporte 5 points. Si cette dernière est correctement expliquée, c'est 5 points supplémentaires ! Si la réponse est fausse, l'exercice ne rapporte aucun point.
Attention, il faut choisir 3 exercices : coche les exercices que tu as choisis (☒ Exercice 1).

## ☐ Exercice 1 : numération

Regarde cette suite de nombres :

1 000 ; 6 000 ; 4 000 ; 9 000 ; 7 000 ;

.................... ; .................... ; ....................

Elle est construite selon une règle logique.

**Trouve les trois nombres manquants en respectant cette règle.**

## ☐ Exercice 2 : géométrie

**Prends 6 allumettes (ou cure-dents) et fabrique 4 triangles identiques.**
Tu n'as pas le droit de casser les allumettes ou de les faire se chevaucher.

## ☐ Exercice 3 : mesures

Le réveil de Luka avance de 15 minutes par heure. Par exemple, si Luka le met en route à 8 h, lorsqu'il sera 9 h « en vrai », son réveil indiquera 9 h 15.

Luka a mis son réveil en route à 21 h lorsqu'il s'est couché. Lorsqu'il s'est levé le matin, son réveil indiquait 8 h 30.

**Quelle heure était-il en réalité ?**

..........................................................................

..........................................................................

..........................................................................

## ☐ Exercice 4 : logique

Regarde ce cube. Il est construit de façon logique.

Comprends comment il est construit.

**Combien de petits cubes gris et noirs sont nécessaires pour construire ce grand cube ?**

..........................................................................

..........................................................................

..........................................................................

# Rallye maths (proposition 2) – Manche 2

Chaque réponse juste rapporte 5 points. Si cette dernière est correctement expliquée, c'est 5 points supplémentaires ! Si la réponse est fausse, l'exercice ne rapporte aucun point.
Attention, il faut choisir 3 exercices : coche les exercices que tu as choisis (☒ Exercice 1).

## ☐ Exercice 1 : numération

Mme Zhang plante un bambou de 30 cm. Chaque jour, le bambou pousse de 3 cm. À la fin de chaque semaine, Mme Zhang coupe 10 cm. Aujourd'hui, elle mesure son bambou : il fait 85 cm de haut.

**Combien de temps s'est-il écoulé depuis qu'elle a planté son bambou ?**

.................................................................

.................................................................

.................................................................

## ☐ Exercice 2 : géométrie

**1** Trace sur ton cahier un carré de 10 cm de côté.

**2** Trace les diagonales du carré.

**3** Combien de triangles comporte alors cette figure ?

.................................................................

## ☐ Exercice 3 : mesures

Paul prépare 36 cookies pour l'école.
S'il les cuit par 9 dans le four, il faut 12 minutes de cuisson.
S'il les cuit par 12 dans le four, il faut 14 minutes de cuisson.

**Comment va-t-il faire pour mettre le moins de temps possible ?**

.................................................................

.................................................................

.................................................................

.................................................................

.................................................................

.................................................................

## ☐ Exercice 4 : logique

La maitresse interroge les élèves de la classe.
Elle demande : « Qui a une sœur ? »
17 élèves lèvent la main.
Elle demande « Qui a un frère ? »
12 mains se lèvent.
Elle sait qu'il n'y a pas d'enfant unique. Cinq élèves ont levé la main deux fois.

**Combien y a-t-il d'élèves dans cette classe ?**

.................................................................

.................................................................

.................................................................

.................................................................

# Rallye maths (proposition 2) – Manche 3

Chaque réponse juste rapporte 5 points. Si cette dernière est correctement expliquée, c'est 5 points supplémentaires ! Si la réponse est fausse, l'exercice ne rapporte aucun point.
Attention, il faut choisir 3 exercices : coche les exercices que tu as choisis (☒ Exercice 1).

## ☐ Exercice 1 : numération

L'année 2009 est comme l'année 2018 : c'est une année de « somme 11 », parce qu'on obtient 11 si on additionne chaque chiffre :
$2 + 0 + 0 + 9 = 11$ et $2 + 0 + 1 + 8 = 11$

**Quelle sera la prochaine année de somme 11 ?**

..........................................................

..........................................................

..........................................................

## ☐ Exercice 2 : géométrie

Anna a une planche à clous. Elle doit reproduire des carrés en utilisant des élastiques :

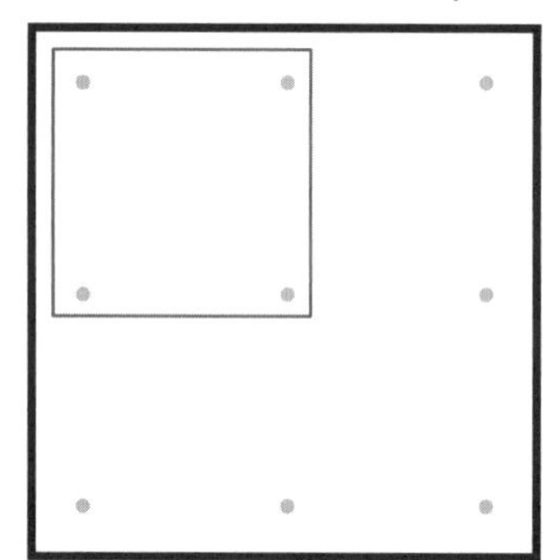

**Fabrique le maximum de carrés sur la planche à 16 clous.**

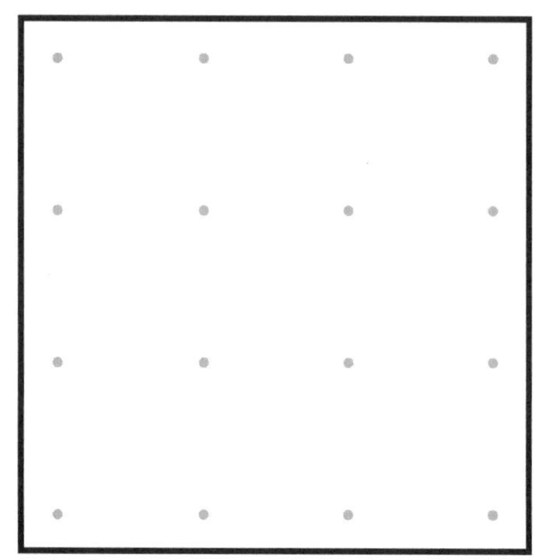

## ☐ Exercice 3 : mesures

Julia et Nabil ont fait un pari. Ils doivent rejoindre Paris en partant du Havre. Ils partent à la même heure.
Julia prend le train qui part à 6 h 27 et dont l'arrivée est prévue à 8 h 42.
Nabil fait 210 km en voiture. Il roule à 90 km/h en moyenne.

**Qui va arriver en premier ?**

..........................................................

..........................................................

..........................................................

..........................................................

## ☐ Exercice 4 : logique

+ + = 75 € 75

+ + = 63 € 25

+ + = 52 € 75

**Avec les informations ci-dessus, trouve le prix de chaque objet.**

= .................... €

= .................... €

= .................... €

# Rallye maths (proposition 2) – Manche 4

Chaque réponse juste rapporte 5 points. Si cette dernière est correctement expliquée, c'est 5 points supplémentaires ! Si la réponse est fausse, l'exercice ne rapporte aucun point.
Attention, il faut choisir 3 exercices : coche les exercices que tu as choisis (☒ Exercice 1).

## ☐ Exercice 1 : numération

La banquière a une technique pour mémoriser la combinaison de son coffre-fort.
La combinaison est composée de 4 chiffres.
Le produit des chiffres donne 72. La somme des chiffres donne 12.
Les chiffres sont rangés par ordre décroissant.

**Quelle est la combinaison du coffre ?**

..............................................................................

..............................................................................

..............................................................................

## ☐ Exercice 2 : géométrie

Voici une construction de cubes :

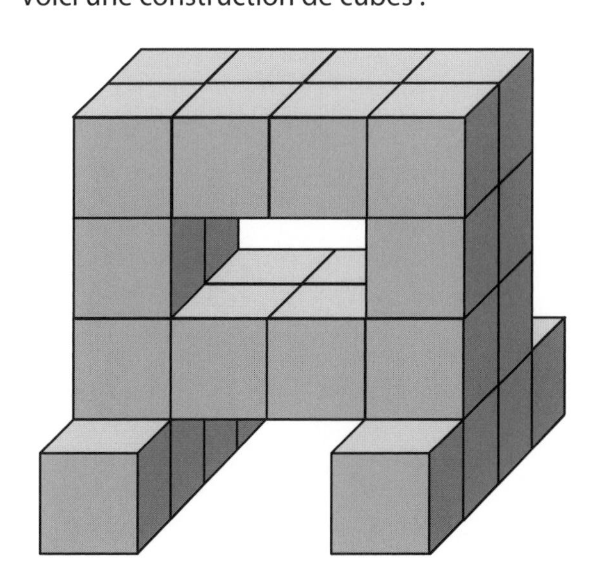

On veut peindre cette construction de tous les côtés. Il faut un coup de pinceau pour peindre une petite face carrée.

**Combien faut-il de coups de pinceau pour peindre toute la construction ?**

..............................................................................

..............................................................................

..............................................................................

## ☐ Exercice 3 : mesures

Gabin doit entourer son grand champ carré avec une clôture électrique. Les autres parcelles sont toutes carrées.

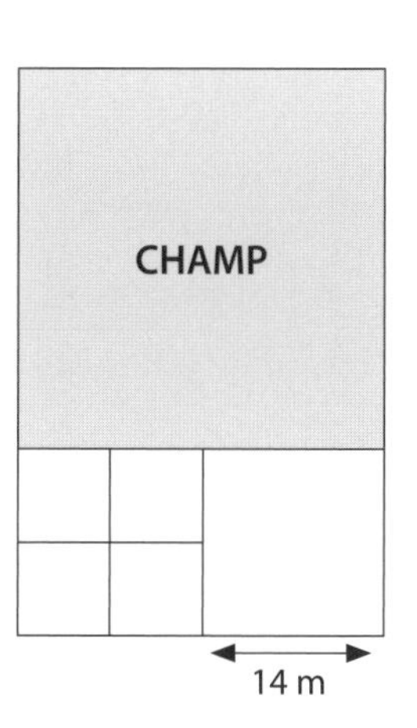


**Quelle longueur de clôture électrique doit-il acheter ?**

..............................................................................

..............................................................................

..............................................................................

..............................................................................

## ☐ Exercice 4 : logique

3 × = 2 € 70

\+ + = 2 € 20

\+ + = 0,85 €

2 ×  = 0,5 €

**Avec les informations ci-dessus, trouve le prix de chaque aliment.**

= .................... €

= .................... €

= .................... €

= .................... €

Nathan est un éditeur qui s'engage pour la préservation de l'environnement et qui utilise du papier fabriqué à partir de bois provenant de forêts gérées de manière responsable.

Cet ouvrage est conforme à la nouvelle orthographe
www.orthographe-recommandee.info

Achevé d'imprimer en France en avril 2020 par la Nouvelle Imprimerie Laballery à Clamecy
N° éditeur : 10264248 - Dépôt légal : août 2019 - N° impression : 003241

La Nouvelle Imprimerie Laballery est titulaire de la marque Imprim'Vert®